ミネルヴァ日本評伝選

出家しても政を行ふに豈障らず

孝謙・称徳天皇

勝浦令子著

ミネルヴァ書房

刊行の趣意

「学問は歴史に極まり候ことに候」とは、先哲荻生徂徠のことばである。

歴史のなかにこそ人間の智恵は宿されている。人間の愚かさもそこにはあらわだ。この歴史を探り、歴史に学んでこそ、人間はようやくみずからの正体を知り、いくらかは賢くなることができる。新しい勇気を得て未来に向かうことができる。徂徠はそう言いたかったのだろう。

「ミネルヴァ日本評伝選」は、私たちの直接の先人について、この人間知を学びなおそうという試みである。日本列島の過去に生きた人々の言行を、深く、くわしく探って、そこに現代への批判を聴きとろうとする試みである。日本人ばかりではない。列島の歴史にかかわった多くの異国の人々の声にも耳を傾けよう。

先人たちの書き残した文章をそのひだにまで立ち入って読み、彼らの旅した跡をたどりなおし、彼らのなしとげた事業を広い文脈のなかで注意深く観察しなおす――そのとき、はじめて先人たちはいまの私たちのかたわらによみがえってくる。彼らのなまの声で歴史の智恵を、また人間であることのよろこびと苦しみを、私たちに伝えてくれもするだろう。

この「評伝選」のつらなりのなかから、列島の歴史はおのずからその複雑さと奥ゆきの深さをもって浮かび上がってくるはずだ。これを読むとき、私たちのなかに新たな自信と勇気が湧いてきて、その矜持と勇気をもって「グローバリゼーション」の世紀に立ち向かってゆくことができる――そのような「ミネルヴァ日本評伝選」にしたいと、私たちは願っている。

平成十五年（二〇〇三）九月

上横手雅敬
芳賀　徹

「鳥毛立女屏風　第三扇」
部分（正倉院宝物）

住吉広保筆「称徳天皇像」
（西大寺蔵／奈良国立博物館提供〈森村欣司撮影〉）

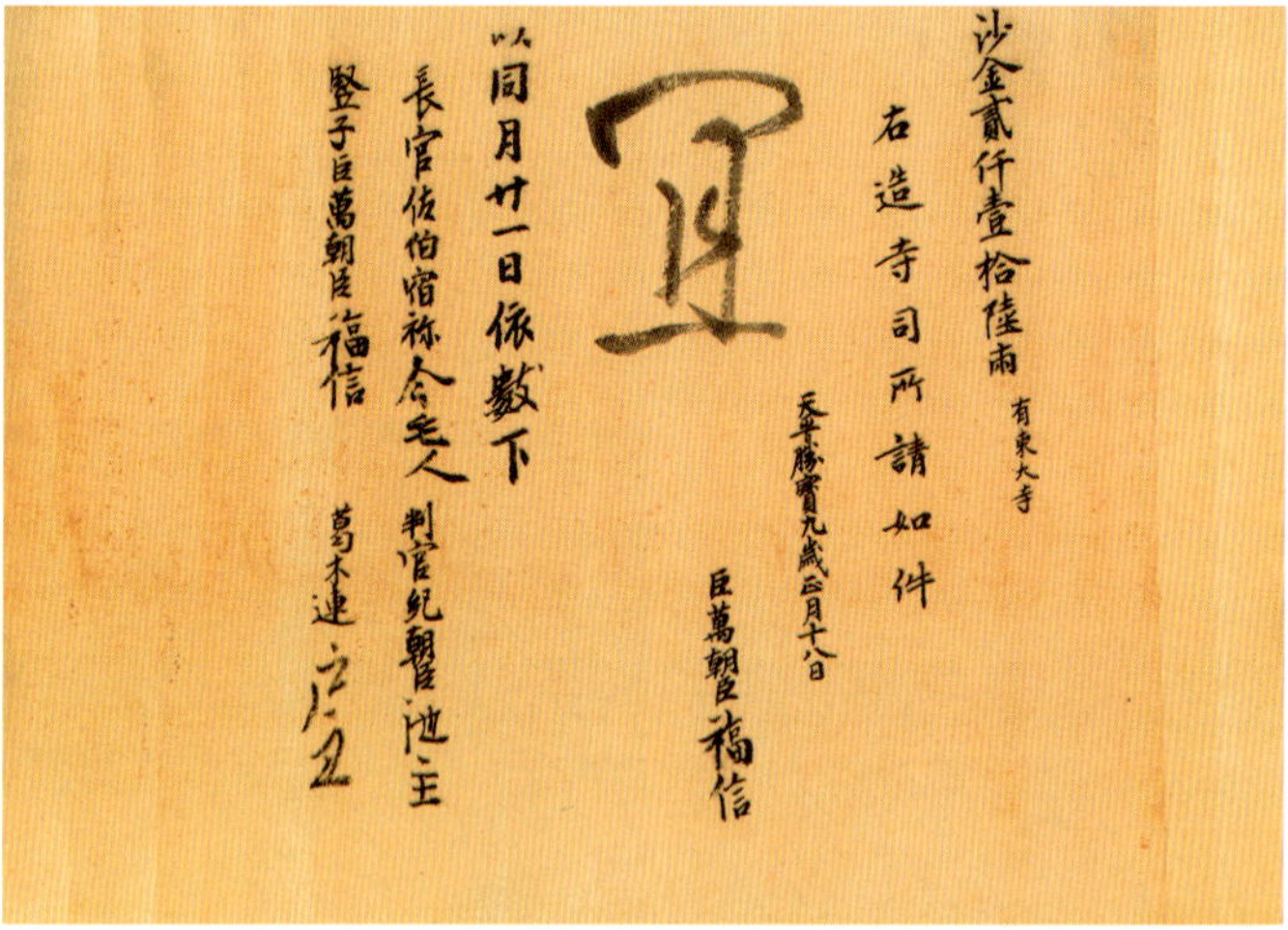
沙金貳仟壹拾陸兩　在東大寺
右造寺司所請如件
天平勝寶九歳正月十八日
臣葛朝臣福信
宜
以同月廿一日依數下
長官佐伯宿祢今毛人　判官紀朝臣池主
竪子臣葛朝臣福信　葛木連戸主

孝謙天皇御画「請沙金注文」（正倉院宝物）

孝謙天皇筆「勅額」
（唐招提寺蔵）

はしがき

孝謙《こうけん》・称徳《しょうとく》天皇は、養老二年（七一八）から神護景雲《じんごけいうん》四年（宝亀元・七七〇）八月までの五十三年間、すなわち奈良時代の大半を生き抜いた女性天皇である。

父聖武《しょうむ》天皇は、文武《もんむ》天皇と藤原不比等《ふひと》の娘宮子《みやこ》を父母とし、母光明子《こうみょうし》は不比等と県犬養橘三千代《あがたのいぬかいのたちばなのみちよ》を父母とした。皇統からいえば、数多くいた天武《てんむ》天皇皇子の中でも、持統《じとう》天皇との間に生まれた草壁《くさかべ》皇子の流れを汲んでいた。このことは天武系だけでなく、高祖母持統や曾祖母元明《げんめい》天皇を介して、その父天智《てんじ》天皇とつながり、いわば天武系と天智系の合体皇統に連なっていたといえる。そしてそれと同時に、不比等が父方からは曾祖父、母方からは祖父となり、藤原氏と最も濃密な血縁関係を持った皇族女性でもあった。

孝謙・称徳天皇は聖武と光明子の間に生まれた第一子であったが、女子であったため、幼少期は必ずしも皇位継承に直結した立場にはなかった。しかし同母弟の皇太子（基王もしくは某王）が、神亀五年（七二八）に早世したことを契機に、十一歳以降は、光明子と藤原氏の勢力を背景に、皇位継承をめぐる政争の中に身を置くことになった。そして天平十年（七三八）二十一歳の時、女性でありながら、本来は男性だけを想定した地位であった「皇太子」となった。この日本史上唯一の女性皇太子という身位を経て、さらに天平勝宝元年（七四九）三十二歳の時、父の出家を契機に孝謙天皇として即位し、実質的な指導力を持つ聖武太上天皇や光明子の後見のもとで在位した。

天平勝宝八歳（七五六）に聖武が没した後、未だ孝謙の皇位継承を無視し続ける橘《たちばなの》奈良麻呂《ならまろ》らの謀反の危機を天平宝字元年（七五七）に乗り切ったが、天平宝字二年（七五八）に藤原仲麻呂が擁立した淳仁《じゅんにん》天皇へ譲位させられ太上天皇となった。しかし天平宝字四年（七六〇）に母光明子が没した後、仲麻呂の傀儡《かいらい》である淳仁との間で、道鏡《どうきょう》の問題をめぐって対立し、天平宝字六年（七六二）に出家して尼太上天皇となるとともに、天皇大権のうち国家大事、賞罰二柄を握ると宣言した。

そして天平宝字八年（七六四）四十七歳の時、恵美押勝《えみのおしかつ》の乱に勝利した後、再度出家したまま即位して称徳天皇となった。称徳は道鏡を重用し、天平神護二年（七六六）には「法王」の地位を与え、さらに神護景雲三年（七六九）には道鏡の皇位継承を模索した。しかし和気清麻呂《わけのきよまろ》がもたらした宇佐八幡神の神託により、神祇の不承認が決定的となり、この問題は頓挫した。その後称徳は体調を崩し、神護景雲四年（宝亀元・七七〇）八月に、仏教と密接な関係を模索し続けた生涯を五十三歳で閉じた。

この孝謙・称徳天皇の人生を理解するうえで、最も重要なキーワードは、「日本史上唯一の女性皇太子を経て即位した女性天皇（女帝）」、さらに「日本史上唯一の出家したまま在位した天皇」といえる。そして実質的に「古代最後の女性天皇」となったことである。

孝謙・称徳天皇について、今までも女帝論の中で多く言及されてきた。古代では六世紀末から八世紀後半までに推古《すいこ》・皇極《こうぎょく》（斉明《さいめい》）・持統・元明・元正《げんしょう》・孝謙（称徳）の六人、近世では十七世紀前半の明正《めいしょう》、十八世紀後半の後桜町《ごさくらまち》の二人、計八人の女性天皇が存在する。しかし孝謙以外の女性天皇は、皇后・皇太子妃・内親王の地位から直接天皇に即位し、皇太子の身位を経てはいない。皇太子を経験した女性天皇は、孝謙天皇が日本史上で唯一の例である。つまり孝謙は、生身は女身ではあるが、本質としては男性の皇太子、そして男性の天皇と同等の役割を果たす課題を担った存在であった。

また孝謙・称徳天皇は奈良時代政治史の中でも言及されてきた。しかし従来の政治史研究は聖武天皇論・光明子論、または藤原仲麻呂論・道鏡論などをベースに、孝謙・称徳天皇を考察する場合が多かった。そして孝謙・称徳天皇論として論じられる場合も、彼女自身の政治思想を十分に検討してきたとはいえない。特に見落されてきた点は、彼女自身の仏教理解の問題である。しかし奈良時代の王権のあり方、またその政治思想を理解するうえで、仏教の問題こそが重要な鍵を握っている。出家したまま在位したこと、僧侶の皇位継承を模索していった背景も含め、この問題については、八世紀の「王権と仏教」、また「女性と仏教」という視点を取り入れる必要がある。

インドで成立した仏教は、東アジア諸国にとって、それぞれの固有信仰を相対化しうる、外来信仰としての共通性を持ち、普遍的な世界宗教として重要な役割を担った。そして各国の「崇仏《すうぶつ》君主」の存在は、君主の個人的信仰の問題にとどまらず、国家的な政策における君主権の強化に大きな力を発揮していくようになった。特に七世紀末から八世紀初頭の武則天《ぶそくてん》（則天武后《そくてんぶこう》）は、中国史上異例の女性皇帝となり、仏教を利用することで君主権を強化した典型的な例といえる。武則天は現実には女身でありながら、本来は男身である弥勒《みろく》菩薩が方便《ほうべん》として女身となって応現《おうげん》したものとする説を利用したことで知られている。この東アジアの女性「崇仏皇帝」のあり方と八世紀中頃の孝謙・称徳天皇の「崇仏天皇」のあり方を比較検討することは不可欠である。

このような孝謙・称徳天皇を特徴付ける要素が、奈良時代の中、父聖武天皇から引き継がれた政治的・宗教的環境の中で、どのように形成されていったのかを見極めながら、評伝を行っていきたい。また孝謙・称徳天皇の実像を離れ、死後に道鏡との関係をスキャンダラスに伝えられていったことの意味も考えていきたい。

本書では孝謙・称徳天皇の一生を考えていくうえで、全体を通した人物名としては孝謙・称徳天皇と表記する。ただし彼女の呼び名を時期ごとに記述する場合、次のように区別したい。

幼年時代から父の即位まで	阿倍女王
父の即位から立太子まで	阿倍内親王
皇太子時代	阿倍皇太子
即位から譲位まで	孝謙天皇
譲位から出家まで	孝謙太上天皇
出家から重祚まで	孝謙尼太上天皇（法基《ほうき》）
重祚から逝去まで	称徳天皇（称徳尼天皇）

孝謙・称徳天皇の呼称は、他の天皇と違う特徴がいくつかある。その一つは天平宝字二年（七五八）八月に、「上台《じょうだい》宝《ほう》字《じ》称徳《しょうとく》孝謙《こうけん》皇帝」という皇帝号の尊号《そんごう》を、生前から贈られていたことである。それをもとに後世、二度の即位に合わせて前半を孝謙天皇、後半を称徳天皇と区別して表記するようになった。つまり天智天皇や天武天皇などのように、八世紀後半に一斉に付けられたいわゆる漢風諡号《しごう》ではない。そしてまたこの時期の他の天皇とは違い、例えば日本《やまと》根子《ねこ》天津《あまつ》御代《みしろ》豊国成姫《とよくになりひめ》天皇（元明天皇）や日本根子高瑞《たかみず》浄足姫《きよたらしひめ》天皇（元正天皇）のように、通常死後に贈られる和風諡号がないことである。これは孝謙・称徳天皇が出家していたことによる。『続日本紀』巻十八の巻頭にも、「出家して仏に帰《きえ》したまふ。更に諡《おくりな》を奉《たてまつ》らず。因《より》て宝字二年百官《ひゃくかん》の上《たてまつ》る尊き号《みな》を取りて称《たた》へまうす」とある。

なお父の聖武も逝去した直後は、出家していたことにより和風諡号を贈られなかった。この点では類似しているが、聖武の場合はその二年後に勝宝感神聖武《しょうほうかんじんしょうむ》皇帝の尊号だけでなく、天璽国押開豊《あめしるしくにおしはらきとよ》桜彦《さくらひこ》尊という和風諡号を追贈されている。しかし孝謙・称徳天皇の場合は最後まで追贈されることはなかった。

孝謙・称徳天皇の呼称でさらに特筆すべき特徴は、『続日本紀』では巻二十一以降、高野《たかの》天皇という呼称が使用されていることである。この高野天皇は、諱《いみな》説、地名説、生前から山荘名で呼ばれていたとする説などもあるが、山陵名「大和国添下《そうのしも》郡佐貴《さき》郷高野山陵」に由来するとみる説が通説的位置を占めている。孝謙・称徳天皇の没後に成立した呼称であり、延暦十五年（七九六）に撰進された『続日本紀』の編纂段階で表記されたものである。また延暦六年（七八七）に原型が成立し、その後の増補を経て弘仁十三年（八二二）に現存形態が成立したと推定されている『日本霊異記《にほんりょういき》』などに、高野姫天皇という表記も出てきた。いずれにしても孝謙・称徳天皇を孝謙と称徳に時期を区分して表記することは、生前や八世紀段階にはなかった。

本文における基本史料は残存史料の制約からおおむね『続日本紀』であり、断らない限りはこれにより、「正倉院文書」をはじめとするその他の史料は、適宜出典を明記することで区別したい。

孝謙・称徳天皇——出家しても政を行ふに豈障らず

目次

はしがき

第一章　阿倍女王の出生――光明子所生草壁皇統の女子……I

1　父母の血筋と婚姻……I
父母の誕生とその血筋　持統天皇と草壁皇子　文武逝去と元明即位
父首親王の立太子　元明の譲位と元正の即位
「ミオヤ」たちの仲立による父母の婚姻

2　阿倍女王の誕生……9
光明子初めての懐妊　元正天皇美濃行幸　若返りの美泉と養老改元
女王誕生の落胆と安堵　阿倍女王の名の由来と乳母による養育

3　外祖父不比等と曾祖母元明天皇の逝去……17
首皇太子、朝政を聴く　不比等の逝去と黒作懸佩刀
元明太上天皇の遺詔　光明子の男子出産願望と女医博士

第二章　阿倍内親王の哀楽――弟夭折と母立后……23

1　父の即位と弟皇太子の誕生と夭折……23
父聖武天皇の即位　阿倍女王から阿倍内親王へ

目次

光明子の再度の懐妊と男子出産　同母弟の立太子と夭折
異母弟安積親王の誕生
2 母の立后……29
長屋王の変　長屋王と吉備内親王の自殺
縁坐赦免と光明子の藤原系遺児支援　大瑞の亀と唐僧道栄　天平改元
母光明子の立后　「皇后」の先例　皇后宮職の成立
第三章 女性皇太子への道——立太子計画と東宮教育……39
1 阿倍内親王への期待……39
皇太子の母　皇后宮の踏歌節会　十三歳の阿倍内親王
母光明子の施薬院　武則天の悲田養病坊の影響
阿倍、母と興福寺五重塔建立のための土を運ぶ　行基の活動に学ぶ
父聖武天皇の「雑集」の書写　祖母県犬養橘三千代の逝去
2 立太子への準備……50
大地震と天然痘流行　阿倍内親王の『最勝王経』書写開始
上宮王院の聖徳太子供養法華経講　皇位継承者と「三宝之法永伝」
橘宿禰姓の成立と聖武夫人体制の補強　藤原四子逝去による停滞
3 女性皇太子となる……60

阿倍内親王の立太子　東宮機構による阿倍皇太子の帝王学教育
吉備真備による帝王学教育　『礼記』『漢書』と仏典類の学習
春宮坊の官人たち

第四章　阿倍皇太子の苦悩——女性皇太子の五節の舞……71

1　阿倍皇太子時代の波乱……71
父聖武の行幸と皇太子監国　藤原広嗣の乱と父聖武の「関東」行幸
恭仁京遷都と国分寺造営の詔　国分尼寺と「法華滅罪之寺」の意味
阿倍皇太子の『法華経』　塩焼王配流事件

2　阿倍皇太子、五月五日に「五節」を舞う……83
「五節」の舞　五節と田舞　皇太子が舞う意義　礼と楽
「国宝」の意味　「五節」起源と神女伝承　女性皇太子と衣服

3　女性皇太子の克服……95
武則天の「方便の女身」「菩薩の化身としての女身」説
阿倍皇太子の「方便の女身」説　阿倍皇太子の写経事業
大仏発願の詔　安積親王の急死　大地震の発生と平城還都
難波宮での聖武不予と孫王招集　玄昉の末路
元正太上天皇の逝去と遺言

目　次

第五章　孝謙天皇の自覚——即位と崇仏天皇の継承……107
1　孝謙天皇となる……107
「三宝の奴と仕へ奉る天皇」　「太上天皇沙弥勝満」　父の譲位
孝謙の即位　紫微中台の設置
2　崇仏天皇への道……115
孝謙即位後初めての行幸　智識寺とその周辺　孝謙天皇の大嘗祭
宇佐八幡神の入京　真備の左降と遣唐使派遣　孝謙の和歌
大仏開眼会　天子冠を被った女帝　仲麻呂田村第への行幸歌
新羅・渤海の仏教外交　鑑真から菩薩戒を受ける
祖母宮子の逝去、行信厭魅事件
3　孝謙天皇の試練……134
聖武太上天皇の逝去　道祖王の立太子　孝謙の筆跡　道祖王の廃太子
大炊王の立太子　橘奈良麻呂の変　謀反人への拷問と処罰
山田御母への怒り　孝謙の天皇大権　天平宝字の改元

第六章　孝謙太上天皇の反撃——出家と恵美押勝打倒……151
1　孝謙太上天皇の時代……151

孝謙の譲位と淳仁即位　尊号の奉呈　仲麻呂の恵美押勝改名と大保就任
舎人皇統の顕彰と前聖武天皇の皇太子　孝謙と光明子の溝
母光明子の逝去
2 孝謙太上天皇の出家……160
保良宮行幸　孝謙と淳仁の対立　淳仁の後宮　道鏡の登場
内道場の禅師　孝謙の出家　変成男子説と出家
「国家の大事賞罰二つの柄は朕行はむ」
3 孝謙尼太上天皇の勝利……176
道鏡の僧綱入り　押勝殺害謀議事件の処罰と造東大寺司人事の変化
恵美押勝の策謀　恵美押勝の乱

第七章　称徳天皇の矜持――尼天皇重祚と道鏡法王……183
1 称徳天皇の重祚……183
「出家しても政を行ふに豈障るべき物には在らず」　淳仁廃帝と称徳重祚
皇太子を定めない理由　淳仁を推す勢力への警戒　和気王の謀反
紀伊行幸と檀山陵拝礼　淡路廃帝の最期
2 僧俗による政治構想と神仏習合……194
弓削行宮滞在　道鏡の太政大臣禅師任命　称徳尼天皇の二度目の大嘗祭

「本忌みしが如くは忌まずして」　僧俗相交わる　神仏習合
俗官体制の整備と私称聖武皇子の遠流
3　称徳尼天皇と道鏡法王 …… 203
隅寺毘沙門像からの舎利出現　法王任命　法王宮職の実態
法王の意味　称徳の政治思想と『最勝王経』　聖徳太子の法王

第八章　称徳天皇の手腕――女帝としての政治 …… 215
1　仏・神・儒、三教の政治 …… 215
西大寺・西隆寺造営　百万塔の作成
日本における『無垢浄光経』の受容　渤海経由の唐「無垢浄光塔」情報
浄三の「無垢浄光塔」　御斎会と吉祥天悔過
神護景雲の改元と僧の拍手　神祇への配慮　称徳の儒教政策
「神護景雲二年御願一切経」の供養　神護景雲二年の祥瑞
2　称徳女帝と宮廷女性たち …… 235
女性の重用　男性名の女孺・男装の女孺　ワラワの役割
和気広虫（法均）の重用　弟清麻呂の出世　尼位と大尼

第九章　称徳天皇の夢思——出家者皇位継承の模索……249
1　尼天皇・法王体制の完成と綻び……249
道鏡実弟の昇進　法参議基真の追放　法臣円興と親族
尼天皇と法王の正月行事　左右大臣の厚遇
不破内親王・氷上志計志麻呂の謀反　県犬養姉女らの厭魅呪詛
井上内親王の立場
2　称徳の皇位観……262
「三宝之法永伝」する崇仏君主の継承　天智・天武・持統と父聖武の崇仏
「天」の授け賜う人　称徳による仏と神の優先順
『最勝王経』の国王と転生　太子転生説の受容
聖徳太子関係寺院への行幸　道鏡法王像の限界
3　宇佐八幡神託事件……276
事件を語るもの　清麻呂・法均尼の追放　大神の御命
称徳の夢告と女禰宜の託宣　宣命四十五詔の意味するもの
皇位を願う心を諫める

第十章　女性天皇の終焉――晩年の祈りと「負の記憶」……293
1　称徳天皇の晩年……293
由義宮行幸　最後の新嘗豊明節会　西大寺東塔心礎破却の祟り
最後の由義宮歌垣　称徳の不予　称徳の病状
最後の祈願と西大寺薬院　称徳の最期と「遺宣」
出家経験者の皇位継承　称徳の葬儀と高野陵　道鏡追放
称徳の供養仏事と光仁即位
2　称徳の残したもの……313
王権と仏教　女性天皇の否定　称徳の祈り

参考文献　321
あとがき　335
孝謙・称徳天皇略年譜　339
人名索引

図版写真一覧

住吉広保筆「称徳天皇像」（西大寺蔵／奈良国立博物館提供〈森村欣司撮影〉）……カバー写真、口絵1頁
「鳥毛立女屛風　第三扇」部分（正倉院宝物）……口絵1頁
孝謙天皇御画「請沙金注文」（正倉院宝物）……口絵2頁
孝謙天皇筆「勅額」（唐招提寺蔵）……口絵2頁
都城の位置（奈良文化財研究所『日中古代都城図録』より作成）……xix
主要人物関係系図……xx〜xxi
平城京復元図（舘野和己『古代都市平城京の世界』より作成）……xxii
「国家珍宝帳」部分（正倉院宝物）……7
「国家珍宝帳」部分（正倉院宝物）……19
六・七世紀の皇后・皇太妃表……37
聖武天皇宸翰「雑集」巻末部分（正倉院宝物）……48
「皇太子御斎会奏文」（東京国立博物館蔵／Image：TNM Image Archives）……54
鄭灼撰『礼記子本疏義』（国宝）末尾部分（早稲田大学図書館蔵）……65
阿倍皇太子時代の留守官表……73〜74
「国家珍宝帳」部分（正倉院宝物）……86

図版写真一覧

智識寺東塔心礎石（大阪府柏原市太平寺・石神社境内）……117
礼服御冠残欠第一層と第四層（正倉院宝物）……125
冕冠（孝明天皇御即位御料）（宮内庁蔵）……126
「銅鏡背面下絵」（正倉院宝物）……168
「法師道鏡牒」（正倉院宝物）……177
称徳天皇大嘗宮（清水洋平ほか「中央区朝堂院の調査　第三六七次・三七六次調査」『奈良文化財研究所紀要』二〇〇五年、より）……197
『儀式』による大嘗宮の建物配置（清水洋平ほか「中央区朝堂院の調査　第三六七次・三七六次調査」より）……197
聖武天皇宸翰「雑集」の「道会寺碑文」部分（正倉院宝物）……213
「吉備由利願経一切経」部分（西大寺蔵）……218
「百万塔」と「無垢浄光経陀羅尼」（奈良国立博物館蔵／森村欣司撮影）……219
「吉祥天画像」（薬師寺蔵）……225
「如来示教勝軍王経」（神護景雲二年御願経）」巻尾（正倉院聖語蔵）……231
天平神護元年の女叙位階・勲等表……236
東院庭園復元模型（奈良文化財研究所提供）……256
「長谷寺銅板法華説相図銘」（長谷寺蔵）……264
孝謙・称徳を加護する神仏等の順番の変化……268
聖徳太子関連寺院行幸表……273

「金光明最勝王経」（国宝）の「王法正論品」部分（西大寺蔵）…… 289
西大寺東塔跡（奈良市西大寺芝町・西大寺境内）…… 297
「天皇崩給」木簡（奈良文化財研究所提供）…… 305
称徳天皇高野陵（奈良市山陵町）…… 307
「西大寺往古敷地図」（東京大学文学部蔵）…… 308
「西大寺与秋篠寺堺相論絵図」部分（西大寺蔵）…… 310

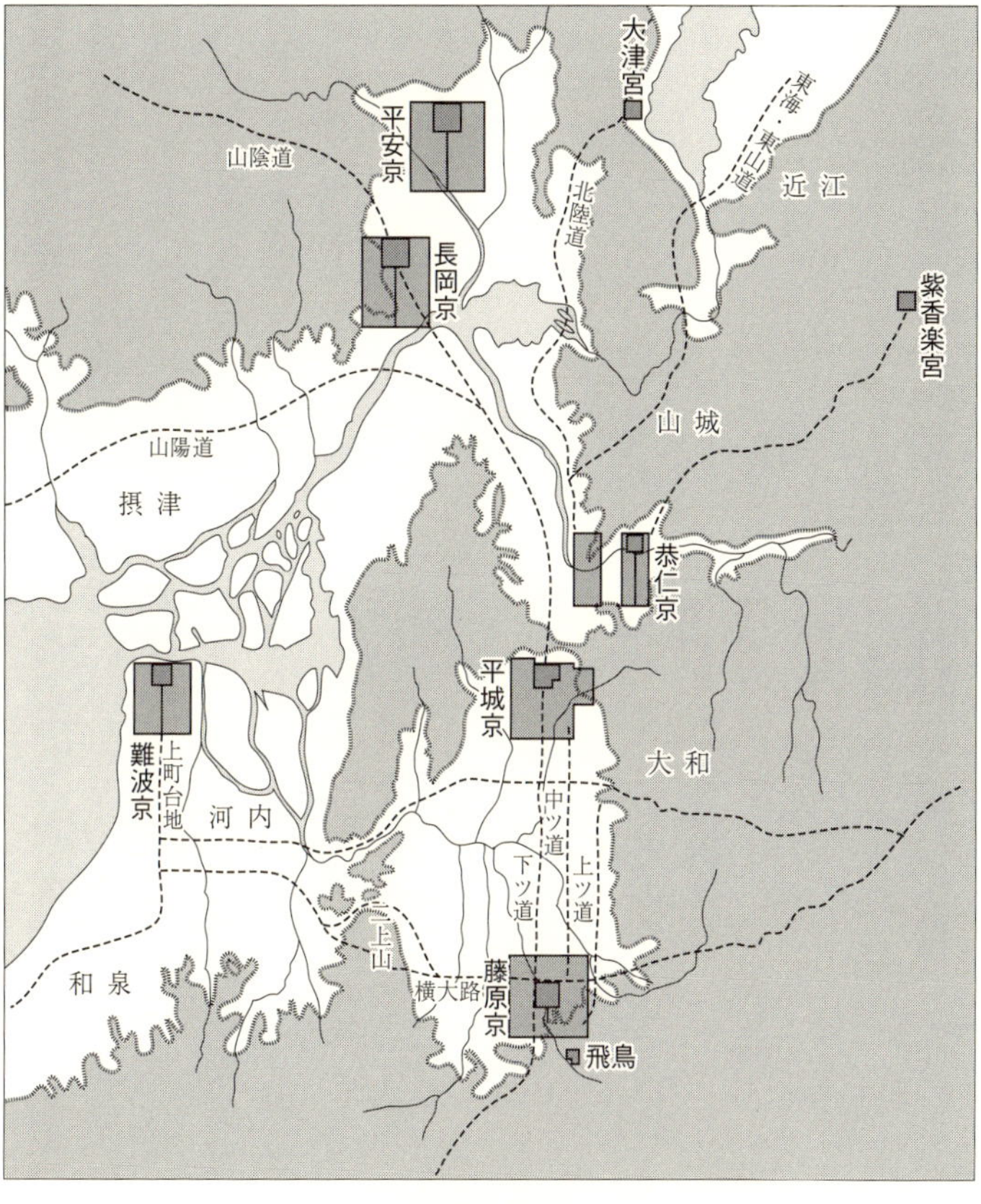

都城の位置

（奈良文化財研究所『日中古代都城図録』より作成）

主要人物関係系図

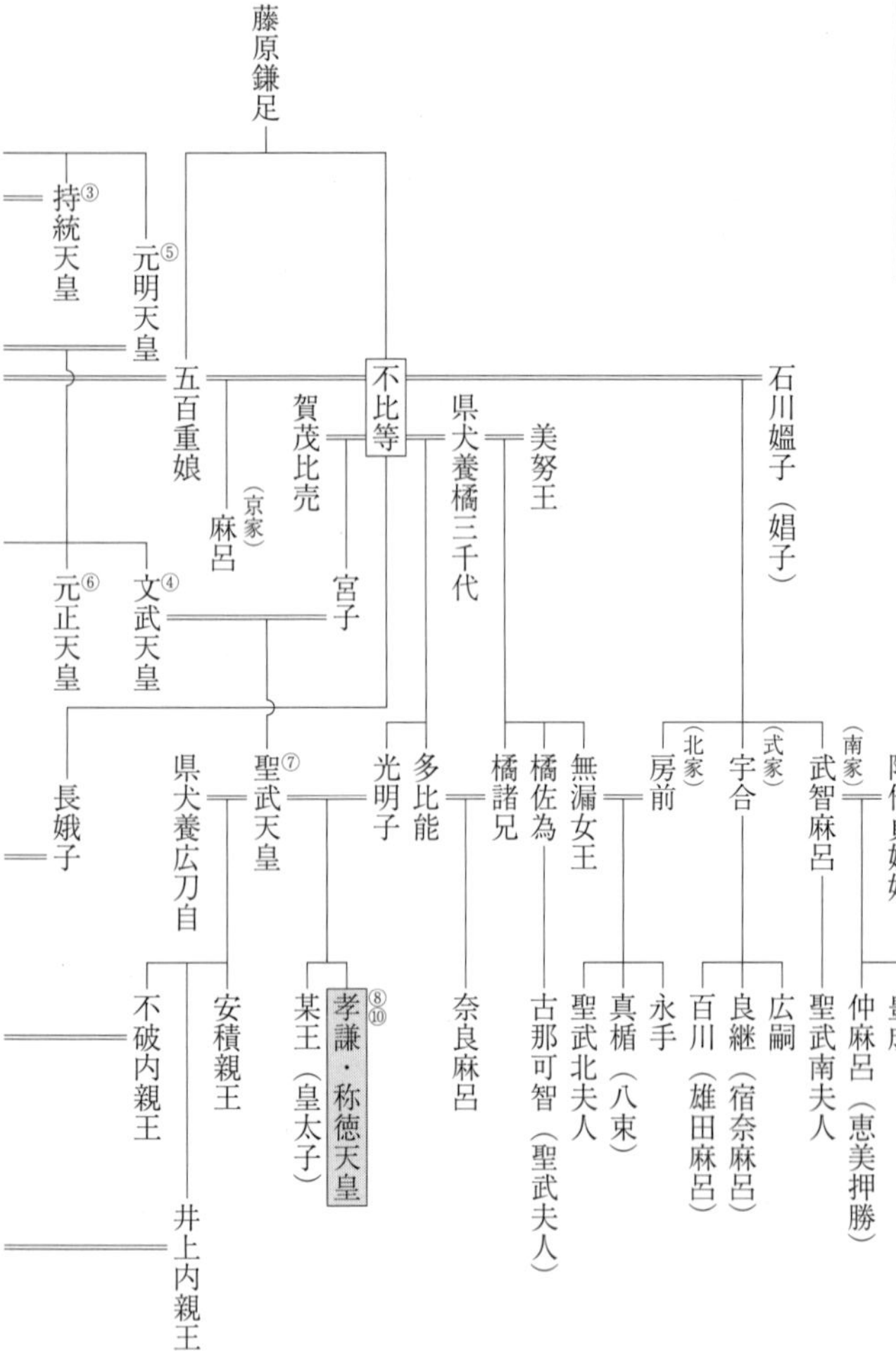

（数字は即位順）

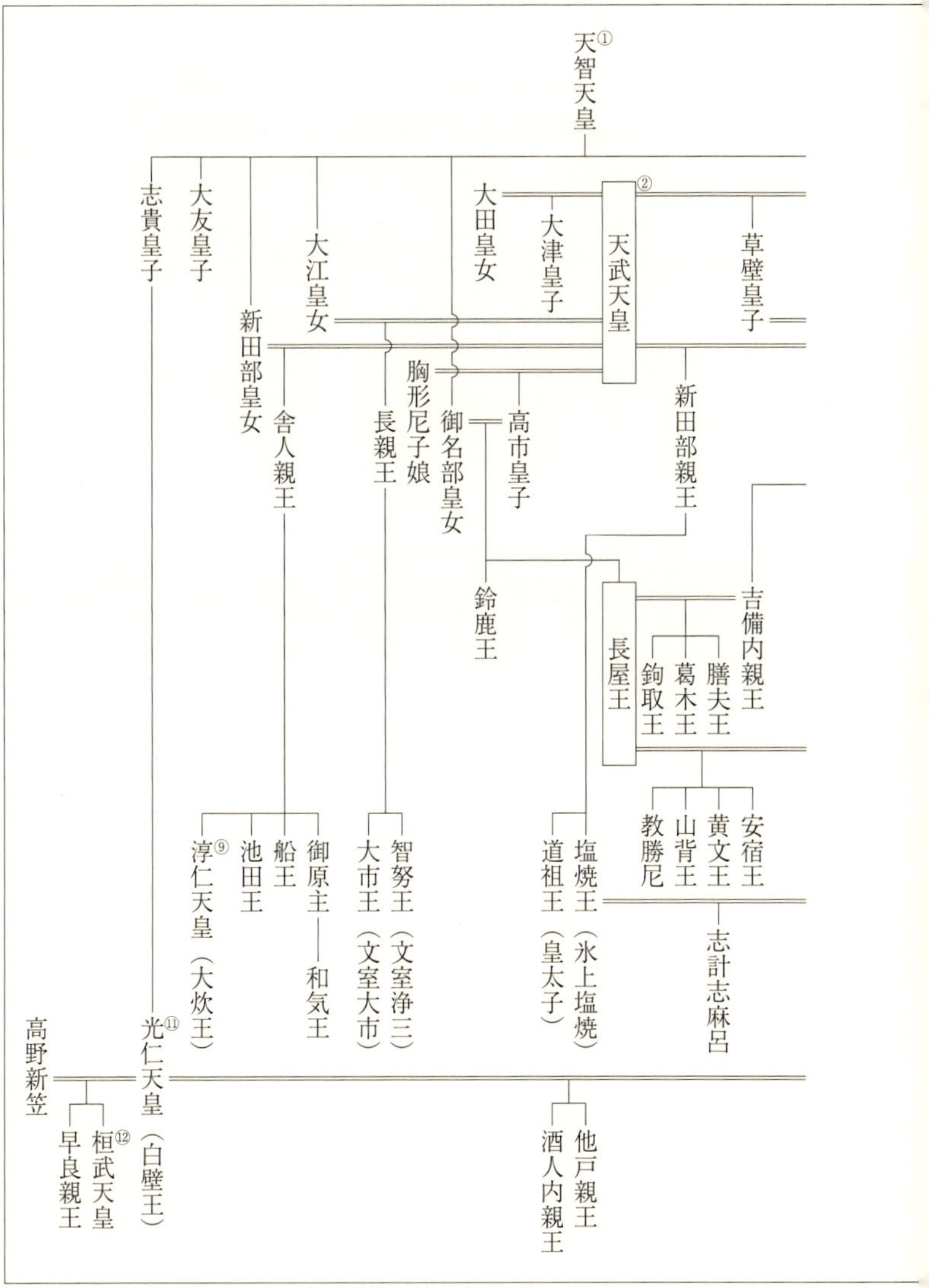
天智天皇①
天武天皇②
草壁皇子
大津皇子
大田皇女
大江皇女
大友皇子
志貴皇子
新田部皇女
新田部親王
吉備内親王
高市皇子
御名部皇女
胸形尼子娘
長親王
舎人親王
長屋王
膳夫王
葛木王
鉤取王
鈴鹿王
安宿王
黄文王
山背王
教勝尼
志計志麻呂
塩焼王（氷上塩焼）
道祖王（皇太子）
智努王（文室浄三）
大市王（文室大市）
御原主
和気王
船王
池田王
淳仁天皇⑨（大炊王）
光仁天皇⑪（白壁王）
高野新笠
桓武天皇⑫
早良親王
他戸親王
酒人内親王

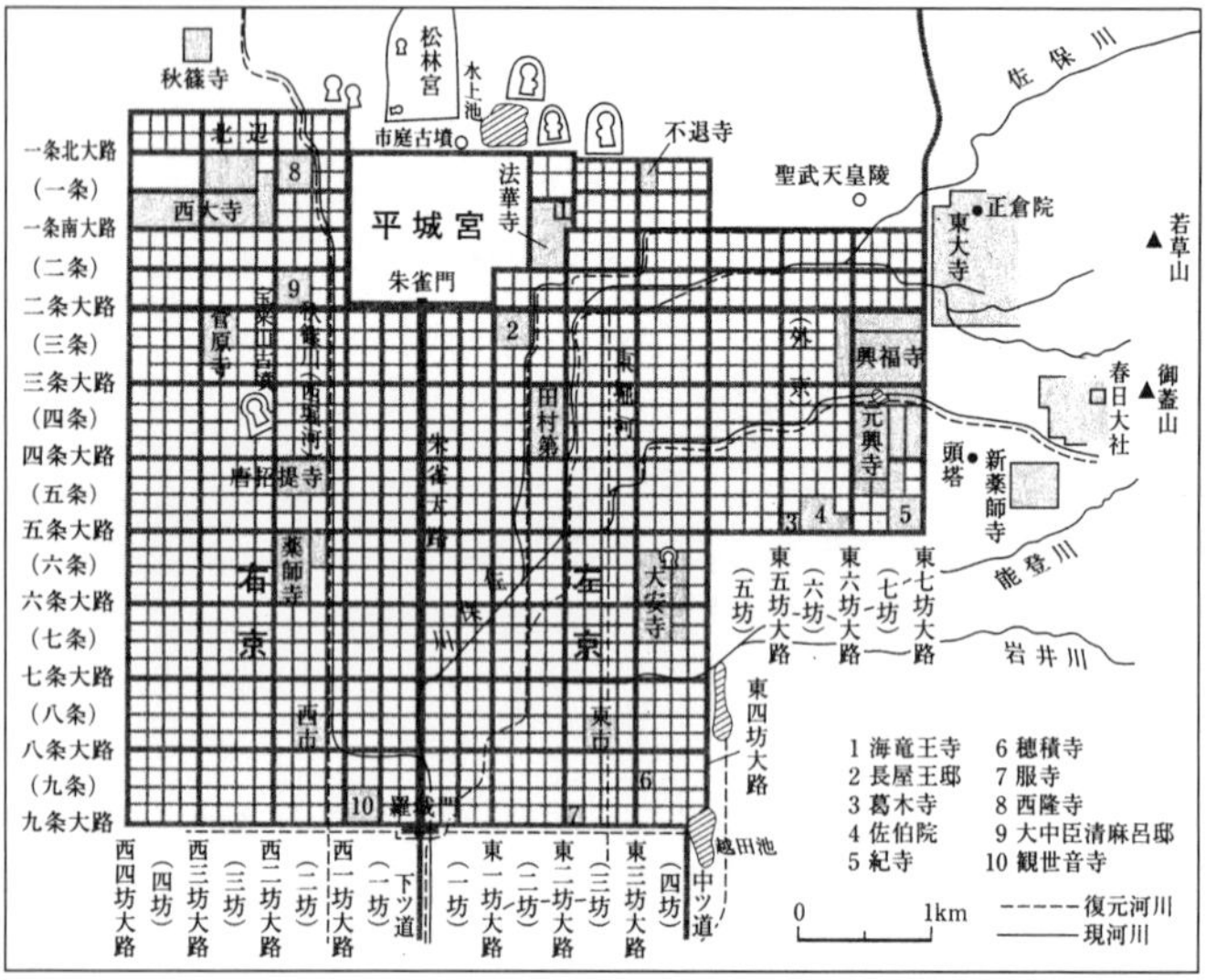

平城京復元図

（舘野和己『古代都市平城京の世界』より作成）

第一章　阿倍女王の出生――光明子所生草壁皇統の女子

1　父母の血筋と婚姻

父母の誕生とその血筋

阿倍女王の父は首《おびと》親王（首皇子）、後の聖武《しょうむ》天皇であり、そして母は安宿媛《あすかひめ》、後の光《こう》明子《みょうし》（光明皇后）である。阿倍女王誕生を語る前に、誕生に至るまでの父母たちについて少したどっておきたい。

首親王は、七世紀以降の皇位継承の中で、舒明《じょめい》天皇と皇極《こうぎょく》天皇の間に生まれた兄弟である天智《てんじ》天皇と天武《てんむ》天皇の両方の皇統をつなぐ、持統《じとう》天皇―草壁《くさかべ》皇太子―文武《もんむ》天皇の血筋を継承していくべき男子であった。すなわち草壁皇子は天武を父とし、天智の娘で天武の皇后でもあった持統天皇との間に生まれ、文武天皇は草壁皇子と天智の娘である元明《げんめい》天皇の間に誕生した。この血筋を一般的には天武系草壁皇統とされるが、実際は持統と元明を介して天智系・天武系が合体した皇統であり、かつ最もその関係が濃厚な血筋であった。

そして首親王の母は藤原不比等《ふひと》の娘宮子《みやこ》であり、首親王は母方からは藤原氏の血筋を引いていた。藤原氏はもと中臣《なかとみ》氏の一族であったが、乙巳《いっし》の変などを経て七世紀後半から鎌足《かまたり》・不比等親子によって目覚ましい政治的台頭を遂げた朝臣姓の氏である。宮子はやはり朝臣姓の賀茂比売《かものひめ》を母とした。光明子は、父が藤原不比等、母が県犬養《あがたのいぬかい》三千代であり、首親王の母宮子とは異母姉妹の関係にあった。なお不比等の娘はこの他に、光明子の同母妹である多比能《たひの》、母は不明であるが長屋王の配偶者の一人で安宿王らの母となった女性（長娥子説あり）と、大伴古慈悲《こじひ》の配偶者となった女性がいた。

つまり阿倍女王の両親である首親王と光明子は、ともに不比等と濃密な血縁関係にあり、母方では甥と叔母の関係になるが、この二人はともに大宝元年（七〇一）生まれの同い年であった。この年はまさに律と令を完備した大宝律令が施行され、本格的な律令国家としての幕開けの年であり、また日本という国号を掲げて派遣される遣唐使が三十年ぶりに任命された年であった。

持統天皇と草壁皇子

父母が誕生した翌年の大宝二年（七〇二）十二月二十二日、持統太上天皇が五十八歳の生涯を閉じた。八世紀の王権のあり方、そして八世紀の皇位継承の原型は、まさにこの持統によって形作られたといっても過言ではない。天智の血を受け、夫大海人《おおあま》皇子（天武）と共に壬申の乱を戦い抜き、天武即位後は皇后として共同統治を行い、そして朱鳥元年（六八六）に天武が逝去すると、皇后のまま臨朝称制《りんちょうしょうせい》を行った。

しかし約二年二カ月にわたる殯宮《ひんきゅう》儀礼が開始されて間もなく、草壁と同様に天智・天武を合体した血筋を引く大津《おおつ》皇子が謀反《むへん》の嫌疑で自殺に追い込まれた。これによって持統所生の草壁皇子の皇位継承の条件が整いつつあったが、持統天皇（称制）三年（六八九）四月十三日に草壁が二十八歳で逝去した。この時既に草壁皇子とその妃阿閇《あへ》内親王（元明）の間には、珂瑠《かる》（軽）皇子（文武）が生まれていたが、まだ七歳であった。そこで持統自ら即位し、飛鳥浄御原令《あすかきよみはらりょう》の施行や藤原京遷都を成し遂げ、持統天皇十一年（六九七）に珂瑠を立太子させた。さらに同年の八月一日には、遂に持統は五十三歳で譲位し、文武を十五歳で即位させた。持統は日本史上初めて太上天皇という身位を創設し、退位した後も天皇に比する権力を保持して幼い文武を支えていった。

孝謙・称徳天皇自身は直接対面する機会はなかったとはいえ、孝謙・称徳にとっては高祖母となる持統の存在が本人に与えた影響は計り知れないほど大きかった。そして母光明子から「岡宮に御宇《あめのしたしらしめ》しし天皇（草壁皇子）の日継《ひつぎ》は、かくて絶なむとす。女子の継には在れども嗣がしめむ」（宣命第二十七詔）と教えられたように、草壁皇子は即位の上で重要な人物として認識することになる。しかもこの草壁皇統を乗り越えていくことが孝謙・称徳にとって生涯の課題となっていった。

文武逝去と元明即位

文武天皇元年（六九七）、十五歳という当時としては異例の若さで即位した文武天皇は、その祖母持統太上天皇と母草壁皇太子妃阿閇内親王の補佐のもと、藤原京のさらなる整備、大宝律令に基づく政治体制の実行とその一部修正政策などを推進させていった。

しかし在位十年目になる慶雲三年（七〇六）十一月に、病による気力の衰えから、母阿閇に譲位の意志を伝えていた。阿閇はこれを自分には荷が重いとたびたび固辞していたが、翌慶雲四年（七〇七）

六月十五日、文武が二十五歳で逝去する直前に及んで、この譲位を受けた文武の皇統を男系直系でつなげるには、首親王が未だ七歳という不安定な段階であり、余人をもって代えがたいため、女性天皇として皇位継承することになった。文武は逝去に先立つ四月十三日に、父草壁皇子（日並知《ひなみし》皇子）の薨日を先皇に対する国家的な忌日扱いにする措置をとっていた。これは草壁皇太子妃の母阿閇の地位をさらに天皇の后なみに強固なものへと押し上げるためでもあった。さらに同月十五日に、首親王を支える外戚不比等の論功を称えて封戸五〇〇〇戸を賜与したが、不比等から固辞されて、結果的には二〇〇〇戸を賜与し、これを子孫に伝えることになった。このようにして息子に先立たれた四十七歳の元明天皇は、二十八歳の娘氷高内親王とともに、遺された七歳の孫首親王の成長を見守ることになった。そして文武は十一月十二日に倭根子《やまとねこ》豊祖父《とよおおじ》天皇と諡《おくりな》され、即日飛鳥《あすか》の岡《おか》で火葬され、二十日には檜隈安古《ひのくまあこ》山陵に埋葬された。

　息子文武の逆縁という異例の事態に直面した元明は、七月十七日に大極殿で即位した時に発した宣命第三詔で、元明自身の父である天智が定めたとする「不改常典《かわるましじきつねののり》」に基づく即位の正統性を宣言している。それまでの女性天皇が推古・皇極のような大后《おおきさき》、もしくは持統の皇后という天皇の配偶者筆頭の身位を経ていたことに対し、元明は「皇太妃」の地位からの即位であった。ただし藤原宮跡や藤原京左京七条一坊西南坪などからは、大宝から慶雲年間の年紀を持つ「皇太妃宮職」「皇太妃宮舎人《とねり》」などの文字が書かれた木簡が出土しており、令制には規定されていない特別な家政機関を設置して、そのステータスを強化していた。

父首親王の立太子

元明天皇は即位の翌年にあたる慶雲五年（七〇八）正月、武蔵国が献上した銅を賀して和銅元年と改元し、さらに和銅三年（七一〇）三月に、藤原京から「あおによし奈良の都」とうたわれ、長安に範をとった新たな都平城京へ遷都を行った。

そして和銅七年（七一四）六月二十五日、ようやく十四歳となった首親王の元服が行われた。首親王はこの年に立太子しており、その時期はおそらくこの元服と同時と推定されている。なお石川刀子《とねの》娘《いらつめ》と紀竃門娘《かまどのいらつめ》の二人は、文武天皇元年（六九七）八月に文武天皇の「妃《ひ》（嬪《ひん》カ）」になっていたが、この立太子の前年の和銅六年（七一三）十一月五日、突然「嬪」の称号を剝奪されていた。『続日本紀』にはその理由は記されていないが、首親王の立太子、文武夫人《ぶにん》の母宮子の地位安定、ひいては藤原氏の政治的地位安定を図る結果となっている。なお天平宝字四年（七六〇）二月十一日に高円朝臣《たかまど》を賜った石川広成と、『新撰姓氏録《しんせんしょうじろく》』右京皇別下の高円朝臣の記事にもみえる広世は、母を石川刀子娘とする兄弟、つまり文武の子であったとする説があり、「嬪」号の剝奪は、首親王の異母兄弟の皇籍剝奪でもあった可能性は高い。

元明の譲位と元正の即位

しかし十四歳で皇太子となった首親王が、さらに父文武と同じ十五歳頃に即位するには、不安定な要素が多かった。文武以前の天皇の即位年齢は、天皇が実質的な政務に関わることを前提としたことから、四十歳前後を基本としていた。しかし天皇の責務の荷重が原因の一つとなって、十五歳で即位した文武が二十五歳で早世したとすれば、首皇太子の早急な即位は避けておくべきであり、また夫人クラスの藤原氏所生皇太子という文武とは異なる条件も加味すると、これに反発する勢力を考慮した時、首親王の成長を待った方が、無難な選択となる。

和銅八年（七一五）六月四日に長《なが》親王、七月二十七日に穂積《ほづみ》親王が相次いで没し、天武皇子で生存するものは、舎人《とねり》親王と新田部《にいたべ》親王のみとなった。そして八月二十八日に左京から霊亀が出現したことを天の授けたしるしとして、五十五歳となった元明は、九月二日に娘の氷高《ひだか》内親王に譲位した。譲位の詔によれば、九年間の在位を経て衰えを感じたとし、この神器を皇太子に譲ろうと思うが、「年歯《よわい》幼《おさな》く稚《わか》くして未《いま》だ深宮を離れず」と、首皇太子の状態を述べ、この激務に耐え得る娘氷高に譲るとした。これを受けて、三十六歳となっていた氷高が即位して元正天皇となり、霊亀元年に改元された。首皇太子の皇位継承を確実にするために、元明太上天皇・元正天皇体制で支えていくためであった。

首親王の母宮子は出産後間もなく精神的に不安定な状況となり、僧玄昉《げんぼう》の看病によって奇跡的に回復し、親子対面する天平九年（七三七）十二月まで、三十七年間一度も首親王と面会したことがなかった。このため首親王は実質的には、その祖母である草壁皇太子妃阿閇内親王（元明天皇）の保護のもとに育った。また首親王誕生当時に二十二歳だった文武の姉氷高内親王（元正天皇）は、伯母として首親王の成長を近くで見守る環境にいた。聖武は後に元正から「吾《わ》が子」と呼ばれる関係となる。首親王が内親王所生皇子ではなかったことは、父文武とは大きな違いであり、このために元正との擬制的親子関係が重要であったと指摘する説もある。

「ミオヤ」たちの仲立による父母の婚姻

阿倍女王の父母が婚姻関係を結んだのは、霊亀二年（七一六）であった。天平宝字四年（七六〇）六月七日の光明子逝去時の記事に「聖武皇帝儲弐《ちょじ》の日、時に十六」とあり、二人ともに十六歳であった。『東大寺献物帳』の国家珍宝帳には「平城宮御宇後太上天皇、藤原皇后礼聘《らいへい》の日、相ひ贈る信幣《しんへい》の物一箱　封」（『寧楽遺文』四三四頁）とみえ、婚姻の日に贈られた品が、聖武天皇没後に盧舎那仏《るしゃなぶつ》に奉納された。ただし「除物」と付箋がされており、光明子が後で奉納品から外したため、現在は御物としては伝わっていない。

二人の婚姻の仲立ちをしたのは元明天皇であった。光明子が天平元年（七二九）八月十日に立后した際、臣下にその理由を説明した二十四日の宣命第七詔によれば、王《おおきみ》祖母《みおや》天皇（元明）が聖武に配偶者として賜ったとある。さらに女性といえば皆同じであるからではなく、父である不比等が元明朝を補佐し、夜昼休むことなく、浄き明き心で供奉してきているのを見て、不比等がよろこばしく勤勉なことを忘れられないとし、さらに首皇太子に、光明子が過ちや罪がないならば、捨てたり、忘れたりしてはならないと言い聞かせたという。このように光明子が不比等の娘であったことは重要であったが、さらに県犬養橘三千代の出産した娘であったことも特別の意味を持っていた。

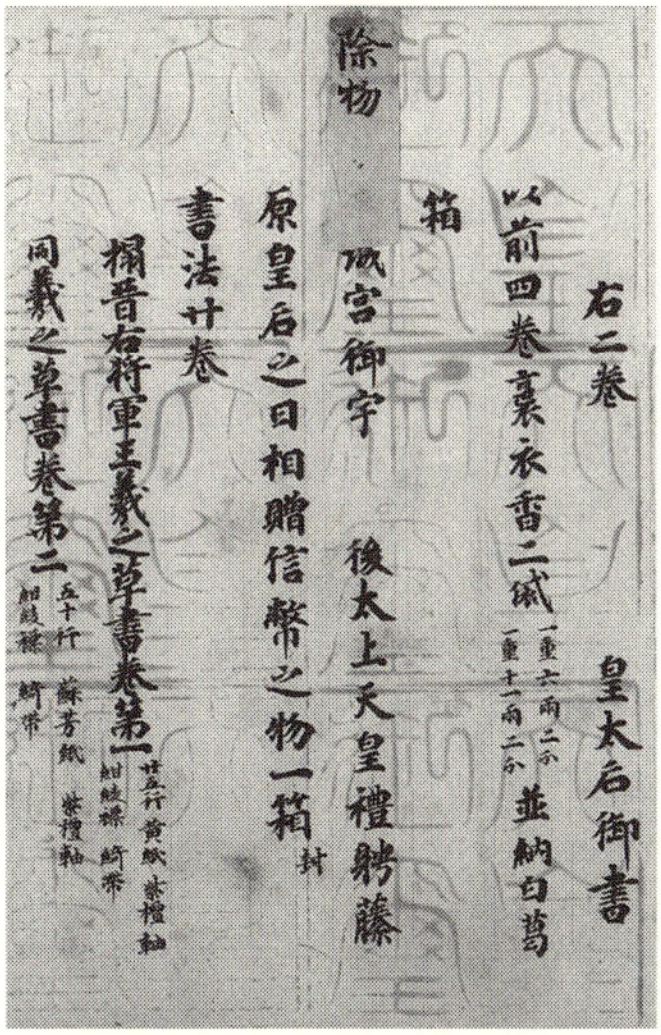
右二巻　皇太后御書
以前四巻　裹衣香二裓　一重六両二分　一重十一両二分　並納白葛
箱
除物
城宮御宇　後太上天皇禮聘藤
原皇后之日相贈信幣之物一箱　封
書法廿巻
搨晋右将軍王羲之草書巻第一　廿五行　黄紙　紫檀軸　紺綾褾　綺帯
同羲之草書巻第二　五十行　蘇芳紙　紫檀軸　紺綾褾　綺帯

「国家珍宝帳」部分（正倉院宝物）

三千代は県犬養東人の娘で、天武朝に氏女として阿閇皇女の宮に出仕し始めたと推測されており、阿閇の側近として文武の養育にも関与した可能性も指摘されている。この間に敏達《びだつ》天皇四世王にあたる美努《みぬ》王と婚姻関係を結び、天武天皇十三年（六八四）に葛城《かつらぎ》王（後の橘諸兄《もろえ》）、持統天皇八年（六九四）頃に佐為《さい》王（後の橘《たちばなの》佐為《さい》）、持統天皇九年（六九五）に無《む》（牟）漏《ろ》女王を産んでいた。しかしその翌年頃には不比等と再婚したらしく、大宝元年（七〇一）には孝謙・称徳の母となる安宿媛（光明子）を出産した。そして三千代は、実母宮子と接することなく育った首親王の準「母」的な存在であったとみる説もある。元明は即位後の和銅元年（七〇八）十一月二十五日の宴で、三千代にその忠誠を讃え、県犬養宿禰姓から橘を加えた県犬養橘宿禰姓を賜与していた。

このような元明・元正そして三千代など、首親王の「ミオヤ」たちの結びつきの中で、二人が婚姻関係を結んだのであろう。

なお首親王（聖武天皇）の主要な配偶者は、光明子を含め五人確認できる。そのうち県犬養広刀自《ひろとじ》は讃岐守《さぬきのかみ》従五位下の唐《もろこし》を父にもち、光明子と同じ皇太子時代に入内している。生年は不詳であるが、おそらく光明子とそれほど年齢差はなかったと考えられ、後述するように井上《いのうえ》内親王、不破《ふわ》内親王と安積親王を産んだ。

その他の配偶者は藤原南家の武智麻呂《むちまろ》の娘で、おそらく母は竹野女王である藤原（南）夫人、北家の房前《ふささき》の娘で、母は無漏女王である藤原（北）夫人、そして橘佐為の娘である古那可智《こなかち》（橘夫人）がいる。なお古那可智は橘奈良麻呂の変後の天平勝宝九歳（天平宝字元・七五七）閏八月十八日、橘朝臣から広岡《ひろおか》朝臣となっている。これら三人は聖武天皇が即位後しばらくした天平六年（七三四）から八年（七三六）頃に入内《じゅだい》したと考えられる。ただしこの三人からは子女の誕生は伝えられていない。この他に天平宝字二年（七五八）十二月八日にみえる矢代《やしろ》女王も、かつては聖武の寵愛を受けていた人物であった。

2 阿倍女王の誕生

光明子初めての懐妊

阿倍女王が誕生したのは、没時年齢が「春秋五十三」とあることから、逆算すると養老二年（七一八）であった。『本朝皇胤紹運録《ほんちょうこういんじょううんろく》』にも、「養老二戊《ぼ》午《ご》降誕」とみえる。阿倍が誕生した当時、父と母はともに十八歳であり、父は前述したように四年前の和銅七年（七一四）六月から既に皇太子となっていた。

八世紀までの天皇は、正史に誕生日が記録されている例が少ない。中国では皇帝誕生日を祝う例があり、これに倣った光仁《こうにん》天皇が宝亀六年（七七五）に天長節《てんちょうせつ》を行った記事があることから、光仁の誕生日が九月十三日であったことがわかるが、それ以前では天長節の記事がない。父聖武天皇の場合は、大宝元年（七〇一）に、「是年、夫人藤原氏皇子を誕《う》むなり」とあり、ただ誕生年が記録されているだけである。なお後に詳述する阿倍女王の弟某王の誕生は、神亀四年（七二七）閏九月二十九日であることが記録されているが、これはこの当時としてはきわめて珍しい例である。

では阿倍女王の誕生は養老二年の中でも、いつ頃だったのだろうか。そして、それに先立つ光明子の懐妊が公的に判明したのはいつ頃であったのだろうか。

受胎から出産までの日数は通常平均二六六日とされている。このことから凡その計算になるが、もし仮に養老二年（七一八）正月一日に生まれたとすれば、受胎は前年の霊亀三年（養老元・七一七）四月二日となり、養老二年十二月末日に生まれたとすれば、同年三月二十九日となる。すなわち、受胎は養老元年四月二日から養老二年三月二十九日の間となる。そしてこの間に母光明子の懐妊が判明したことになる。通常受胎から約二、三カ月頃に懐妊に気付くことになるが、天皇に奏上され、また朝廷などで公にされるのは三カ月から五カ月頃の間と思われる。八世紀当時に着帯儀礼が行われていたかは不明であるが、平安時代などでは、多くは五カ月頃であった。このことから受胎後三カ月から五カ月とは、霊亀三年の六月頃から養老二年七月頃までの間になる。

この時点で首皇太子の子女は、養老元年（七一七）生まれと推測されている井上女王が県犬養広刀自から誕生していただけであった。もしくはこの年の中頃には、二人の妊娠が重なっていた時期があった可能性もある。胎児の性別は、当然ながら当時の医学では不明である。特に光明子の胎児が男子であれば、将来皇位継承者となる可能性が高く、この年に十七歳となっていた首皇太子に、次世代の男子後継者が確保されれば、その後の皇位継承に一定の道筋がつくることになる。文武の先例を踏まえるならば、これによって遠からず首皇太子の即位を模索する動きもでてくる可能性があった。このことから光明子の懐妊の判明は、きわめて政治的な問題となったと考えられる。そして光明子の出産が近づく養老元年後半から養老二年前半段階に入ってさらに政治的な動きが顕在化したと思われる。

元正天皇美濃行幸

このような視点から前後の政治動向をみた時、注目されるのが霊亀三年（養老元・七一七）九月十一日に出発した元正天皇の美濃《みの》行幸である。この行幸は約一カ月前の八月七日に多治比広足《たじひのひろたり》が美濃国に派遣されて行宮を作っており、この頃から準備されていた。そして元正はまず道中の近江《おうみ》で、山陰道・山陽道・南海道の国司から歌舞の奏上を受け、さらに美濃でも、東海道は相模《さがみ》以西、東山道は信濃《しなの》以西、北陸道は越中以西の諸国司に風俗の雑伎を奏上させた。従来の遊覧的な行為ではなく、大化前代の国見《くにみ》の系譜を引くものであり、いわば天智の近江朝廷、さらに天武・持統が行軍した壬申の乱を回顧し、西国や東国の服属を確認するというきわめて政治的な意味を持つものであった。そして二十日には多度《たど》山の美泉を訪れ、しばし滞在した後、元正は近江を経て九月二十八日に平城宮に帰還した。この行幸時の美濃国司のうち、守は笠《かさの》麻呂《まろ》、介は不比等第四子の麻呂であった。笠麻呂は美濃守を長期にわたって務めており、その後養老五年（七二一）に元明の病気平癒のために出家し沙弥満誓《まんせい》となったように、元明に近侍した人物であり、この行幸の背後に元明と不比等の配慮があったと考えられる。

この頃不比等は、霊亀三年三月に左大臣石上《いそのかみの》麻呂《まろ》が没した後は、右大臣として政権筆頭に位置していた。そして第二子の房前が十月二十一日に参議となり、今までは先例がなかった一氏族から二名の議政官を出すことで、不比等体制の補強を行っていた。

若返りの美泉と養老改元

元正は十一月十七日に霊亀三年（七一七）を養老元年と改元した。この時の改元の詔で、九月に行幸した当耆《たぎ》郡多度山の美泉で、元正は自ら手や面を洗い、皮膚がなめらかになり、また痛いところを洗うと、痛みを除き癒えないところはなかったことを実感したと述べている。そして飲用や浴用にあてた人々が、白髪は黒くなり、髪も生え、視力は回復し、持病も平癒するという効能があることから、この泉を後漢の光武帝《こうぶてい》の時代の醴泉《れいせん》の故事や符瑞書《ふずいしょ》も踏まえ、老いを養う大瑞の美泉であり、天の賜いものであるとしている。

さらに元正は十二月には立春の暁の醴泉を酌ませて平城京へ貢納させた。醴酒にするためとされ、これが立春に若水を汲む儀礼になっていったともいわれている。そして翌養老二年（七一八）二月七日にも再び美濃醴泉行幸を行い、美濃・尾張《おわり》・伊賀《いが》・伊勢を回り、三月三日に帰京している。しかしそれ以降に美濃行幸はみられなくなる。

この頃、元正は三十八歳から三十九歳になっていた。当時の年齢感覚では、四十歳頃から老いを実感するようであるが、一方で文武を例外とした六・七世紀の天皇の即位年齢は四十歳以上が多く、いわばこの年齢に達しつつあり、即位して三、四年を経て、より充実した統治能力を単独でも発揮することができる年齢となっていたといえる。この時五十五歳の母元明太上天皇の影響力も残っており、そして首皇太子への橋渡しに即位したことも十分に承知していたとはいえ、元正が自ら天皇としての政治力を自覚するようになっていたと考えられる。

女王誕生の落胆と安堵

しかし光明子が出産したのが、期待したであろう男子ではなく、女子であったことは、元正天皇の譲位、首皇太子の即位、誕生男子の立太子まで見通す政治的条件がなくなり、ある種の落胆と安堵をもたらした。

そして光明子の初めての懐妊と出産の時期に同時進行した二回にわたる美濃行幸であったが、元正は自分の若返りを演出し、壮健をことさらにアピールする必要もなくなり、行幸を終息させたと考えられる。ただし養老年号は、これ以後も元正の壮健を象徴する役割を担うことになった。

結果的には、首皇太子の即位は遠退き、今までの元明・元正体制を継続する形で終息したが、元明・元正にとって、皇位継承の安定化の安全弁として、皇族勢力の確保も必要であり、その筆頭が元明にとっては娘の一人であり、文武・元正には同母妹となる吉備《きび》内親王と、その配偶者である長屋《ながや》王であった。養老二年（七一八）三月十日に、長屋王が式部卿から中納言を経ずに一挙に大納言となったことは、この流れでも理解できる。

長屋王は高市《たけち》皇子と御名部《みなべ》皇女の間に生まれており、父方では天武の孫、母方では天智の孫であり、母御名部は元明の同母姉であった。かつ妻から女系的に草壁皇統を確保することも可能であり、二人の間に生まれた子の一人膳夫王は、神亀元年（七二四）二月に叙位されており、この時二十一歳とすれば、慶雲元年（七〇四）生まれであり、首皇太子より三歳年下となり、まだこの時は十五歳で成人には達していなかったとはいえ、その存在は決して無視できなかった。また年齢は不明であるが、吉備からは葛木《かつらぎ》王・鉤取《かぎとり》王も生まれていた。

政局としては、長屋王の発言権の増加につながっていくが、不比等の立場からすれば、皇親や有力貴族への宥和策を取らざるを得なかったともいえる。

このことから類推すると、あくまでも仮説ではあるが、阿倍女王の誕生は、元正の行幸が終息する三月三日前後となる。阿倍女王が誕生した場所は、平城宮の東隣にあった光明子の父不比等の邸宅であったと考えられ、ここには三千代も居を構えていた。そして父首皇太子は県犬養門を隔てた平城宮東院を居所としていた。首皇太子は美濃行幸には二回とも加わらず、皇太子監国《げんこく》を行うため、この東院にいたと考えられる。

阿倍女王の名の由来と乳母による養育

養老二年（七一八）に誕生した阿倍女王の名は、『本朝皇胤紹運録』には「諱阿閇《あへ》」と表記しているが、養育係の乳母《めのと》の一人、阿倍石井《あべのいわい》の阿倍に由来する。この時期の皇子女の諱には、乳母の姓を以って名づける慣習があった。なお元明天皇の諱である阿閇《あへ》を阿倍とも記すように、元明にも阿倍氏同族の阿閇氏出身の乳母がいた可能性がある。後の例では賀《か》美能《みの》（神野）親王（嵯峨天皇）は乳母姓神野《かみの》をもとに命名されたと伝えられており、その兄安殿《あて》親王（平城天皇）は、乳母の一人に阿倍小殿境《あべのこどののさかい》がおり、この姓をもとに命名されたと考えられている。

阿倍女王には三人の乳母がおり、天平勝宝元年（七四九）七月三日に孝謙天皇として即位した時、従六位上阿倍石井、正六位上山田日女嶋《やまだのひめしま》、正六位下竹乙女《たけのおとめ》が並んで従五位下を叙位されたが、『続日本紀』にはこの三人は「並に天皇の乳母」と記されている。

乳母の支給は、令制では後宮職員令の⑰親王及子乳母条によれば、親王には三人、その子（二世王）には二人が支給され、年十三以上になった場合は乳母が死んでも補充はしないことになっていた。この時期の父はまだ皇太子であり、阿倍も二世王扱いとなり、乳母は二人であった可能性がある。例えば『政事要略《せいじようりゃく》』所収「官曹事類《かんそうじるい》」によれば、養老五年（七二一）に異母姉の井上女王が伊勢斎宮《いせさいぐう》になった時も、乳母二人であった。阿倍の乳母が三人になったのは、父が聖武天皇として即位した神亀元年（七二四）に内親王扱いとなり、この時はまだ乳母支給年齢の十三歳未満の七歳だったため、一人が追加されたと考えられる。

伝統的中央氏族の阿倍氏は七世紀中頃から布勢《ふせ》・引田《ひきた》・許曾倍《こそべ》・狛《こま》などいくつかの系統に分かれており、石井の父の系統がどれに当たるか不明であるが、大化期には左大臣阿倍内麻呂《うちまろ》などを輩出した。また『藤氏家伝』「武智麻呂伝」には、藤原武智麻呂の嫡夫人は、阿倍大臣すなわち布勢系の右大臣阿倍御主人《みうし》の外孫であり、豊成《とよなり》と仲満《なかまろ》（仲麻呂）を生育したとあり、不比等や藤原氏とも無縁ではない氏族であった。

このように阿倍石井が朝臣姓で、氏族ランクは乳母三人の中で上位であったため、この氏名が公的な諱となったが、石井自身は乳母三人が一律従五位下に昇る以前の位階が一番低かった。この点で年齢的には最も若かった可能性もある。阿倍皇太子時代の天平十五年（七四三）頃の東宮御所関係の経典奉請求文書にみえる「安倍御母《みおも》」（『大日古古文書』七―一二七頁）は彼女のことであろう。石井は天平宝字五年（七六一）正月には正五位下となっているが、その後の記録はみえない。

山田日女嶋は比売嶋・姫嶋とも表記され、山田御母とも称されている。孝謙即位前までに乳母の中で最も位階が高くなっていた。天平勝宝七歳（七五五）正月四日には姓も山田史《やまだのふひと》から山田御井宿禰《やまだのみい》となった。御井は産湯の井戸に関連した賜姓の可能性もあり、誕生時以来の乳母と考えられる。この時、比売嶋と一緒に従七位上の広人も含め計八人がその対象であった。彼らは傍親（兄弟と子）と考えられる。山田三井宿禰とも記し、「正倉院文書」に天平勝宝年間に山田命婦《みょうぶ》または三井命婦として写経関係の宣に関与している女性も日女嶋の可能性がある。山田史は渡来系の氏族であり、『新撰姓氏録』右京諸蕃上の山田宿禰には「周霊王の太子晋より出づ」とあり、山田は河内国交野郡山田郷に由来する可能性が指摘されている。山田史の一族からは、養老五年（七二一）正月、首皇太子に退朝後侍すよう命じられた学者の一人であった山田三方《みかた》、明法学者として著名な山田白金《しろがね》（銀）なども出ている。『万葉集』巻二十一、四三〇四の歌の題詞によれば、天平勝宝六年（七五四）三月二十五日に左大臣橘諸兄が山田御母宅に宴を設けたこともあり、橘氏とも深い関係にあった。後述する橘奈良麻呂の変に関連して、天平勝宝九歳（天平宝字元・七五七）八月二日に、奈良麻呂の謀《む》反《へん》のことを知りながら隠蔽《いんぺい》して報告しなかったことを追責され、既に没していたが「御母」の名を除かれ、宿禰の姓も奪われて、もとの山田史に戻されている。

竹乙女は、後に姓が首《おびと》から宿禰になっているが、天平宝字五年（七六一）六月二十六日に多気《たけ》宿禰弟女と表記された例があり、伊勢国多気郡の豪族出身で采女《うねめ》系の女性かと考えられる。多気郡は度会郡とともに、伊勢神宮と密接な関係にあり、特に斎宮が置かれた郡でもあった。乙女は恵美押勝《えみのおしかつ》の乱後、天平神護元年（七六五）正月には正五位下から従四位下へ、また勲四等を与えられている。神護景雲三年（七六九）二月十五日に没したので、称徳の側近として一番長く仕えた乳母であった。

このように阿倍女王の乳母は、伝統的名族系氏族・渡来系氏族・地方豪族系氏族の女性たちによって、バランスよく構成されていた。いずれにしても阿倍女王の例では、阿倍氏や山田氏は、首皇太子だけでなく、外祖父母である不比等や三千代に関係した人脈で結ばれていたことがわかる。

3　外祖父不比等と曾祖母元明天皇の逝去

首皇太子、朝政を聴く

阿倍女王が誕生した年である養老二年（七一八）の年末、十二月七日に元正天皇は元明太上天皇のためとして大赦と賑給《しんごう》を行っている。五十八歳となっていた元明にも身体的不安が生じてきていたのかもしれない。

翌養老三年（七一九）正月二日、十九歳となった首皇太子は、朝賀に当たり唐礼に則って、母方伯父にあたる不比等長子の式部卿藤原武智麻呂と、遣唐使として帰国したばかりの多治比県守《たじひのあがたもり》を賛引役にして、元正天皇に拝している。さらに六月十日に初めて朝政を聴《き》くことになった。首皇太子が即位するにはまだ条件は十分ではなかったものの、次第にその準備が少しずつ進行していった。

この頃の首皇太子は、『藤氏家伝《とうしかでん》』の「武智麻呂伝」によれば、血気が盛んな青年であったらしい。七月に武智麻呂が東宮傅《とうぐうふ》となって指導し始め、次第に文学に親しむようになるまで、田猟の遊びに明け暮れていたという。この狩猟好きを伝えるものとして、即位後の神亀四年（七二七）九月に聖武が狩猟して追っていた鹿が民家に逃げこみ、この鹿を捕獲して食べた百姓を「授刀寮《じゅとうりょう》」に監禁したという説話が『日本霊異記』上巻三十二縁に残っている。

養老三年（七一九）十月十七日に、元正はこの時期まで存命であった天武皇子の舎人《とねり》親王・新田部《にいたべ》親王の両人を、皇太子の補佐に命じる詔を出している。その理由として、今回も皇位継承すべき皇太子が「年歯《よわい》猶稚《おさな》くして、政道に閑《なら》わず」と述べられており、首皇太子が政治的年齢に達していないことが強調されている。確かに『日本書紀』では有間《ありま》皇子が十九歳でも「未《いま》だ成人に及ばず」とされていたように、この年齢は元服していたとしても、成人年齢とは考えられていなかった。公民《こうみん》の年齢区分である次丁《じてい》が十七歳から二十歳、正丁《せいてい》の開始が二十一歳からであり、また官人が叙位《じょい》される年齢は通常二十一歳であった。このことからこの時の首皇太子は必ずしも即位の適齢とは考えられていなかった。むしろ持統が仕組んだ文武の十五歳即位が異例であった。

いずれにしても、首皇太子の後継男子も存在せず、また元正の首皇太子に対する人物評価からすると、元正はあと数年譲位する考えはなかったといえる。

不比等の逝去と黒作懸佩刀

首皇太子と光明子が二十歳、阿倍女王が三歳になっていた養老四年（七二〇）八月三日に、右大臣不比等が六十二歳で逝去した。父鎌足以来の王権との結びつきを得て、不比等が藤原姓を継ぐことを許され、歴代の天皇の側近として活躍し、また大宝律令の制定に関わるなど功績をあげ、前述したように、阿倍女王が誕生した養老二年（七一八）に政界の筆頭となっていた。代理出家の功徳による病気平癒が祈願され、このために得度《とくど》する者三〇人を賜り、また大赦《たいしゃ》、『薬師経』読経、官有賤民の身分を良民に解放するなど、多くの功徳を積んだが、その甲斐もなかった。

不比等が逝去した日に、不比等から首皇太子に黒作懸佩刀《くろづくりかけはきのかたな》一口が献じられた。この刀は草壁皇子以来の皇統に不比等が密接にかかわっていたことを示す品であったことが、天平勝宝八歳（七五六）六月の『東大寺献物帳』の国家珍宝帳から窺える（『寧楽遺文』四四一頁）。

「除物」　黒作懸佩刀一口（中略）

右、日並皇子の常に佩持するところ、太政太臣に賜ふ、大行天皇即位の時、便に　大行天皇に献じ、崩ずる時亦太臣に賜ふ、太臣薨日、更に　後太上天皇に献ず。

すなわち、日並《ひなみ》皇子（日並知《ひなみしり》・草壁《くさかべ》）が常に所持していた黒作懸佩刀が「太政大臣（不比等）」に賜与されていたが、これを「大行天皇《たいこうてんのう》（文武）」即位の時に不比等から大行天皇（文武）へ献じられ、さらに文武崩御の時にまた不比等に賜与された。そしてこの不比等が薨じた日、今度は更に「後太上天皇《のちのだじょうてんのう》（聖武）」へ献じられたとある。この刀は草壁皇統を護持する不比等に対する信任を示すものとされている。実際にこの刀の賜与や献上を取り次ぐことができたのは、草壁の妃で文武母の阿閇内親王（元明）と不比等妻で文武の乳母、聖武の

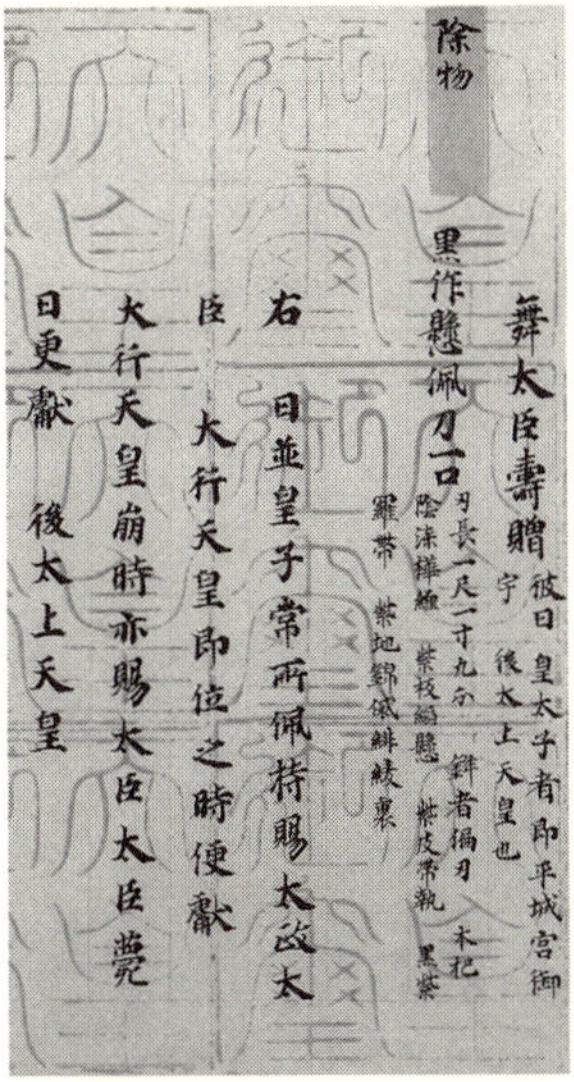
舞太臣壽贈　彼日　皇太子者即平城宮御宇　後太上天皇也
除物
黒作懸佩刀一口　刄長一尺一寸九分　鋒者偏刄　木把　陰漆樺纏　紫組懸　紫皮帯執　黒紫羅帯　紫地錦袋緋綾裏
右　日並皇子常所佩持賜太政太
臣　大行天皇即位之時便獻
大行天皇崩時亦賜太臣太臣薨
日更獻　後太上天皇

「国家珍宝帳」部分（正倉院宝物）

准「母」と想定される三千代以外には考えられないとする説がある。すなわち草壁→（妻阿閇内親王）→不比等→文武→（母阿閇内親王）→不比等→（妻三千代）→首皇太子（聖武）という流れを想定しており、実際の授受に関わる流れを鋭く推定した説として注目される。ただしこの説は、遺品処分の意志が遺言で予め指定されていれば、妻の意志に基づく手続きを経由せずとも授受は可能であり、夫財産処分がそのまま自動的に妻に権限移譲されたかは、当時の財産権や家政機関の別などの問題を含め、今後検討しなければならない問題も残されている。またこの記述が『東大寺献物帳』に記載された時期、光明子や仲麻呂らによる不比等顕彰との関係を考慮する必要もある。

いずれにしても、草壁皇統と藤原氏の絆をもとに、その血筋を受け継ぐ首皇太子を天皇とし、さらにその血筋を継続させたいという不比等の思いは、光明子に受け継がれ、これが後に孝謙・称徳天皇にとっては大きな枷となっていく。

不比等没後の政局は、舎人親王が知太政官事ではあったが、翌養老五年（七二一）正月に長屋王が右大臣にとなり、事実上の長屋王首班体制となった。

元明太上天皇の遺詔

しかし養老五年五月頃から元明太上天皇の体調が悪化し出し、大赦や賜度者一〇〇人を行い、側近の笠麻呂や三千代が自ら入道して元明の平癒を願った。しかし元明は十月に入ると死期を予感し、九日に長屋王と藤原房前を呼び、死後の火葬について、また喪中でも政務をとること、近侍官や五衛府《ごえふ》など天皇側近の警備体制を引き締めることなど、後事を託す遺詔をした。さらに十六日には薄葬《はくそう》を命じた。元正天皇は、この事態を受けて、二十四日に房前を内臣《うちつおみ》に任じ、朝廷内外にわたって関与させ、房前の命令を勅に准じるものとし、元正天皇を補佐するように命じた。元明は十二月になると更に危篤状態となり、七日に平城宮中安殿で六十一歳の生涯を終えた。即座に内乱を未然に回避する必要があり、伊勢の鈴鹿《すずか》、美濃の不破《ふわ》、越前の愛発《あらち》の三関《さんげん》が固められた。

翌養老六年（七二二）正月二十日に、多治比三宅麻呂《みやけまろ》は「謀反あり」という嘘の密告をした罪で、また穂積老《ほずみのおゆ》は元正天皇を非難した罪で処分された。本来ならばいずれも斬刑に相当するところを、首皇太子の奏によって一等を減じ、それぞれ伊豆嶋と佐渡嶋へ流すことになったという。どのような非難であったかは不明であるが、元明の逝去による政局の混乱が生じていたことは確かである。

光明子の男子出産願望と女医博士

不比等や元明太上天皇が逝去したことによって、皇位の安定化には、首皇太子即位、さらにその後の皇位継承者の誕生が期待された。養老二年（七一八）に阿倍女王が女子として誕生したため、光明子の周辺ではさらに男子出産の期待も高くなっていたが、その後しばらく光明子に懐妊の兆候がなかった。実際に阿倍誕生から神亀四年（七二七）に第二子の某王誕生までの九年間はやや長いので、記録には見えないが流産等の問題があったかもしれない。

阿倍出産から四年後、光明子が二十二歳になっていた養老六年（七二二）十一月七日に、女医博士《じょいはかせ》が初めて設置されていることが注目される。光明子の懐妊を期待して置かれた可能性がある。この女医博士とは女医たちを教育するために設けられた男性の医師であった。女医は養老医疾令《いしつりょう》の⑯女医条逸文（『政事要略』第九十五、至要雑事）によれば、官戸・婢の年十五歳以上、二十五歳以下で、適性能力のあるものを三〇人選び、内薬司《ないやくし》の側に造られた別院に安置し、安胎《あんたい》・産難《さんなん》などの出産や、創以下の一般治療の訓練を受けさせた女性である。おそらく女性の身体を主たる対象に医療活動を行ったと考えられる。これは中国の女医の制度を継承したものであるが、令の制度では女医は医書を読まず口頭で知識を授けられて暗記し、これを毎月医博士が試験し、年度の終わりには内薬司が試験した。なお修行年限は七年となっていた。

当時の現行法の大宝令にこの女医の規定があったかは、『令集解《りょうのしゅうげ》』に史料が残っておらず不明であった。しかし平城京左京三条二坊一・二・七・八坪の長屋王邸跡の南北溝SD四七五〇から出土した長屋王家木簡に、「女医」に米を支給した例が複数みえる。そしてこの木簡群は和銅四年（七一一）から霊亀二年（七一六）の六年間を中心としていることから、大宝令にも同様の規定が存在した可能性は高い。また長屋王家木簡にはこの他に「医師」関係の木簡もあり、例えばその中にある「召医許母」の許母《こも》は、養老五年（七二一）正月に医術に優れたとして褒賞された者の一人である甲許母《こかも》である。当時はこれら渡来系の医師も多く重用されていた。

いずれにしても中国医書に基づく最新の産婦人科系医療技術や知識を持った専門男性医師である女医博士の配備は、元正天皇への医療だけでなく、首皇太子の配偶者、特に光明子の妊娠を促し、保護することを目指す上でも重要であったと考えられる。

第二章　阿倍内親王の哀楽――弟夭折と母立后

1　父の即位と弟皇太子の誕生と夭折

父聖武天皇の即位

阿倍内親王が七歳になっていた養老八年（七二四）二月四日、とうとう父首皇太子が元正天皇の譲位を受けて二十四歳で聖武天皇として即位した。そして前年十月に左京の人で無位の紀朝臣家から献上されていた白亀にちなむ祥瑞改元によって、神亀元年となった。

宣命第五詔のうち、元正が譲位の経緯を述べた部分では、文武が聖武に賜った「天下《あめのした》の業《わざ》」であったが、文武は聖武がまだ年齢が若く荷が重いと思って皇祖母元明に授け、さらに元明は元正に「不改常典《かわるまじきつねののり》」に従って「我子《わがこ》」（聖武）に確実に授けるように言ってこられたとし、この大瑞を受けて「吾《わ》が子」（聖武）に授けると述べている。このことから聖武が血縁系譜上は文武の子であり、元明にとっては孫、元正にとっては甥であるが、地位継承上の「皇太子」としては、いずれの天皇からも「我子」「吾が子」に位置付けられていた。

ここにみえるミオヤとワガコの関係は、皇祖母・皇御母という女性尊属と子との関係とみる説もあるが、それよりも、この宣命でのワガコとは、天皇と皇太子の関係を示していると考えられる。たまたま元明・元正が女性であっただけであり、聖武が元明天皇の皇太子、元正天皇の皇太子であったことによる。逆に元正は元明と実の母子関係であるが、皇太子を経ずに皇位を継承させており、元明が元正を宣命でワガコと言った例は一度もない。

なおこの時、聖武は母宮子に「大夫人《たいぶにん》」の尊称を奉った。しかし三月二十二日になり、左大臣長屋王が、公式令《くしきりょう》の規定に「皇太夫人《こうたいぶにん》」とあり、これに照らすと「大夫人」は違勅《いちょく》となるとの進言をした。これを受け、前に発せられていた勅を撤回して、文に書く時は「皇太夫人」と書し、読む時は「大御祖《おおみおや》」とする修正の詔が出された。このいわゆる「藤原宮子大夫人称号問題」を、後の長屋王の変に至る対立の発端の一つとみたり、議政官《ぎせいかん》組織の天皇大権への異議申し立てとみたりする説もあったが、近年では政策運営の補完とみる説が優勢である。実際宮子にはその後まもなく中宮職《ちゅうぐうしき》が設置されたと考えられ、皇族出身ではない天皇実母への待遇を確定させている。

阿倍女王から阿倍内親王へ

そして明記された史料はないが、この聖武即位に連動して母光明子は夫人となり、阿倍も身位が上がり、女王から内親王となったと考えられる。しかし聖武の子は、この時点では阿倍内親王、井上内親王、不破内親王の女子だけであり、聖武即位に連動した次期皇位継承者としての皇太子問題は棚上げとならざるを得なかった。とりあえずは、元正太上天皇と聖武天皇による体制を固める時期に入った。

しかし神亀三年（七二六）夏から四十七歳となっていた元正太上天皇の体調が崩れる事態となった。このため六月十五日には、天下諸国に放生《ほうじょう》を行い、さらに二十一日には、元正のために僧二八人・尼二人を得度させた。これは僧尼を出家させた功徳をもって病気平癒を願うものであり、元正は若い頃にもこのような度者の功徳によって病気が快癒したことがあった。しかし今回の元正の病気は長引き、七月十八日には大赦を行い、また疹疾《しんしつ》を患っている者に、湯薬《とうやく》を賜うとの詔が出された。元正の病気が疹疾と関連するものであった可能性もある。十九日にはまた僧一五人、尼七人を得度させているのも元正の病気平癒のためと考えられ、さらに八月五日には、釈迦像と『法華経』を造写し、薬師寺で設斎を行っている。元正の病気に関してその後は記録がないが、聖武が九月二十七日に、十月七日から播磨《はりま》国印南野《いなみの》へ行幸するための造頓宮司《ぞうかりみやのつかさ》を任命したことから考えると、九月下旬には回復傾向になってきていたらしい。しかし問題となるのは、聖武天皇の皇太子の不在であり、この問題の解決がさらに急がれる時期となっていた。

光明子の再度の懐妊と男子出産

大きな転機となったのは神亀四年（七二七）閏九月二十九日に光明子が待望の男子を出産したことである。男子の名は『本朝皇胤紹運録《ほんちょうこういんじょううんろく》』に基王《もとい》と記されているが、某王《ぼうおう》の誤記との説もある。本来は親王であるがここでは通例に従い某王としておきたい。閏九月の誕生から考えると、光明子の懐妊が公的に明らかになったのは、妊娠五カ月頃にあたる三月頃と考えられる。この年阿倍内親王は既に十歳になっていた。

この頃光明子家（太政大臣家）の写経組織で写経事業が始まっていた。「正倉院文書」には、神亀四年（七二七）三月二十三日から神亀五年九月までの「写経料紙帳《しゃきょうりょうしちょう》」が残っている。この写経事業のなかで、『大般若経《だいはんにゃきょう》』『理趣経般若分《りしゅきょうはんにゃぶん》』、また『観世音経』『阿弥陀経』が書写されている。このうち『大般若経』『理趣経般若分』の写経事業は、天命に関わる災異を除くため、神亀四年二月十八日に内裏に僧六〇〇・尼三〇〇を請じ、特に『金剛般若経』の効力を期待して行われた国家的な法会に呼応したものと考えられている。つまり同年三月頃から、光明子家でも私的な立場で、『大般若経』を基礎としつつ、『理趣経般若分』を特に意識して書写したものとされている。国家的法会が災異そのものに大きな比重を置いていたのに対して、光明子家の写経はそれと表裏の関係にあるが、聖武天皇と光明子との間に誕生が予定されていた嬰児の出現をより強く意識して、災異を除こうとしたものであった。

同母弟の立太子と夭折

閏九月二十九日に誕生した皇子の祝いの行事は、きわめて豪華に繰り広げられており、聖武天皇以下の喜びが並々ならぬものであったことがわかる。

まず七夜の産養《うぶやしない》にあたる十月五日には、平城宮の内裏である中宮で、大赦と百官人への賜物が行われた。この時天下で皇子と同じ日に生まれた全ての者に布一端・綿二屯・稲二〇束を賜うとした。さらに翌日には王臣以下、左右の大舎人《おおとねり》、兵衛《ひょうえ》、授刀舎人《たちはきのとねり》、中宮舎人、雑工舎人《ぞうくのとねり》、太政大臣家資人《しじん》、女孺《にょじゅ》までも禄を賜った。

十一月二日にも中宮では、太政官・八省が天皇に上表して、皇子の誕生を祝い、玩好物《よきもてあそびもの》を献上した。当時の子供がどのようなおもちゃで遊んだのか残念ながら不明である。この時は、宴を使部《しぶ》にまで朝堂で賜っている。また累世《るいせ》の家の嫡子《ちゃくし》で五位以上の者には別に絁《あしぎぬ》一〇疋を加えるなど、嫡子の優遇が意識されている。

そして何よりも異例であったのが、この時生後間もない皇子を立太子したことである。前述したように、この時代の皇太子は、既に次期皇位継承者としての地位になっており、かつてのような実質的な天皇補佐的役割を必ずしも求められてはいない。ただしこのような幼児の立太子は、この時代では先例はなかった。

その翌日には僧綱と僧尼の九〇人が誕生を賀し、また十四日には大納言多治比池守が百官史生以上を率いて太政大臣第《てい》に参り、皇太子を拝した。しかしこの日、政権筆頭の長屋王はなぜか参加していなかった。そして二十一日に、この皇太子の母光明子には封戸一〇〇〇戸が賜与されたが、本来の位階では一〇〇戸相当であり、この多額の賜与は皇太子の母として異例の措置であった。また十二月十日に、皇太子の母方祖母県犬養橘三千代が、傍系同族の五百依などを県犬養連から県犬養宿禰姓に改賜姓されるように願い出て、この申請も認められた。にわかに光明子周辺の待遇が上昇し、その恩恵が母方の同族にまで及んでいった。

しかしこの皇太子の命は儚かった。翌神亀五年（七二八）八月頃には病気がかなり重くなっていったと考えられる。青年期から鹿狩りなど狩猟を好み、五月節会も盛んに行っていた聖武が、この頃思うところがあるので、鷹を養《か》うことを自らも止め、また諸国でも解禁の詔があるまでは禁止とする詔を出している。おそらく皇太子の病気が原因で殺生を自制することにしたのであろう。そして八月二十一日には三宝の威力以外には患苦《かんく》を取り除くことができないと、観音菩薩像一七七軀と『観音経』一七七巻を造り、礼仏・転経し、一日行道《ぎょうどう》するとの勅を出している。光明子家で書写された『観音経』はその一つだったのかもしれない。また大赦し、さらに二十三日には聖武自ら皇太子のいる東宮に出向き、また祖先の陵に幣帛《へいはく》を奉らせて、病の平癒を祈った。

しかし翌九月十三日に幼い皇太子は実質一年間ほどの短い命を終えた。十九日には那富《なふ》山に葬られたが、二歳であったため、七歳以下に行う心喪のみで通常の喪葬の礼は行われなかった。ただ聖武の悲しみは深く三日政務を視《み》なかった。そして十一月三日には造山房司《ぞうさんぼうし》長官に智努《ちぬ》王が任じられ、二十八日にはこの山房に智行の僧九人を住まわせることになった。これが後の金鍾《こんじゅ》（鐘）寺《じ》、さらに東大寺となる。

十歳から十一歳となり、思春期に入りはじめた阿倍内親王自身は、この年齢の離れた弟の誕生と立太子、そしてその死をどのように受け止めていたのだろうか。女子の誕生とは違う、男子の誕生がもたらした破格の政治的高揚とその死による落胆。しかしこれが阿倍皇太子、さらに孝謙天皇となる、彼女自身の人生におけるきわめて大きな転換点であったとはまだ十分に気付かずにいたかもしれない。

異母弟安積親王の誕生

そしてこの皇太子が夭折した同じ年、県犬養広刀自が聖武天皇のもう一人の皇子、阿倍にとっては異母弟にあたる安積《あさか》親王を出産した。安積親王は、天平十六年（七四四）閏正月十三日に十七歳で没したことから逆算すると、神亀五年生まれとなる。安積の同母姉で十二歳になっていた井上内親王は、光明子が男子を出産する直前の神亀四年（七二七）九月三日に、伊勢斎宮として現地に赴任していた。広刀自の懐妊はおそらく前述した立太子時の神亀四年十二月に判明していた可能性がある。光明子が出産した皇子の立太子を急いだのは、広刀自の懐妊も影響していた可能性がある。前述したように、三千代が傍系同族に宿禰姓賜与の優遇を申請したのは、広刀自によってではなく、三千代の主導によって県犬養氏の結束強化を図る政治的意図もあったと考えられる。

皇太子の夭折と安積親王の誕生は、皇太子の母としてキサキ筆頭の地位が確保されようとしていた光明子と、その背後にいる三千代や藤原氏の政治的立場を揺るがしかねない事態となった。光明子が次の男子を産むまでゆっくり待てない状態になり、このため光明立后へと方針転換していくことになった。

2　母の立后

この光明子立后の直前に起きたのが、長屋王の変であった。

長屋王の変

神亀六年（天平元・七二九）二月十日、長屋王が謀反《むへん》を計画したとの密告によって、王の邸宅が囲まれた。長屋王が「私に左道《さどう》を学び、国家を傾《かたむ》けようとした」との嫌疑であった。このことを密告したのは、左京の住人で従七位下漆部君足《ぬりべのきみたり》と無位中臣宮処東人《なかとみのみやどころのあずまひと》らであった。事件収束後の十五日に出された聖武の勅では、長屋王を残忍で、道理にそむき、昏《くら》く凶悪で、悪事を尽くし、心がねじけきった人物と評している。しかし「左道」の実態は不明であり、実質的には冤罪であった。つまりこの密告が事実を枉《ま》げたいわゆる「誣告《ぶこく》」であったことは、後の天平十年（七三八）七月十日、右兵庫頭《うひょうごのかみ》まで出世していた東人が、たまたま囲碁をしていた時、長屋王の事に話が及び、対戦相手でかつて長屋王に厚遇を受けていた左兵庫少属《しょうさかん》の大伴子虫《おおとものこむし》に切り殺されていることからも明らかである。しかし、この時点ではこれは秘されており、二十一日には、その功績によって密告者の二人は外従五位下を叙位され、封三〇戸、田一〇町を賜り、この他に漆部駒長も従七位下に叙された。

当時長屋王は左大臣となっており、不比等没後の政権筆頭として活躍していた。左大臣の謀反という重大事件を受けて、事件発覚の当日である二月十日に、越前愛発・美濃不破・伊勢鈴鹿の三関を固関し、式部卿藤原宇合《うまかい》が衛門佐・左右衛士佐たちとともに六衛府の兵士たちを率いて邸宅を囲んだ。さらに明くる十一日には、舎人親王、新田部親王、また大納言多治比池守、中納言藤原武智麻呂、右中弁小野牛養、少納言巨勢宿奈麻呂《こせのすくなまろ》ら公卿層が、長屋王の罪の窮問に向かった。

長屋王と吉備内親王の自殺

そして十二日には長屋王が自尽《じじん》し、また妻吉備内親王とその所生の従四位下膳夫《かしわで》王、無位葛木《かづらき》王・鉤取《かぎとり》王や石川大刀自《いしかわのおおとじ》（石川夫人）所生の無位桑田《くわた》王も自経《じけい》に追いやられた。

「誣告」であったとしても、藤原氏に疑心暗鬼を生じさせるような何らかの気配が長屋王側にあった可能性もある。吉備内親王の所生子たちは、和銅八年（霊亀元・七一五）二月二十五日の「吉備内親王の男女を皆皇孫の例に入れる」という勅によって、母の出自を前提とする政治的な配慮から優遇され、二世王扱いになっていた。すなわち父方は天武天皇―高市親王―長屋王の子として、三世王の立場であったが、母方からは元明の孫王、文武と元正の甥であり、草壁皇統に連なる存在であった。二世王は皇位継承の可能性が充分ありうる存在であった。幼い皇太子が夭折し、安積親王が若年である状況では、母方系とはいえ草壁皇統にも連なる王たちの存在は無視できない。

同日に家内の人はことごとく逮捕され、衛士や兵衛府に拘禁されたが、翌十三日には吉備内親王の家令《かれい》・帳内《ちょうない》は赦免された。そしてこの日、長屋王と吉備内親王の遺骸が生馬《いこま》山に埋葬された。吉備内親王は無実であり、その葬送は内親王としての喪葬の礼が適用され、ただし鼓吹だけは停止された。長屋王の葬送は罪人の扱いとなったが、その葬礼を醜くされることは免れた。

縁坐赦免と光明子の藤原系遺児支援

十七日に関係者のうち、上毛野宿奈麻呂《かみつけぬのすくなまろ》ら七人が長屋王との交流を理由に流罪に処されたが、その他の九〇人は赦免された。そして十八日には長屋王の弟鈴《すず》鹿《か》王の宅で、長屋王の弟、姉妹また子孫と妾ら、縁坐の対象者も男女を問わずすべて赦免され、二十六日にはこれらの者たちに従来通りの給禄が保障された。鈴鹿王はこの後、順調に地位が上昇し、天平九年（七三七）九月二十八日には二世王ながら親王クラスが慣例であった知太政官事《ちだじょうかんじ》にまで昇った。

長屋王の配偶者として、長屋王家木簡に登場する吉備内親王、石川夫人、安倍大刀自《あべのおおとじ》の他に、長屋王家木簡には登場しない不比等の娘長娥子がいた。その所生子である安宿王《あすかべ》・山背王《やましろ》（藤原弟貞）・黄《き》文《ぶみ》王・教勝《きょうしょう》（尼）とともに平城京左京三条二坊の邸宅とは別の邸宅に居住していた可能性がある。そしてこれら藤原氏の血筋を引く遺児の家には、藤原氏が支援を行ったと考えられる。

例えば後の天平七年（七三五）頃から光明子が経典の援助を行っていた形跡が残っている。「正倉院文書」の「写経目録」によれば、天平七年から九年正月まで、「安宿家佐弥等所」「王御御進」（『大日本古文書』七―二二頁）、「安宿宅佐弥等」「沙弥御所即僧等施給」（七―二三頁）、「安宿殿沙弥等所」（七―二四頁）、「安宿宅沙弥等」（七―二六頁）と、「家」「宅」「殿」と多様な表現がみえるが、「寺」ではなく安宿を冠した邸宅内に沙弥や僧らが複数おり、光明子皇后宮職写経所がこの沙弥御所の僧に施すために写経を進めていたことがわかる。この邸宅が安宿媛《あすかべひめ》（光明子）と関係した河内国安宿郡の邸宅の可能性も残るものの、長屋王の佐保宅を継承した安宿王の家である可能性が指摘されている。さらに「王御」を見せ消ちにして沙弥と訂正している例や「沙弥御所」とあることから、この沙弥等は安宿王・黄文王・山背王らが一時的に出家したもので、彼らを光明子が援助していたとみる説もある。

そして長屋王の子女のうち、天平九年（七三七）九月二十八日に無位安宿王に従五位下を、さらに十月二十日には、従五位下安宿王に従四位下、無位黄文王に従五位下、従五位下の円方《まどかた》女王・紀《き》女王・忍海部《おしぬみべ》女王に従四位下が叙位されている。この安宿王・黄文王たちは、後に阿倍内親王にとっては政敵となっていくが、しばし母光明子ら藤原氏の後見のもと、着実に復権していくことになる。

長屋王の変の処理が一段落した三月四日、叙位が行われ、さらに藤原武智麻呂が大納言となった。知太政官事の舎人親王を冠しながらも、左右大臣が不在で、多治比池守とともに二人の大納言を筆頭とする体制に移行した。参議の房前、非参議宇合、そして麻呂も従三位に叙され、藤原四子体制の基礎が出来つつあった。

　しかし長屋王の変による世間の衝撃は収まらず、また不穏な世情に対する宗教者の煽動などに対する警戒が続いた。

大瑞の亀と唐僧道栄

　長屋王の変から四カ月が経った六月二十日、左京職から亀が献じられた。長さ五寸三分、幅は四寸五分、そしてこの背中には「天王貴平知百年」という文字があった。しかしこの亀を捕獲したのは、左京の住人ではなく、三千代の出身地であった河内国古市郡の人で、無位の賀茂子虫《かものこむし》という人物であった。そして唐僧道栄《どうよう》が子虫にこれが大瑞であることを教えて、貢上させたものであった。道栄は、この亀を発見した古市郡の人が出入りする、京内の貴族の邸宅と密接な関係があった可能性が強い。

　僧尼令《そうにりょう》の寺院常住の原則、貴族・一般庶民との隔離の原則から、建前として僧は特定の寺院に所属しなければならなかった。しかし現実には仏教伝来期の頃から、皇族や貴族が外国人僧尼や留学帰国僧たちを、宗教・政治・文化に関する諮問のため、また治病など現世的利益享受のために、「家僧《かそう》」として邸宅に出入りさせた例は多く、これが実質的には容認されていた。これは中国の魏晋南北朝から隋唐において、皇帝や貴族が自己の権威・権勢を誇示宣伝するために、宮や自邸に長期間名僧を招いて講会を行わせ、彼らを家僧・門師《もんし》としていたことの影響であった。唐僧道栄が来日した時期は、養老二年（七一八）の遣唐使帰国時の可能性があり、養老四年（七二〇）十二月二十五日の詔によれば、僧尼の経典の転読や唱礼の音が自己流の別音になっているのを矯正するために、道栄と学問僧勝暁《しょうぎょう》の漢音に依拠して転経や唱礼させるよう命じている。

おそらく道栄は来日以来、不比等と三千代の邸宅に出入りし、その流れを受けて、この時期にも三千代の邸宅に「家僧」の一人として出入りしていた可能性がある。そしてこの亀を朝廷に報告した京職の長官が藤原麻呂であったことも注目される。麻呂の邸宅は、少なくとも兵部卿となっていた天平七年（七三五）頃に、旧長屋王宅とは二条大路を挟んだ北側、そして故不比等宅の南に接して存在したことが、二条大路木簡の「兵部省卿宅政所」と記した木簡から推測されている。なお不比等の息子四人のうちで、武智麻呂・房前・宇合の母が石川媼（娼）子であるのに対し、麻呂の母は『尊卑分脈』によれば、もと天武夫人だった鎌足の娘の五百重《いおえの》娘《いらつめ》であり、最も藤原氏の血が濃く、かつ新田部親王とは異父兄弟の関係にあった人物であった。

天平改元

「天王貴平知百年」の文字を背負った亀の発見から二カ月近く経っていたが、八月五日に聖武は大極殿《だいごくでん》に出御して、宣命第六詔を発して、年号を天平と改元した。

聖武はこの宣命で、自分の治世を謙遜しながら、元正太上天皇に対して、公卿たちが奏上する政事にどのように返答するかを常に相談してきたこと、また官職の任命についても問うてきたが、これに元正が教え導き答え伝えてくださったことに随い天下を治めてきたと述べている。そして京職大夫の藤原麻呂が図を背負った亀を献上してきたことは、元正の厚く広い徳と高く貴い行いによって顕現したものとしている。さらにこれは天神と地祇がともに祝福してくれたものであり、これをもって年号を神亀六年から天平元年に改元するとした。
同母妹吉備内親王を亡くした元正太上天皇に配慮しつつ、長屋王の変の衝撃を払拭し、新しい時代の到来、さらに光明立后への足掛かりを演出する政治的デモンストレーションであった。
阿倍内親王は十二歳となっており、七歳だった父聖武即位の時よりも、祥瑞改元をより記憶に残るかたちで経験したと考えられる。

母光明子の立后

そして八月十日、母光明子を皇后とする詔が発せられた。しかし『続日本紀』の当日の記事には詔の詳細は記されていない。二週間も経った二十四日になって、五位以上と諸司の長官を内裏に召し、舎人親王を通じて勅が出され、先例のない藤原夫人の立后について説明がなされた。

この宣命第七詔で、聖武は自分が即位して既に六年が経過したが、この間に皇位を継承する皇太子が存在したとし、これによってその母である藤原夫人を皇后と定めるとした。この時点では既に没していたものの、某王の立太子を前提として、その母光明子の立后の根拠としている。

宣命ではさらに、天下に天皇がいるのに皇后の欠員は好ましくなく、さらに「天下の政《まつりごと》におきて、独《ひとり》知るべき物に有らず。必ずもしりへの政有るべし」と天下の政は単独にみるものではなく、「しりへの政」という背後の政治の支えが必要であり、そして天に日月、地に山川があるように、並存すべきものであることを、王臣も充分承知していることであるとしている。さらに自分の家を授け任せるには一日二日と択び、十日二十日と試みて決定するのであり、重大な天下のことを簡単には行えないと、この六年間択び試みてきたが、本日そのことを詳しく述べるとして、かつて元明太上天皇が重臣の父不比等の忠誠と恪勤《かっきん》をみて、光明子を配偶者として賜り、光明子を捨てず忘れないようにとの命を受けた経緯を示し、その命によって六年間試みてきた結果として皇后にしたと述べている。

このように不比等の娘である光明子を皇后にすることは、単なる自分の一存ではなく、もともと聖武と光明子の婚姻を主導した元明の意向もあって、早くから志向されていたとしている。

「皇后」の先例

しかし臣下の女子を皇后とすることは、自分の時だけではなく、既に先例があり、難波高津宮《なにわのたかつのみや》に御　宇《あめのしたしらしめしし》大鷦鷯《おおきざき》天皇（仁徳）の時、葛城曾豆比古《かずらきのそつひこ》の女子、伊波乃《いわの》比売《ひめ》命が皇后となって、天下の政を行っており、今さらめずらしく新しい政ではないと説明している。

『日本書紀』ではこの磐之媛《いわのひめ》命（伊波乃比売命）は、仁徳との間に履中《りちゅう》・反正《はんぜい》・允恭《いんぎょう》を産んだ「皇后」とされている。この他に皇族女子でない可能性のある例としては、父は不詳とされる武烈《ぶれつ》「皇后」春日娘子《かすがのいらつめ》（大娘）の例がみえる。「皇后」の称号が確実に記載されたのは飛鳥浄御原令からであり、それ以前は「大后」であったと考えられるが、ここではこれも含め「皇后」としておく。

光明子の立后のために、このような言い訳がましい説明を必要としたのは、六世紀以降の史料にみえる「皇后」の例が皇族出身者に限られていたことによる。特に「しりへの政」を行い、天皇と共同で国政を主導する「皇后」イメージは持統のそれが強烈に記憶されていた。そしてその「皇后」経験者の中から、夫没後に天皇となった例が多くあるためであった。元明も皇太妃ではあったが、これに準じて天皇となっていた。

天皇配偶者のうち「嫡妻」扱いの「皇后」の語は、令文の中では儀制令の③皇后条や公式令の㊲平《へい》出《しゅつ》条皇后などにある。しかし「皇后」の出自を規定するような条文は、大宝令の後宮官員令や養老令の後宮職員令にはなく、「妃二員　右四品以上、夫人三員　右三位以上、嬪四員　右五位以上」と妃・夫人・嬪のキサキ号だけを規定している。妃を「四品以上」と内親王の出自を想定していることから、一般には妃よりも上位の「皇后」は皇族を前提としていると考えられている。ただし「皇后」は逆に品位や位階から超越している存在であることを示しており、妃以下とは別の次元の存在でもあ

六・七世紀の皇后・皇太妃表

氏名	配偶者	所生の天皇	父	身位
額田部皇女（推古）	敏達		欽明	「皇后」⇒即位
穴穂部間人皇女	用明		欽明	「皇后」
宝皇女（皇極・斉明）	舒明	天智・天武	茅渟王	「皇后」⇒即位⇒譲位⇒重祚
間人皇女	孝徳		舒明	「皇后」
倭姫王	天智		古人大兄皇子	「皇后」
鸕野讃良皇女（持統）	天武	（草壁皇子）	天智	「皇后」⇒即位⇒譲位
阿閉皇女（元明）	草壁皇子	文武・元正	天智	「皇太妃」⇒即位⇒譲位

った。すなわち規定上では出自の縛りを受けるものではなかったともいえる。

皇后宮職の成立

九月二十八日には小野牛養《おののうしかい》が皇后宮大夫に任じられた。令制では皇后など天皇の配偶者や皇太后などの家政機関は、中務省が管轄する中宮職であるが、聖武の母宮子に既に皇太夫人の称号が与えられ、その家政機関として中宮職が置かれていたため、これとは別に皇后宮職が設置された。中務省とは同等との説もあったが、現在の通説では中務省管轄下に置かれたものとされている。

職員構成は、大夫一人、亮一人、大進一人、少進二人、大属一人、少属二人となり、判官・主典の実態は中宮職と相当位が同じであった。

光明子の崩伝記事によれば、光明子の財源は、中宮湯沐二〇〇〇戸だけではなく、別封一〇〇〇戸と高野天皇東宮封一〇〇〇戸が加わったとある。別封はかつて某王が立太子した時に光明子に与えられたものである。一方、高野天皇東宮封は阿倍立太子以降に加増されたものと考えられるが、いずれにしても、「皇太子」の母という立場をもとに、通常の皇后よりも特別な封戸を有し、また東宮封についても実行支配した可能性がある。そしてこれらの莫大な財源を元に、光明子は「五月一日経」をはじめとする大規模な写経事業や仏教救済活動を行っていった。

第三章　女性皇太子への道——立太子計画と東宮教育

1　阿倍内親王への期待

皇太子の母

母光明子の立后の根拠は、前に述べたように聖武天皇の配偶者であるだけではなく、既に夭折してしまっていたとはいえ、「皇太子」を産んだ母であった。律令が施行され、その中に位置づけられた皇太子は、この時期には皇位継承の上で不可欠な地位となりつつあった。この「皇太子」の不在は「皇太子」の母である皇后の正統性を不安定にしかねない。新たな「皇太子」を誰にするのかは重要な課題であった。

長屋王の変によって有力「二世王」らが淘汰され、天平元年（七二九）の光明子立后によって一時的に保留状態にできた皇位継承問題も、二歳の安積親王の存在は無視できない。天平元年の時点では、安積親王を立太子させることは、某王皇太子の例のように幼児の生命力は不安定であり、時期尚早と思われる。しかし文武天皇や聖武天皇の立太子が十四、五歳であったことから考えると、安積親王が十四、五歳になる頃には、有力な皇位継承者となることは間違いない。

あと十二、三年ほどの時間的余裕はあるが、それまでに光明子から、再度できるかぎり早急に男子が誕生することを期待し、この男子を「皇太子」とすることで、光明子の「皇后」としての地位、また藤原氏は外戚としての地位を補強する必要があった。これは三千代や藤原四子にとっても重要な課題であった。

しかし三十代に突入しつつあった光明子の懐妊は容易ではなく、実際体調は必ずしも良好に推移しなかった。このような状況下、次第に光明子所生で唯一生存している子女としての阿倍内親王の存在感が増すことになっていった。そして阿倍内親王は弟皇太子が没してから十年後、男子の成人年齢である二十一歳となった天平十年（七三八）、日本史上唯一の「女性皇太子」となっていく。この「女性皇太子」は、この十年の間のどのような時期に、どのように構想され、実現していったのだろうか。

皇后宮の踏歌節会

天平二年（七三〇）正月十六日、大安殿での宴のあと、聖武天皇は晩頭に百官人たちを引き連れて皇后宮まで出向いて踏歌節会《とうかのせちえ》を行った。踏歌は「あられば しり」ともいい、列を作って地面を足で踏みながら行進し、調子をとってうたい、歌の終わりに「万《まん》年阿良礼《ねんあられ》」という囃子詞を唱え、新年を祝う歌舞であった。雑令の㊵諸節日条に正月十六日が節日の一つとされており、『年中行事秘抄』などには、天武天皇三年（六七四）に男女の別なく闇夜に行われたという起源説がある。『日本書紀』の初見は持統天皇七年（六九三）正月で、初期の例は漢人《あやひと》・唐人ら渡来系の人々が行っていた。このように元来は隋・唐などで行われていた民間行事が伝来したものであった。後の天平十四年（七四二）の時には少年童女の例もあり、天平宝字三年（七五九）には内教坊《ないきょうぼう》の女踏歌が行われていった。しかし春に男女が歌を掛け合い、未婚者にとっては配偶者選びの要素があった日本古来の歌垣《うたがき》とも類似する要素があり、次第に男女混淆による風紀上の弊害も出て、称徳天皇時代の天平神護二年（七六六）には民間踏歌の禁止令が出されていく。ただし宮中行事として継続され、平安時代には正月十四日を新たに男踏歌の日とし、十六日は女踏歌に限定されていった。

この天平二年（七三〇）の時は、皇后宮で酒食を饗し、儒教の徳目（仁・義・礼・智・信）を記した短籍《たんざく》を引かせて、それぞれの短籍を引いた者には絁・糸・綿・布・常布を賜った。この宴には光明子はもとより三千代も出席したと考えられる。そしてこの正月で十三歳となった阿倍内親王も参加し、おそらくその存在感を百官人に認識させることになったと考えられる。

十三歳の阿倍内親王

十三歳という年齢は、養老令の戸令《こりょう》の⑥三歳以下条にみえる公民の課役を想定した年齢区分では、男女ともに三歳以下の「黄」を経て、十六歳以下の「小」となっている時期である。この後二十歳以下が「中」、二十一歳から六十歳までは「丁」、六十一歳から「老」、六十六歳から「耆」となる。ただしこの時期はまだ大宝令の施行時期であるから、三歳以下は「緑」、二十歳以下は「少」といった。いずれにしても十三歳は男性の場合はまだ課役の対象外の年齢で、その点では子どもの範疇である。正式の成人年齢は二十一歳で、官人の場合も、通常叙爵年齢は二十一歳であった。

しかし戸令の㉔聴婚嫁条では、男性は十五歳、女性は十三歳以上で、結婚を許可するとしている。令文によれば、結婚可能年齢となる。ただしこれは唐令を継承したもので、また大宝令注釈書の「古記」や養老令注釈書の「令釈《りょうしゃく》」には、人民を増加させるために越王勾践《えつおうこうせん》の下した令で、礼儀に背いていないとする。『礼記《らいき》』内則では、女子は十五歳で笄《けい》し、二十歳で嫁すとしており、それとの関係を言っていると考えられる。

この笄は結髪のために使われる簪《かんざし》である「笄《こうがい》」を指し、婚約可能な年齢になったことを表す。その点からは成人女性の象徴であり、日本でもこの当時の成人女性は、唐風に髪を結い上げる髪型を基本としていた。天武天皇十一年（六八二）四月二十三日の詔で、男女は悉《ことごと》くこの年末までには結髪することが命じられた。しかしその後垂髪に復した時期もあったが、慶雲二年（七〇五）十二月十九日に、天下の婦女は神部《かんべ》、斎宮の宮人《くにん》及び老嫗以外は皆髪を結うことを再度命じていた。

阿倍内親王がいつ頃成人としての髪型になったのかは史料的には不明である。しかし父聖武の元服が十四歳であったことを考えると、この前後に行われた可能性は高い。史料に残る内親王の加笄の例は、『日本紀略』延暦二十年（八〇一）十一月九日にみえる「茨田親王冠、贈皇后（今上后）・高津・大宅三内親王加笄」である。これら桓武天皇の内親王のうち年齢がわかるのは、贈皇后（今上后）すなわち高志《こし》内親王の十三歳である。なおこの時元服した茨田《まんだ》親王の年齢は聖武と同年齢の十四歳であった。女子の成人儀礼は平安中期以降、結髪の衰退とともに衣服儀礼である着裳《ちゃくも》に吸収されていくが、十世紀の内親王の着裳は、選子内親王十一歳、昌子内親王十二歳、慶子内親王・康子内親王・保子内親王十四歳など、十五歳以前の例も少なくない。

戸令の規定は必ずしも日本の実態を示しているとはいえないが、日本古代の女性の成人儀礼が十三歳から十五歳前後に多く行われていたことから、この頃に阿倍も成人女性の髪型となり、令にみえる内親王の衣服を身に着け始めたと予想できる。次第に人前に出る機会も多くなっていったであろう。

母光明子の施薬院

踏歌節会翌日の十七日に、光明子の皇后宮職に施薬院《せやくいん》が置かれた。皇后宮職に与えられた封戸《ふこ》だけでなく、父不比等没後に継承されていた大臣家の封戸の庸《よう》を費用に充てて、諸国からの薬物を毎年買い集めることになった。また設置時期は不明であるが、この他に悲田院《ひでんいん》も皇后宮職のもとに経営されることになった。興福寺には養老年間に既に施薬院・悲田院が置かれており、皇后宮職の施薬院が興福寺の施薬活動に何らかの関係を持った可能性は高い。

ただし皇后宮職施薬院という機関は、興福寺のみに限定されず、複数の寺の施薬活動を支えていたと考えられる。天平七・八年（七三五・七三六）頃の皇后宮職関係の木簡が出土する、二条大路南側東西溝のＳＤ五一〇〇から出土した墨書土器の中に、「薬院」（須恵器、杯）、「小薬」（土師器、杯）などの文字がみえる。また平城還都後の天平十七年（七四五）以降には、薬院・悲田院が東大寺大仏造営に関係していた。このことが、東大寺大仏廻廊西地区から昭和六十三年（一九八八）に出土した木簡から窺える。

阿倍内親王は、後の孝謙天皇時代である天平宝字元年（七五七）十二月八日に、勅によって興福寺施薬院の財源を強化している。この政策自体には母光明子の影響があるとはいえ、内親王時代から母の仏教的救済活動を見ていたことがその背景にあるといえよう。また称徳天皇の最末期に西大寺に薬院を設置することにもつながっていく。

武則天の悲田養病坊の影響

このような皇后による人民救済活動は、悲田という仏教的な救済思想に基づいており、興福寺という寺院の活動の影響を受けていたが、公的な地位としての皇后が、その公的な家政機関である皇后宮職のもと、皇后の封戸を財源にして行ったことは重要である。またそれは皇后の地位をもとにして、さらに中国史上唯一の女性皇帝となった中国の武則天《ぶそくてん》（則天武后《そくてんぶこう》）が始めた悲田養病坊《ひでんようびょうぼう》事業と重ね合わせることができるものであった。

中国では南北朝頃から悲田政策がみえるが、日本に影響を与えたのは唐代の悲田養病坊政策であった。唐代の政策の開始は武則天期の長安年間（七〇一～七〇四）とされている。しかし開元五年（七一七）に宋璟《そうけい》が悲田養病坊は不正紊乱《びんらん》の場となっており、このような事業は仏教による事業で僧尼の職掌であるから、俗官が関与した事業とすべきではないとの進言をした。これに対し玄宗《げんそう》は宋璟の進言は採用せず、開元二十二年（七三四）十月には、寺に分置されていた病坊に京城内の乞児を悉《ことごと》く収容し、官本銭《かんほんせん》の利を支給している。そしてこの時期の悲田養病坊のあり方は、武宗の会昌年間の仏教弾圧まで継続していった。

このような唐の武則天以来の官人と僧尼の共同事業が光明子の救済活動に影響を与えたと考えられる。そして阿倍内親王は、母が力を注いだ救済活動が中国唯一の女性皇帝による政策の影響であったことを学んでいった。

阿倍、母と興福寺五重塔建立のための土を運ぶ

光明子はこの天平二年（七三〇）に、興福寺の伽藍増設にも尽力しており、四月二十八日には興福寺五重塔建立のために、光明子自ら土を運んでいる。『興福寺流記《こうふくじるき》』の或記によれば、この時、公主《こうしゅ》・夫人・命婦・妹（姝カ）女も皆従ったとある。唐では皇帝の娘を意味する「公主」がみえることから、阿倍内親王も参加し、母のすぐ後に続いて、土を運んだと考えられる。

このような塔の基壇となる土を運ぶことは、仏教における「知識《ちしき》」行為の一種であった。仏教語の「知識」とは、主に良い信仰上の友達である善友・善知識《ぜんちしき》をさし、さらに金品・労力を出し合い写経・造仏・造寺などを行う活動とその仲間を意味した。

興福寺は、母方藤原氏ゆかりの寺であったが、養老四年（七二〇）に官寺扱いとなり、神亀三年（七二六）七月には、聖武天皇が元正太上天皇の病気平癒のために東金堂を造立するなど、父方からも重んじられた寺であった。阿倍がこの興福寺に参詣し、仏菩薩像を拝し、父母の目指す「崇仏君主」像を学び始めたといえる。なおこの土運びの少し前である四月十六日に、旧い衣服が新様に改められていた。おそらくこの新しい婦人の衣服に着飾った女性たちを従えて、また阿倍自身も新しい内親王の衣服を着て参詣したと考えられる。そしてここでも、十三歳の阿倍の姿は、参列した人々に強い印象を与え、記憶されたであろう。

行基の活動に学ぶ

光明子らの救済事業や労働力奉仕の活動は、畿内を中心に仏教的救済活動を独自に実践していた行基《ぎょうき》とその集団の活動の影響もあった。

約十三年前の養老元年（七一七）には、行基とそれに従う弟子僧、さらに行基を慕った多くの男女からなる行基集団の活動を危険視して処罰の対象としていた。そして多くの女性たちが積極的に仏教活動に関わっていたこともあり、さらに養老六年（七二二）には女性や子供を巻き込む活動が家族道徳や風紀を乱すものとして厳しい処罰を出していた。このため行基集団は神亀年間以降に僧院と尼院を併設する道場建設によって風紀問題を解消し、三世《さんぜ》一身法《いっしんのほう》など当時の墾田開発と灌漑用水開発政策にも対応した土木事業を伴う救済活動を推進していった。さらに彼らの土木事業への労働力提供を、「知識」参加という宗教修行として位置づけ、これによって国家に得度を認めさせていった。そして次第にこのような活動が正統な仏教修行として評価され容認されるようになってきていた。

そして天平初期以降には、この行基集団の活動を認め、聖武と光明子が行基に帰依する方向に動いていった。天平三年（七三一）に入り、八月七日には行基集団の中で男性六十一歳以上、女性五十五歳以上で正しい修行をする場合には入道《にゅうどう》を認める詔が出され、さらにその後、大仏造立の勧進活動に行基集団の力を動員し、行基を大僧正《だいそうじょう》に任命していくことになる。

父母が受けた民間の仏教救済活動の影響は、阿倍内親王が後に即位したあと、天皇として行った救済活動に受け継がれていくことになる。

父聖武天皇の「雑集」の書写

ちょうど同じ天平三年、父の聖武天皇は「雑集《ざっしゅう》」の書写に没頭し、九月八日に書写を終えている。この「雑集」は聖武の直筆で、後の天平勝宝八歳（七五六）六月二十一日、元正書写の「孝経」、光明子書写の「頭陀寺碑文《ずだじひぶん》」「杜家立成《とかりっせい》」「楽毅論《がっきろん》」とともに白葛箱に入れ、赤漆文欟木御厨子《せきしつぶんかんぼくのおんずし》に納め、東大寺盧舎那仏に献じられたものである（『東大寺献物帳』国家珍宝帳）。この厨子は天武・持統・文武・元正・聖武・孝謙と、元明だけを除いた歴代天皇に伝領された由緒あるものであった。そして「雑集」は天平三年頃の聖武の仏教理解を知るうえで注目すべきものである。

現在は正倉院宝物として伝えられており、巻頭部の何葉が失われているが、全長二一メートル四二センチに及ぶ白麻紙四七紙に一四五編の文章が書写されている。内容は「帰去来《ききょらい》二首、（作者不詳）」「王居士涅槃詩《おうこじねはんし》」・「奉讃浄土十六観詩《ほうさんじょうどじゅうろくかんし》」、彦琮《げんそう》作の「隋大業主《だいぎょうしゅ》（煬帝）浄土詩」、「真観法師無常頌《しんかんほうしむじょうしょう》」、「鏡中釈霊実集《きょうちゅうしゃくりょうじつしゅう》」、「周趙王集《しゅうちょうおうしゅう》」、その他からの抜粋など全体が釈教詩文を中心にした文例集の趣がある。末尾には唐僧の南岳慧思《なんがくえし》禅師の「思大和上坐禅銘《しだいわじょうざぜんめい》」に酷似する「思忍を諦《あき》らめ、口言を慎み、内悪を止《と》どめ、外縁に息《やす》らえよ」を引用し、さらに奥書に「天平三年九月八日写了」と記している。その中でも、例えば「鏡中釈霊実集」は越州の僧釈霊実が開元五年（七一七）以降に編纂した文例集で、変相図《へんそうず》を含む仏・菩薩画像の讃と序、寺院の造仏や施設の造立文、地方官人等の画讃、禹廟《うびょう》などの祭文、釈迦誕生会・盂蘭盆会などの法会斎文・願文、親族のための斎文・願文類など多様な内容がみえる。

特に劉明府八日設悲敬二田文《りゅうめいふようかにひけいにでんをもうけるぶん》は、武則天時代の地方官である県令《けんれい》が行った悲田敬田による撫民《ぶみん》救済活動を伝えており、前述した光明子の施薬院・悲田院活動にも参考になり得るものであった。また親族のための斎文・願文の中には、亡父母や亡妻への追善供養のための願文もあるが、妻の妊娠や子の

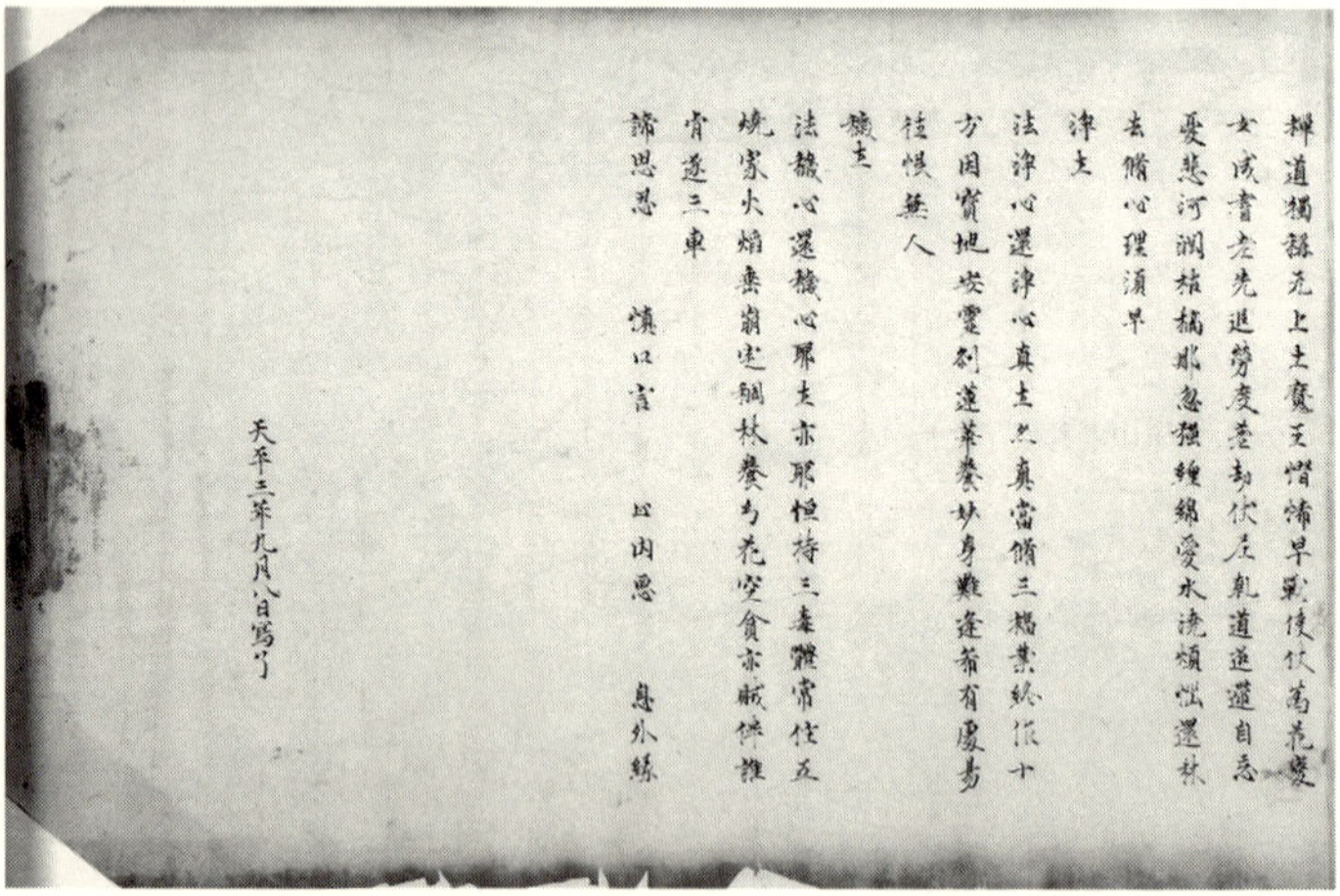

聖武天皇宸翰「雑集」巻末部分（正倉院宝物）

「神童挙《しんどうきょ》」合格、また子の病気平癒と母の長寿を祈願する、きわめて現世利益的な内容も存在した。

神亀五（七二八）年九月に没した皇太子の三周忌の忌日内に当ることから、その追善供養のために書写されたとする見解もあるが、全体の内容の多様性からは、少なくとも皇太子の追善供養を主目的にしていたとみることは難しい。聖武はこれらを書写することで、涅槃系や浄土系の思想はもとより、儒教や老荘思想・道教の影響を多分に受けていた世俗的な中国仏教の一端を受容したと考えられる。この後も天平六年（七三四）聖武発願一切経願文では「経史の中、釈教最上なり」（『寧楽遺文』六二四頁）と記し、「崇仏天皇」としての自覚を持ち仏教への傾斜を強めていく。これは神仏儒観念に対する聖武の視点であった。このような父の姿も阿倍内親王にとって大きな影響を及ぼしたといえる。

祖母県犬養橘三千代の逝去

阿倍皇太子を構想していく上での一つの転換点となったのが、天平五年（七三三）正月十一日、母方祖母三千代が六十九歳で逝去したことであった。内命婦《ないみょうぶ》正三位が最終的な肩書きとなっていたが、「皇后の母」として散一位に准じた葬儀が行われた。なお三千代は養老五年（七二一）に元明太上天皇の病気平癒のために出家入道していたが、俗姓と俗位は保持されていた。

光明子にとっては実母、聖武天皇にとっては准母、そして阿倍内親王にとっては母方祖母として、絶大な影響力を持っていた三千代の死は、不比等の死とともに、阿倍内親王とその父母にとって大きな打撃になったと考えられる。三十三歳になっていた光明子は、母の死を経験した心労も加わってか、長年患っていた病の治療の効果もはかばかしくなかった。このため五月二十六日にその病気平癒を祈願した大赦が行われた。この光明子の体調不良によって、いよいよ光明子が次の皇太子候補となる男子を出産する期待が薄らいでいったといえる。

七月には三千代の初盆ともなる盂蘭盆《うらぼん》の準備が大膳職《だいぜんしき》に命じられており、大規模に法会が行われたらしい。また聖武も八月十七日になって庶政を聴き始めたように、しばし政務を離れていた可能性がある。そして十二月には三千代に従一位が贈位され、別勅で食封《じきふ》と資人《しじん》の収公は保留され、この後も三千代の家政機関を継続していくことになった。

長屋王の変以来、大臣不在状態であったが、天平三年（七三一）八月の宇合《うまかい》と麻呂に対する人事で、不比等の息子の武智麻呂《むちまろ》（大納言・大宰帥）・房前《ふささき》（参議・中務卿・中衛大将）・宇合（参議・式部卿）・麻呂（参議・兵部卿）が議政官の要職につく四子体制が成立していた。しかし三千代が没した翌年の天平六年（七三四）正月には、長子の武智麻呂が大納言から右大臣に昇格する体制に移行した。なお三千代が生存していた時には、むしろ三千代の娘無漏女王と婚姻関係にある房前の政治能力が評価され、武智麻呂大臣昇格を阻止していたという説もある。

いずれにしても天平五年十六歳になっていた阿倍内親王を、近い将来「皇太子」にする構想は、三千代没後さらに現実的な課題として摸索され始めていったと考えられる。

2　立太子への準備

大地震と天然痘流行

天平六年（七三四）は、四月七日に大地震が襲い、多くの圧死者を出し、山が崩れ、川がふさがり地面が裂けたという。震源は生駒《いこま》山地から金剛《こんごう》山地を走る断層系の地震で、マグニチュード七・〇から七・五とされており、陵墓の倒壊を心配し視察の使者を派遣したほどの衝撃を受けた。父聖武は災異思想から、政事の闕《けつ》として諸司に職務の精励を命じ、また自らは民への撫育《ぶいく》の闕として、使者を派遣し人々の疾苦を問わせている。この大地震は余震が続き、数年来の大旱魃《だいかんばつ》の影響も含め、民の疲弊は著しく、七月十二日には、これらの天災を受けたことを理由に大赦を行っている。その後九月末にも地震があり、自然の驚異を実感する一年となった。

そして天平七年（七三五）になると、前年暮れに大宰府に来着していた新羅使が二月に入京したものの、新羅が自国を王城国と改名したと伝えたため、新羅使を放逐する事態となった。ただしこの時期、伝統的に新羅を朝貢国とみなしてきた日本の外交政策は事実上破綻していた。一方前年（七三四）十一月に多褹嶋《たねのしま》に帰着していた遣唐使の大使多治比広成らが、三月には平城京へ戻って帰国の挨拶を行った。この時には、後に阿倍内親王の師となる吉備真備《きびのまきび》、また光明子や宮子の宮廷仏教に大きな影響をもたらす玄昉《げんぼう》も帰国した。五月に入ると災異が頻りに起こることから大赦し、宮中と大安寺・薬師寺・元興寺・興福寺で災害除去と国家安寧のために『大般若経』の転読が行われた。少しずつ不穏な社会情勢となりつつあった。

　そしてさらに八月十二日になると、大宰府から疫病による死者が増加したことが伝えられてきた。治療救済のために賑給や湯薬の頒布はもとより、様々な神事、仏事、祭祀が行われた。大宰府管内諸国の神祇に幣帛を奉り、また観世音寺《かんぜおんじ》や府内諸国の諸寺で『金剛般若経』を読ませた。さらに疫病の伝染を配慮して、長門《ながと》から東に向かう諸国では国司の守《かみ》または介《すけ》が斎戒して、道饗祭《みちあえのまつり》を祀らせることになった。この疫病とは「疫瘡」「豌豆瘡《わんずかさ・えんどうそう》」俗にいう「裳瘡《もがさ》」といわれた。現代では天然痘《てんねんとう》に相当すると考えられており、夭折する人々が多かったという。

　そして直接の死因は記録されていないが、平城京でも重要人物たちの逝去が続いた。九月三十日には天武皇子新田部《にいたべ》親王、十一月八日には宮子の母賀茂比売《かものひめ》、新田部親王の弔問役を仰せ付かった天武皇子舎人《とねり》親王も、同月十四日には六十歳（『公卿補任』）で逝去した。舎人親王は知太政官事となっていたことから太政大臣を追号された。新田部も舎人も聖武天皇が皇太子の頃から補導役としての役割を担ってきたが、ここで天武皇子は全て逝去するに至った。天武皇子世代から天武皇孫、さらにその次の世代の時代に完全に入ったことになる。

阿倍内親王の『最勝王経』書写開始

この天平七年（七三五）、十八歳になっていた阿倍内親王は、光明子の写経事業に支えられつつ、私経の『最勝王経《さいしょうおうきょう》』を書写させることを開始した。

『最勝王経』は『金光明経』と本来は同一経典であり、六種類の別訳が存在したことが伝えられている。その中でも、武則天《ぶそくてん》の時代である長安三年（七〇三）に、インドから帰国した義浄《ぎじょう》によって訳された最新のものは、特に『金光明最勝王経』と名付けられ、『最勝王経』とも通称された。

この『最勝王経』は、阿倍内親王にとって重要な節目となる時期ごとに書写され、即位後も座右経典として利用されていく重要な経典であり、この書写開始は注目すべきことである。

この内親王時代の天平七年（七三五）七月の一部十巻、天平八年（七三六）の一部十巻を皮切りに、さらに皇太子時代には天平十五年（七四三）の一部十巻、天平十六年（七四四）の二部の間写経、そして天平二十年（七四八）六月二十七日に公式に書写が開始された、いわゆる「百部最勝王経」の五例の写経歴を確認できる。

内親王時代における天平七年・八年の『最勝王経』の写経は、光明子らが阿倍内親王を女性皇太子とする体制を模索しつつある時期、そして天平十五年の写経は、天平十年に立太子を行ったとはいえ、未だ皇太子としての地位が不安定であり、後述するが、五月五日に元正太上天皇の前で五節の舞を皇太子自ら舞い、皇太子としての正統性をアピールする年の写経であった。さらに天平十六年の写経は春宮坊の機関を通じての写経であり、皇太子としての地位を固めつつある時期のものであった。また天平二十年の「百部最勝王経」書写は、光明子が東大寺完成とも連動させて皇太子阿倍内親王のために書写させたものであり、孝謙天皇即位に向けての地位強化のためのデモンストレーションであった。

上宮王院の聖徳太子供養法華経講

そして天平七年（七三五）の十二月から翌年二月にかけて法隆寺東院、すなわち上宮王院《じょうぐうおういん》のために法華経講《ほけきょうこう》の主催を計画実行していることが注目される。これは推古朝の「皇太子」とされた「聖徳太子」に対する信仰を背景とした、阿倍内親王の立太子への根回しの一つであったと考えられる。

天平十九年（七四七）二月二十九日の年紀をもついわゆる「皇太子御斎会奏文《こうたいしごさいえそうもん》」によれば、天平七年（七三五）十二月二十日に「春宮坊《とうぐうぼう》」阿倍内親王が、聖徳尊霊《しょうとくそんれい》と今見天朝《きんげんてんちょう》のために『法華経』を講読する料として、衣服三〇領・生絹《すずし》四〇〇疋・調綿《ちょうのわた》一〇〇〇斤・長布五〇〇端を施入している。そしてこの財源を得て、翌天平八年（七三六）二月二十二日に、僧行信《ぎょうしん》が皇后宮職大進の安宿倍真人《あすかべのまひと》等を率《ひき》い、講師として律師道慈《どうじ》法師、そして僧尼三〇〇余人らを請じて『法華経』を講読させる法会を行ったとある。

図版の「皇太子御斎会奏文」は『東院縁起《とういんえんぎ》』の一部を中世に写したものとされている。ただし『東院縁起』そのものの成立も、奈良末以降で平安中期以前とする説、平安中期以降とする説がある。そしてこの「皇太子御斎会奏文」自体、天平七年（七三五）段階では阿倍内親王は未だ皇太子ではないこと、天平十一年（七三九）には藤原房前は既に数年前に没しているなど矛盾があり、多くの疑問が

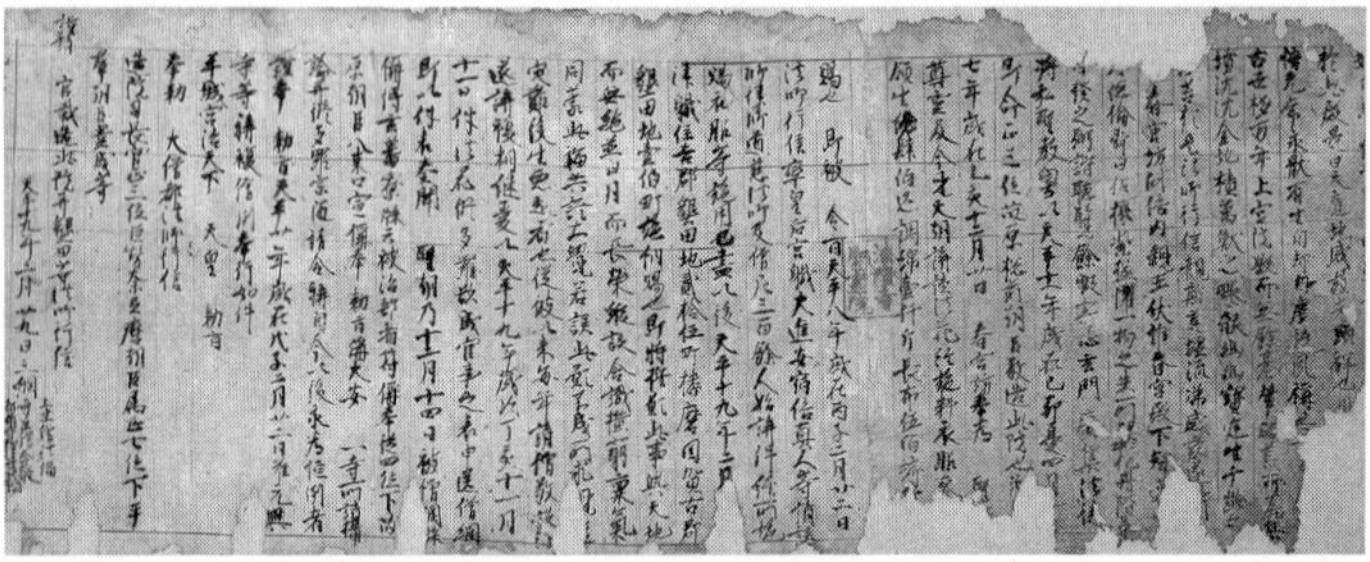

「皇太子御斎会奏文」（東京国立博物館蔵／Image: TNM Image Archives）

ある史料である。しかし皇太子の表記や房前の業績を最終的に上宮王院が完成した天平十一年にかけて表現したためと考えることができる。また行信が率いた皇后宮職大進安宿倍真人は正史記事にはみえないが、「正倉院文書」にみえる皇后宮職大進の安宿首《あすかべのおびと》真人《まひと》とほぼ一致し、また彼の活動が判明するのが天平六年（七三四）から九年（七三七）四月にかけてである点でも、この斎会の動きが天平七、八年にあったことと一致する。

法会が行われた二月二十二日は、一説として「聖徳太子」の命日とされた日であり、『法隆寺伽藍縁起幷流記資財帳』によれば、この日に光明子が法隆寺に多羅《たら》・白銅鏡・香・檉筥《かわやなぎのはこ》・革箱など多数の物品を施入している。さらに『法隆寺東院縁起資財帳』によれば、翌年の天平九年（七三七）には上宮王院に藤氏皇后が聖徳法皇御持物の経七七九巻を捜して奉請している。以上の点から「皇太子御斎会奏文」にみえる天平七年から八年の動きは一定の史実を反映しているといえる。

この上宮王院造営に向けての「法華経講」の法会は、行信の指導による光明子や橘氏など後宮女性の「聖徳太子」信仰を背景にしていたが、阿倍内親王にとっては、単なる太子信仰からだけの法会ではなく、前代未聞の女性皇太子実現に関わる、大規模な政治的デモンストレーションであった。この法会は当時まだ法師だった行信が皇后宮職の官人を率いた点から、その背後に光明子の援助があり、また天平八年・九年に光明子が法隆寺へ諸品を施入したことも、背後に光明子や藤原氏の政治的配慮が存在したと考えられる。

この上宮王院造営のための「法華経講」は、「聖徳太子」命日とされた日に開催しており、太子が行ったと伝承された「法華経講」を念頭に置くものであった。そしてこの法会主催が皇太子継承に関するデモンストレーションとなりえたのは、「三宝之法永伝《さんぼうのほうえいでん》」すなわち仏法を永伝していくことが「聖徳太子」から発した王権の課題であり、これを継承する者こそ皇位継承者であるというイデオロギーに支えられていたことによる。

皇位継承者と「三宝之法永伝」

この当時の皇太子という地位は、将来「天津日継《あまつひつぎ》」という神祇祭祀の長たる天皇を継承する地位であった。しかし当時の仏教隆盛の中で、皇位を継承する者は、王権を護持する「三宝之法」を興隆させ永伝する役割を継承するという考え方も存在していた。

例えば天平十九年（七四七）の『大安寺伽藍縁起幷流記資財帳』には、「厩戸皇子《うまやどのみこ》」から王権護持の「三宝之法永伝」を託された者が皇位継承者（推古・舒明・斉明・天智・天武・〈草壁〉・持統・文武・聖武）とされ、これを引き継いだものが王権の寺を継承存続させた経緯が語られている。

すなわち、田村皇子《たむら》（後の舒明天皇）がまだ皇位継承者に決定していなかった時、推古女帝は田村皇子に飽浪葦墻宮《あくなみあしかきのみや》で病床にある厩戸皇子（上宮皇子）を見舞うように命じた。その時、厩戸皇子は

「古御世御世の帝皇」と「将来御世御世御宇帝皇」のために自分が始めた熊凝《くまごり》村道場を大寺にする誓願をし、これを推古に譲ったという。三日後に田村皇子が私的に見舞った時に、厩戸皇子が財物は永く保てないが、「三宝之法」は絶えずに永伝できるものであるとして、「熊凝寺《くまごりでら》を以て汝《なんじ》に付《さず》く、宜しく承りて、三宝之法を永伝すべし」と語ったという。これに対し田村皇子は「遠皇祖《とおきすめみおや》並に大王《おおきみ》、及び治天下《あめのしたしらしし》天皇御世御世」を継ぎ、絶えずして此の寺を流伝し、「永く三宝を興し、皇祚無窮《こうそむきゅう》」とすることを誓った。この後に田村皇子が推古女帝によって皇位継承者に決定されたとする。そして「三宝之法永伝」の誓願は聖徳太子から出発し、各時代の皇位継承者やその予定的地位としての皇太子、すなわち小治田宮《おはりだのみや》御宇太帝天皇（推古）→飛鳥岡基宮《あすかおかもとのみや》御宇天皇（舒明）→後岡基宮《のちのおかもとのみや》御宇天皇（斉明）→近江宮《おうみのみや》御宇天皇（天智）→飛鳥浄原宮《あすかきよみはらのみや》御宇天皇（天武）→東宮《とうぐう》草壁太子尊（草壁）→藤原宮《ふじわらのみや》御宇天皇（持統）→後藤原朝庭《のちのふじわらのちょうてい》御宇天皇（文武）→平城宮《ならのみや》御宇天皇（聖武）に託されて、発展してきたとしている。その象徴である羆凝寺の永伝は、熊凝村道場→百済大寺《くだらおおてら》→高市大寺《たけちおおてら》→大官大寺《だいかんだいじ》→大安寺《だいあんじ》という形で引き継がれていった。その点ではこの「三宝之法永伝」は大安寺を中心とした仏教側の論理による、「崇仏天皇」像とその使命であった。そして法華経講が行われた天平八年（七三六）当時、道慈は大安寺に深く関与していた。

　この聖徳太子供養の上宮王院法華経講にその料を施入した阿倍内親王自身は、道慈や行信などから、このような皇位継承者像、そして皇太子像のモデルの一つである天平期の太子信仰を学び、「三宝之法」を興隆することが「皇太子」に課せられた役割であることを認識していったと考えられる。『法隆寺伽藍縁起幷流記資財帳』には、戊午《ぼご》年四月十五日に、「上宮聖徳法王」が『法華経』や『勝鬘経』を講じたが、その儀が「僧の如」しであったという表現がみえることに注目したい。推古女帝に『法華経』等を講説する僧の如き聖徳太子「法王」像は、後に称徳天皇となった時、称徳が構想した尼称徳女帝と僧道鏡法王による政治体制の原型であったと考えられる。

橘宿禰姓の成立と聖武夫人体制の補強

天平八年（七三六）七月になると、元正太上天皇は寝食がままならぬ体調不良となった。このため聖武は一〇〇人の賜度者、京四大寺（大安寺・薬師寺・元興寺・興福寺）で七日間僧が読経して仏のまわりを回る行道《ぎょうどう》や畿内諸国の賑給などを行わせた。元正の体調はその後平癒したらしいが、前年の疫病流行による恐怖は、次第に京の人々にも迫ってきていた。

八月には帰国が遅れていた遣唐副使の中臣名代《なかとみのなしろ》らが拝朝し、十月には同船して来日した唐僧の道璿《どうせん》や南天竺僧の菩提僊那《ぼだいせんな》らに時候にあった衣服を賜っている。

そして十一月十一日、三千代を母とし、光明子とは異父兄弟である葛城《かつらぎ》王と佐為《さい》王は、「外家の橘姓」を賜り、皇親籍から離れることを天皇に願い出た。十七日にこれを許されて橘宿禰《たちばなのすくね》の姓が与えられ、十二月には正式に橘諸兄《もろえ》と橘佐為となった。皇親としては五世王でしかなかった葛城王と佐為王が、母三千代に与えられていた恩寵、そして没後も食封・資人が保存された家を継承するためであった。県犬養橘宿禰姓のうち、橘宿禰の部分だけを継承する新しい氏が創設されたことによって、皇后光明子の母方と安積親王母方の県犬養宿禰との差異をさらに示すこともできた。

しかし女性の皇太子という構想が賛同を得るには必ずしも機は熟してはいなかった。一方で藤原武智麻呂や房前によって藤原氏所生男子誕生の可能性が模索されていった。光明子が三十七歳となり、出産の可能性がさらに遠退いてきた天平九年（七三七）二月に、武智麻呂と房前それぞれの娘が聖武夫人として、無位から正三位に叙位されている。七歳になっていた安積親王の母県犬養広刀自を差し置いて、その上に置かれたのである。この時広刀自も正五位下から従三位に昇ったものの、同時に三千代の孫、橘佐為の娘である橘古那可智《こなかち》が無位から従三位となり、広刀自の夫人としての地位は下落した。この夫人たちの年齢は不明であるが、光明子にとってはいずれも父方姪、母方姪にあたり、光明子に身内意識を持たせつつも、この新たな三人の夫人たちから聖武天皇の男子が誕生することに期待がかけられた。

藤原四子逝去による停滞

このような中、天平九年（七三七）正月に対馬で遣新羅大使が没し、副使も病のために一時入京できず、判官クラスの者だけが入京していた。そしてやっと三月に副使らが帰国後の拝朝をした。この頃新羅問題は深刻化し、穏健外交の継続策、軍事行動も辞さない強硬策と、意見が二分するに至っていた。また東北経営も征夷政策のさらなる継続策か融和策かでも揺れていた。

ところが四月十七日に参議藤原房前が逝去する事態が生じた。天然痘は一昨年の流行が一時下火になっていたが、今年になって再び大宰府で大流行していた。疫病と旱魃に見舞われ、五月に大赦や『大般若経』転読が行われたが、六月には百官人の罹病により政務もままならず、大宰大弐小野老、中納言多治比県守をはじめとして官人の死者が増加し、さらに七月十三日には参議藤原麻呂も逝去した。そして武智麻呂まで罹病するに及び、再び大赦が行われたが、二十五日に正一位左大臣に任じられた当日に武智麻呂も逝去した。それだけに終わらず八月一日には橘佐為、同月五日には参議式部卿兼大宰帥の藤原宇合までも逝去し、とうとう藤原四子の全員と橘佐為を失う異常事態になった。

これによって政局が一挙に崩れると同時に、夫人の父たちの手厚い政治的後見による新たな聖武の後宮体制の期待も薄れていった。そして実際にこの後、武智麻呂や房前の家政機関は死後も継続され経済的な保障はされたものの、聖武南夫人・北夫人たちには懐妊の兆候はなく、最終的にも子女の誕生はみられなかった。古那可智の場合は、伯父諸兄の後見も期待できたが、やはり子女の誕生はみられなかった。

九月二十八日、故長屋王の弟の鈴鹿《すずか》王が知太政官事《ちだじょうかんじ》、橘諸兄が大納言となった。実質的な諸兄首班体制であり、藤原氏からは僅かに南家武智麻呂長子の豊成《とよなり》の従四位下が最高の位階となり、十二月に参議に任ぜられたに止まり、四子の息子たちの世代が十分に政治的な地位を確立するに至っていなかった。

ここに来てさらに、藤原氏や橘氏の血筋をひく光明子の唯一の子女阿倍内親王が、安積親王に対抗しうる有力な皇太子候補となり、この実現化をより推進することになった。

3　女性皇太子となる

天平九年（七三七）十月二十六日、大極殿《だいごくでん》において特別な「最勝王経講」が行われた。この時は元日朝賀《ちょうが》の儀式と同じ扱いという盛大さであり、講師には当時律師《りっし》の道慈、読師には堅蔵《けんぞう》が請《まね》かれ、聴衆《ちょうしゅう》一〇〇人、沙弥《しゃみ》一〇〇人という規模の講説が行われた。

阿倍内親王の立太子

この頃の正税帳《しょうぜいちょう》によれば、国家安寧と五穀豊穣を祈願する仏教正月行事として、『金光明経《きんこうみょうきょう》』または『最勝王経』を読誦や転読することが国衙《こくが》などでも行われていた。この大極殿での『最勝王経』の講読は、実施の月は異なるが、称徳天皇時代に開始される正月の御斎会《ごさいえ》に発展していくものである。二日前の二十四日にも、本来正月十五日に百官人が行う薪《たきぎ》貢上を、特別に中宮供養院へ一〇〇〇荷貢上させていた。

いずれも疫病などが多かったことを受けて臨時に行われた可能性があるが、ただしこれが『大般若経』ではなく、『最勝王経』による法会であったことが注目される。前述したようにこの経典は阿倍内親王のためにも書写されおり、その点で昨年の道慈による聖徳太子奉賛「法華経講」と並んで、今回の道慈による「最勝王経講」は阿倍立太子への布石の一つにもなった。

そして波乱に富んだ一年であった天平九年（七三七）の十二月も押しつまった二十七日、大倭《やまと》国の国名が大養徳《やまと》国の表記に改正された。疫病や飢饉、また政局の変化による大きな社会不安を乗り越え、天子が大いなる徳を養う決意を示し、新たな時代を迎えるためであった。同日、皇太夫人宮子が光明子の皇后宮において、玄昉《げんぼう》を一目見ることによって、首親王出産以来の抑うつ的な精神状態から劇的な回復を遂げ、そして皇后宮にたまたま出向いていた三十七歳の聖武天皇とも面会するという慶事が起きたとされている。これがこの母子の実質的な初対面であった。

玄昉は霊亀二年（七一六）に唐へ学問僧として渡り、長年研鑽し、玄宗皇帝から紫の袈裟を賜与され、当時編纂された経典目録である『開元釈教録《かいげんしゃっきょうろく》』に基づく経論五〇〇〇余巻などを伴い、天平七年（七三五）に帰国していた。この玄昉将来経典は、光明子らの写経事業で重視され、この年には既に僧正《そうじょう》にまで昇進していた。

天平九年（七三七）は王権にとって多くの人的損失を被った年ではあったが、年末の最後にこのような慶賀ムードが演出されるなかで暮れていった。そして明くる天平十年（七三八）正月一日に、信濃国から黒い身に白い鬣《たてがみ》と尾を持つ神馬が献上された。これが大瑞と判断され、十三日にとうとう阿倍内親王が正式に皇太子となった。阿倍はこの時、男子成人年齢でもある二十一歳になっていた。

このように阿倍立太子は、光明子によって天平七年（七三五）頃から摸索され出し、準備が進められて来ており、最終的には阿倍の成人を機に実行に移されたものであった。藤原四子や橘佐為の病死など突発的な事態に急遽構想されたものではなかった。またその計画を行ってきた中心人物は光明子であり、天平九年（七三七）二月に娘を入内させた武智麻呂、房前、橘佐為や、それを受け入れた聖武ではなかった。しかし阿倍内親王が聖徳太子を模範とする皇太子を継承しようとする真摯な姿は、「崇仏天皇」を目指す聖武にとっても、十分に納得することができる存在となっていた。

この前代未聞の女性皇太子の正統性は、一部では無視される動きもあったとはいえ、皇太子としての実質を支える阿倍皇太子の東宮機構は存在していた。ではその権力基盤がどの程度であり、その権力基盤と正統性をどのように政治的に確保・確立していったのだろうか。

東宮機構による阿倍皇太子の帝王学教育

養老東宮職員令によれば、東宮職員は傅《ふ》・学士《ふみはかせ》からなる補導職員と家政機関の運営に携わる職員によって構成されていた。家政機関の春宮坊《とうぐうぼう》には、その下に舎人監《とねりのつかさ》・主膳監《しゅぜんげん》・主蔵監《しゅぞうげん》の三監、主殿《しゅでん》署《しょ》・主事署《しゅしょじょ》・主漿署《こみずのつかさ》・主工署《たくみのつかさ》・主兵署《つわもののつかさ》・主馬署《しゅめじょ》の六署が所属していた。

まず補導職員の傅一人は道徳を以って東宮を補導すること、次に学士二人は「経」を執って奉説することとされ、この計三人が皇太子の徳育と知育を担当することになっていた。なお学士が教える経は仏教経典ではなく、先聖典籍すなわち儒教経典であった。学令の⑤経周易尚書条によれば、大学寮で学ばれる経とは周易《しゅうえき》（『易経』）・尚書《しょうしょ》（『書経』）・周礼《しゅらい》・儀礼《ぎらい》・礼記《らいき》・毛詩《もうし》（『詩経』）・春秋左氏伝《しゅんじゅうさしでん》を指す。この他に大学では孝経《こうきょう》・論語《ろんご》も兼習の対象とされていた。

しかしこのうち阿倍皇太子には傅が置かれた形跡がない。既に通常男子が出仕する年齢であり、成人として扱われる二十一歳に達していた後だったので、日常倫理の補導は不要であったとみる説もある。ただし首皇太子の場合は、十五歳で立太子し、十九歳の時から母方伯父の武智麻呂が傅になっていた。さらに養老五年（七二一）正月二十三日に二十一歳の首皇太子のために、佐為王、伊部《いべ》王、紀男人《おひと》、日下部老《くさかべのおゆ》、山田三方《やまだのみかた》、山上憶良《やまのうえのおくら》、朝来賀須夜《あさこのかすや》、紀清人《きよひと》、越智広江《おちのひろえ》、船大魚《ふねのおおうお》、山口田主《やまぐちのたぬし》、楽浪河内《さざなみのかわち》、大宅兼麻呂《おおやけのかねまろ》、土師百村《はじのももむら》、塩屋吉麻呂《しおやのきちまろ》、刀利宣令《とりのせんりょう》ら十六名の学識者を常に退朝後に侍らせたように教育が継続されていた。

阿倍皇太子の学士については、天平十三年（七四一）七月三日に正五位下の下道真備《しもつみちのまきび》（吉備真備）が任命されたが、真備以外の存在は不明である。この時阿倍皇太子は立太子後三年半を経過しており、既に二十四歳となっていた。女性皇太子に男性皇太子と同様の帝王学を学ばせることが目指されたといえるが、これは当時の女性の教育環境からすれば、きわめて破格の扱いであったといえる。

例えば家令職員令の①一品条によれば、親王と内親王では教育にジェンダー差が設けられていた。すなわち親王には教育係として「経」を執り講授する文学《ふみはかせ》一人が配されていたが、内親王には文学は配されてはいなかった。この場合の「経」はやはり儒教経典の教育であり、文学による儒教教育は男子である親王だけに保障されており、女性である内親王は儒教教育から制度的に外されていた。

制度的には内親王の場合、十三歳までの幼年教育は乳母《めのと》だけが担当したことになるが、実際には母方親族の私的な教育環境に委ねられていたと考えられる。その点で識字教育は、男女を問わずむしろ前述した家僧の教育など仏教的な環境の中で行われ、その中でも写経などが果たした役割が大きかったと考えられる。いずれにしても阿倍内親王は皇太子時代以前から、仏教に含まれている信仰はもとより帝王学としての政治思想を学びとっていたと考えられる。なお「正倉院文書」の天平十二年（七四〇）の史料で乳母の一人である安倍御母《あべのみおも》が東宮関係の写経事業に関与するなど、立太子後も乳母たちが阿倍の側近として関わっている。そして阿倍皇太子の漢籍読解能力は、内親王時代から親しんできた仏典読解能力の基礎の上にあったといえる。

吉備真備による帝王学教育

学士に任命された吉備真備《きびのまきび》は備中《びっちゅう》国下道《しもつみち》郡の出身で、霊亀二年（七一六）二十二歳の時に入唐留学生として唐に渡り、天平七年（七三五）三月に約十八年間の長期留学から帰国しており、この時四十一歳となっていた。同年四月には唐の永徽礼《えいきれい》と考えられる「唐礼《とうれい》」一三〇巻、また暦関係では「太衍暦経《たいえんれきけい》」一巻、「太衍暦立成」一二巻、また測影鉄尺《かげをはかるくろがねのしゃく》や音階調律器具と音楽理論書、さらに武具では各種の角弓《つのゆみ》や箭《や》を献上し、この他にも多くの書籍を将来していた。中国で官人となった阿倍仲麻呂《あべのなかまろ》とともに評価される学識を有し、唐の最新の知識や技術をもたらした真備は、その後橘諸兄体制下で聖武天皇に僧玄昉とともに重用され、天平九年（七三七）十二月二十七日までには宮子の家政機関である中宮職の亮になり、天平十年（七三八）には右衛士督《うえじのかみ》となっていた。

また真備の宝亀六年（七七五）十月二日の薨伝記事では、帰国後に大学助を拝したとあり、そして高野天皇は師として『礼記』と『漢書』の講義を受けたとある。この大学助にいつ任じられたかは不明であるが、孝謙・称徳天皇が真備を師とした時期は、天平十三年（七四一）に東宮学士に任じられた頃からと考えられる。

いずれにしても「経史《けいし》を研覧《けんらん》し、衆芸《しゅうげい》を該渉《がいしょう》す」と、儒教経典や史書を研究し、様々な学芸に広く通じていることを称《たた》えられた真備から、この時期に阿倍皇太子が多くの外典を学んだことは重要である。特に『礼記』と『漢書』が特記されていることに注目してみたい。

『礼記』『漢書』と仏典類の学習

『礼記』は全四九篇という大部なもので、儒教の根本経典の中でも大経と位置付けられており、大学寮では鄭玄《じょうげん》による注釈書を教科書に、男子は十三歳～十六歳頃から学ぶことになっていた。内容は政治制度・儀礼・生活作法を定めた部分、『儀礼《ぎらい》』の規定に対する補足解説、古代の礼制の理念を論じた部分の三つに大別される。唐ではこれを履修する年限は三年とされ、日本でも『弘仁式《こうにんしき》』では七七〇日とされていた。例えば元正天皇が自ら書写したことが『東大寺献物帳』に記されている『孝経』が六〇日であるのと比べても、習得するために長い年月が必要なものであった。

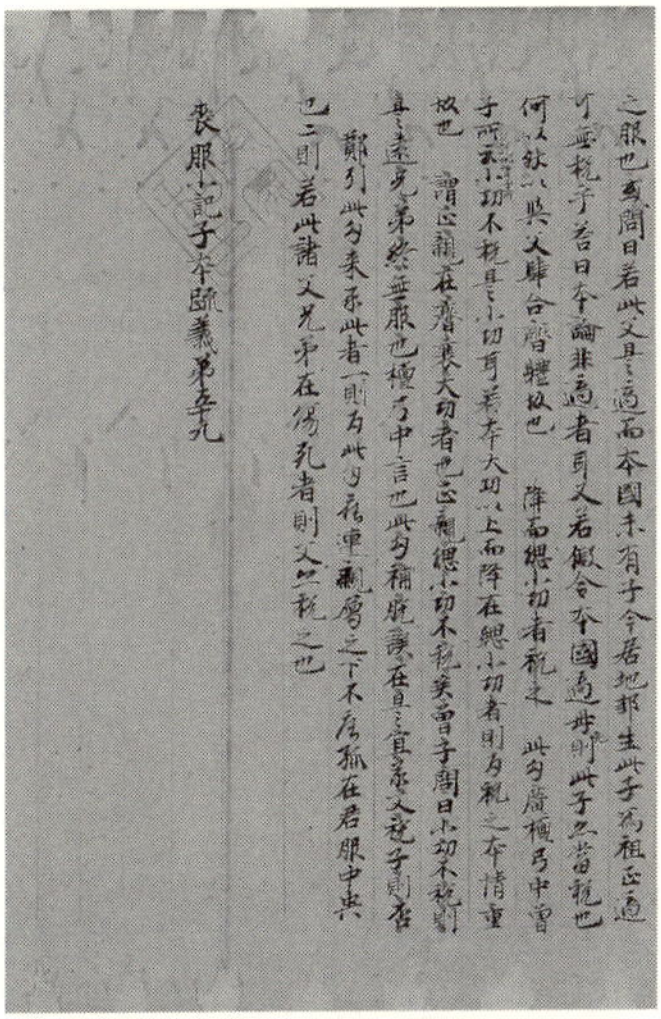

鄭灼撰『礼記子本疏義』（国宝）
末尾部分（早稲田大学図書館蔵）

なお国宝に指定されている唐鈔本の鄭《てい》灼《しゃく》撰『礼記子本疏義』（早稲田大学図書館所蔵）は皇侃《こうがん》撰『礼記義疏』の注釈本であるが、光明子家の印である「内家私印《ないけしいん》」が末尾の行に斜めに捺されており、このような『礼記』関係書を光明子や阿倍皇太子が実際に手にしていたと推測される。

もう一つ特記されていた『漢書』は、

『史記』に続く中国正史である。本紀一三巻・表一〇巻・志一八巻・伝七九巻、合計一二〇巻からなり、二三〇年間にわたる高祖から王莽《おうもう》政権の崩壊までをまとめたものである。後漢の班彪《はんぴょう》が起稿し、その息子の班固《はんこ》が著したものであるが、表と天文志が終わらないままに班固が死去し、妹の班昭《はんしょう》が和帝の命によって編纂を引き継いで完成させたものである。班昭は建武二十一年（四五）頃に生まれ、曹世叔《そうせいしゅく》に嫁したが夫が早世し、和帝の宮廷でその博学や巧みな文筆でも才能を発揮し、鄧《とう》皇后以下多くの後宮女性たちから曹大家《たいこ》（先生）とも呼ばれ、鄧皇太后臨朝の時期には政治顧問的な役割も果たした。そして当時の儒教的女性論である『女誡《じょかい》』七篇をまとめ、また後に『文選』に収録された「東征賦」も秀作の誉れ高く、中国を代表する学徳才三絶の賢婦人と評される女性である。班昭は儒学者の馬続《ばしょく》・馬融《ばゆう》の兄弟に『漢書』を講義したことでも有名である。

真備からこの歴史書を学ぶ上で、阿倍皇太子はこの班昭についても学んだと考えられる。なお内親王が中国史書を学んだ例としては、後に嵯峨天皇の皇女であった有智子《うちこ》内親王が「史漢」（『史記』と『漢書』）を大変愛読したことが知られている。

男子学生は中国正史を紀伝（文章）博士によって学んだが、女性であった阿倍が皇太子として真備から史書を学んだことは、帝王学を身につけるうえで重要な指針となったと考えられる。なお晩年となった称徳天皇時代の神護景雲三年（七六九）十月十日に、大宰府には五経はあるが、三史（『史記』『漢書』『後漢書』）は正本も不備であるとして、大宰府が列代の諸史の賜与を願い出た時、称徳が三史の他に三国志・晋書も賜ったとある。称徳がこの時までには『漢書』のみならずこれらの史書にも目を通していた可能性がある。

ただし真備は外典だけを重視して阿倍皇太子を教育したわけではなかったことも重要である。真備の教育哲学は、彼の家訓とされている『私教類聚《しきょうるいじゅう》』が参考になる。現存している目録（『拾芥抄《しゅうがいしょう》』）や逸文（『政事要略』所収など）がすべて真備のオリジナルとは言えないが、真備の教育思想のおおよそのあり方を垣間見ることができ、その中で儒仏一致の特徴が指摘されている。

また真備は天平八年（七三六）に来日した唐僧道璿《どうせん》の伝記「道璿和上伝纂」を書いているように、中国仏教の事情にも俗人ながら精通していた。つまり儒教一辺倒ではなく、仏教を信じることも重視するものであった。このことはさらに阿倍皇太子の仏教理解にも影響を与えたと考えられる。

一方、阿倍皇太子の経済と軍事力を実質的に支える家政機関はどのようになっていたのだろうか。

春宮坊の官人たち

立太子当初の春宮坊の官人について、立坊時の任命記事は残っていないが、天平十一年（七三九）四月の記事から、従四位下巨勢奈弖麻呂《こせのなでまろ》が初代春宮大夫であったと考えられる。推古朝の大海《おおあま》の孫、近江朝廷の御史大夫《ぎょしたいふ》であった比登《ひと》（比等）の子で、壬申の乱で比登が流罪となり、子孫として配流されていたと考えられる。その後赦免されたらしく、天平元年（七二九）三月に正六位上から外従五位下に叙されたのが史料上の初見である。『公卿補任《くぎょうぶにん》』によれば天智四年（六六五）生まれであり、天平十年（七三八）の阿倍立太子当時は六十九歳だったことになる。民部卿も兼ねており、翌十一年にさらに参議になり、天平十三年七月には左大弁と神祇伯も兼ね、十五年六月まで春宮大夫を務めた。その後、造宮卿、中納言、大納言などに昇進し、天平勝宝五年（七五三）三月に没している。

奈弖麻呂の後を受けて天平十五年（七四三）六月に春宮大夫になったのが真備であり、皇太子学士はそのまま兼務となった。この時の任官では肖奈福信《しょうなのふくしん》が次官の春宮亮に任じられている。さらに天平十八年九月に石川年足《いしかわのとしたり》が員外亮となっている。そして年足は十一月には左中弁も兼官しており、さらに天平十九年三月には春宮大夫になっている。なお同年十一月に真備は右京大夫になっている。

石川朝臣はもと蘇我臣姓の氏族であり、年足の曾祖父牟羅志《むらじ》（石川連子《いしかわのむらじこ》）は斉明朝の大臣《おおおみ》で、その娘の媼（娼）子は不比等との間に武智麻呂・房前・宇合を産んでおり、つまり年足の祖父安麻呂と武智麻呂母は兄妹の関係にある。後に年足と仲麻呂との関係が良好であったことは、少なからず関係があったかもしれない。父石足は左大弁にまでなった人物であった。年足は生まれつき潔白で勤勉な人物であったと評され、また天平七年（七三五）に出雲守であった時には、その善政により褒賞を聖武天皇から賜っていた。その後、東海道巡察使《じゅんさつし》や陸奥守を歴任して、春宮坊官人に任じられた。

石川連子―┬―安麻呂―┬―石足―┬―年足
　　　　　└―媼子　　　　　　　└―豊成

仏教的な活動にも熱心で、天平二年（七三〇）に父石足のために『仏説弥勒成仏経《ぶっせつみろくじょうぶつきょう》』の書写を行っており（『寧楽遺文』六二二頁）、出雲守時代の天平十年（七三八）にも弥勒菩薩像一舗を造り、『弥勒菩薩上生《みろくぼさつじょうしょう》兜率天経《とそつてんきょう》』を書写し（『寧楽遺文』六一五頁）、翌十一年（七三九）に『大般若経』一部を書写して浄土寺に安置している（『寧楽遺文』六一六頁）。この他経典の蔵書があったらしく、「正倉院文書」によれば、天平二十年（七四八）には、春宮大夫石川朝臣宅の経典を写経所が借り出している例もある（『大日本古文書』十—三八一〜三八三頁）。年足の仏教信仰も阿倍皇太子に影響を及ぼしたと考えられる。

この他、天平十六年（七四四）頃から十九年（七四七）頃に御方大野《みかたのおおの》が春宮少属《しょうさかん》となっていた。なお大野は天平十九年（七四七）十月三日に姓を賜ることを願い出たが、彼の父が天武朝の頃皇子であったものの、不祥事で皇族から外されていたことを理由に聖武天皇は姓を与えなかった。ただし阿倍皇太子が即位した直後の天平勝宝元年（七四九）七月に正六位上から従五位下になり、八月には図書頭に昇進していく。そしておそらく没後の天平宝字五年（七六一）に大野の子と思われる広名ら三人が御方宿禰を賜っている。なお『新撰姓氏録』左京皇別の甲能《かふの》氏は大野の後とされている。

第四章　阿倍皇太子の苦悩——女性皇太子の五節の舞

1　阿倍皇太子時代の波乱

父聖武の行幸と皇太子監国

阿倍が立太子した後、父聖武天皇はしばしば行幸を行った。初見は天平十一年（七三九）三月二日から五日までの四日間、父聖武は山城国相楽郡《さがらか》（現・木津川市）の甕原《みかのはら》離宮に行幸した。ここは元明や元正もしばしば行幸した離宮であり、そして二十三日から二十六日までの四日間、聖武は再度元正太上天皇とともに甕原離宮に行幸している。この時には特に留守官を設置した記事はみえない。

これに対して二年目に入っていた天平十二年（七四〇）二月七日から、父聖武は難波宮に行幸した。この時は留守官として知太政官事の鈴鹿王、兵部卿の藤原豊成が任命されている。十九日に平城京に戻っているので、十三日間の行幸であった。なおこの時、父聖武は河内の智識寺《ちしきじ》で民間の知識を結集して造仏された盧舎那仏《るしゃなぶつ》を拝しており、これが後の大仏造営に大きな影響を与えている。

公式令の㊹車駕巡幸《きょがじゅんこう》条には、「凡そ車駕巡幸せむ、京師《けいし》に留りて守る官には、鈴契《れいけい》を給ふ。多少は臨時に量《はか》りて給へ」とあり、阿倍皇太子時代にあたる天平十年頃成立した大宝令注釈書の「古記」によれば、「京師留守官」を「皇太子監国《げんこく》留守官」としている。すなわち天皇行幸時に、皇太子がいる場合は、皇太子が留守の任に当たる、いわゆる「皇太子監国」が原則であった。養老令の公式注釈である「義解」でも皇太子が不在の場合に、余官が留守を務めるとしている。儀制令《ぎせいりょう》の④車駕巡幸条でも「古記」が「留守」について「皇太子監国」をいい、しからざれば「契を執る宰相」であるとしている。

『続日本紀』では、皇太子留守を明記した記事は、神護景雲四年（宝亀元・七七〇）八月十七日の称徳天皇葬送の日、白壁《しらかべ》皇太子が「在宮留守」したとある例と、延暦四年（七八五）九月二十四日、桓《かん》武《む》天皇が長岡宮行幸時に早良《さわら》皇太子、藤原是公《これきみ》、藤原種継《たねつぐ》らが平城宮留守とされた例だけである。阿倍皇太子の時期の天皇行幸では、皇太子が留守の任に当たったとする記事はなく、逆に官人留守官の例が多い。ただしこれを以って、直ちに阿倍皇太子が皇太子監国を行わなかったことを示すとはいえない。『続日本紀』すべての行幸記事に留守官が記録されているわけではなく、また留守官任命の多くは、結果として複都制を生み出していた時期や実質的な遷都となる行幸の時に、旧都の留守を明らかにする特別な例が多く、これは天子巡行時の首都の所在が後代の者にとって判然としないので、首都の責任者が注目された編纂時の事情を反映したためとされている。

阿倍皇太子時代の留守官表

年紀	聖武行幸	留守官
天平十二年（七四〇）二月七日	難波宮行幸	知太政官事鈴鹿王・兵部卿藤原豊成（平城宮留守）
天平十二年（七四〇）十月二十九日	「関東」行幸（藤原広嗣の乱期）	知太政官事兼式部卿鈴鹿王・兵部卿兼中衛大将藤原豊成（平城宮留守）
天平十三年（七四一）閏三月十五日	（恭仁京遷都）	大養徳国守大野東人・兵部卿藤原豊成（平城宮留守）
天平十三年（七四一）九月三十日	（山背国）宇治・山科行幸	（奈良留守）兵部卿藤原豊成を恭仁宮留守に追《め》す。
天平十四年（七四二）八月二十七日	紫香楽宮行幸	知太政官事鈴鹿王・左大弁巨勢奈弖麻呂・右大弁紀飯麻呂（恭仁宮留守） 摂津大夫大伴牛養・民部卿藤原仲麻呂（平城宮留守）
天平十四年（七四二）十二月二十九日	紫香楽宮行幸	知太政官事鈴鹿王・左大弁巨勢奈弖麻呂・右大弁紀飯麻呂（恭仁宮留守） 民部卿藤原仲麻呂（平城宮留守）
天平十五年（七四三）四月三日	紫香楽宮行幸	右大臣橘諸兄・左大弁巨勢奈弖麻呂・右大弁紀飯麻呂（恭仁宮留守） 宮内少輔多治比木人（平城宮留守）

天平十五年（七四三）七月二十六日	紫香楽宮行幸	左大臣橘諸兄・知太政官事鈴鹿王・中納言巨勢奈弖麻呂（恭仁宮留守）
天平十六年（七四四）閏正月十一日	難波宮行幸	知太政官事鈴鹿王・民部卿藤原仲麻呂（恭仁宮留守）
天平十六年（七四四）二月二日	難波宮行幸（実質的には難波京遷都）	知太政官事鈴鹿王・木工頭小田王・兵部大伴牛養・大藏卿大原桜井・大輔穂積老（恭仁宮留守） 治部大輔紀清人・左京亮巨勢嶋村（平城宮留守）
天平十七年（七四五）五月五日	恭仁宮帰還（実質的には平城京還都）	参議紀麻路（甲賀宮留守）
天平十七年（七四五）八月二十八日	難波宮行幸	中納言巨勢奈弖麻呂（平城宮留守カ） 中納言藤原豊成（恭仁宮留守カ）
天平十七年（七四五）九月十九日	（難波宮行幸中の天皇不豫）	平城恭仁留守に宮中固守させ、悉く孫王等を追《め》し、難波宮に詣でさす。遣使し平城宮鈴印を取る。

留守官は王族と上級貴族により構成されているが、この中の巨勢奈弖麻呂は前述したように天平十五年六月までは春宮大夫も兼務しており、この任官は阿倍皇太子の補佐の要素もあった可能性がある。聖武の行幸に際して、阿倍は留守官たちのサポートを受け基本的に平城宮または恭仁宮に留まったと考えられる。ただし実質的な遷都などは、皇太子も新しい宮への行幸に同行した可能性がある。

藤原広嗣の乱と父聖武の「関東」行幸

天平十二年（七四〇）八月二十日に大宰大弐《だざいのだいに》藤原広嗣《ひろつぐ》が時政を批判し、玄昉と真備の排除を訴えた上表文を提出し、さらに九月三日には上表文への勅答を待たずに、西海道諸国から兵士や隼人を集め、反旗を翻して弟の綱手《つなて》とともに軍事行動に出た。いわゆる藤原広嗣の乱の勃発である。広嗣は藤原宇合の長子、綱手は第四子であり、聖武や光明子にとっては身内的な存在でもあり、その反乱の衝撃は大きかった。しかし直ちに大野東人《おおののあずまひと》を大将軍、紀《きの》飯麻呂《いいまろ》を副将軍とし、軍監、軍曹各四人、東海・東山・山陰・山陽・南海から一万七〇〇〇の軍兵を徴発した征討軍が派遣された。その数日後には、畿内隼人を御在所に召して叙位した後に発遣し、また勅使として佐伯常人《さえきのつねひと》、阿倍虫麻呂らを発遣した。そして伊勢神宮に奉幣し、諸国ごとに七尺の観音像の造像と『観音経』一〇巻の書写を命じるなど討伐祈願が行われた。

官軍優勢の戦況は次々詳細に報告されていたが、十月に入ると、父聖武が突然伊勢国行幸を始めた。十九日に伊勢行宮を造る司が任命され、二十三日に行幸の列の指揮官に塩焼《しおやき》王・石川王、護衛官として前騎兵《さきのきひょう》大将軍に藤原仲麻呂、後騎兵《あとのきひょう》大将軍に紀麻路《きのまろ》が任命された。二十六日には征討の大将軍大野東人に対して、乱の最中ではあるが、思うことがあり、今月末しばらく「関東」に往くが、このことに動揺することなく軍事を粛々と行えという勅を発した。西海道での戦況は二十三日に広嗣が肥前《ひぜん》国松浦《まつら》郡値嘉嶋《ちかのしま》長野村で逮捕されており、これが二十九日に報告され、直ちに処刑命令が下された。その当日、聖武は伊勢国に向けて出発をし始め、山辺《やまのべ》郡竹谿《つげ》村堀越に泊まり、翌日に伊賀国名張郡家《なばりぐうけ》を経て、十一月一日伊賀国安保頓宮《あほのかりみや》、二日伊勢国壱志《いちし》郡河口頓宮（関宮）に到り、ここに十日間滞在した。その間の三日には伊勢大神宮に奉幣使を遣わし、五日には広嗣と綱手が十一月一日に斬刑に処されたことの報告を受けた。しかしその後も聖武は平城宮に還御することなく、以後六年間にわたって、都は恭仁《くに》京・難波京・紫香楽宮《しがらきのみや》の間を転々とすることになった。

壱志郡家、鈴鹿《すずか》郡赤坂頓宮、朝明《あさけ》郡家、桑名《くわな》郡石占《いしうら》と伊勢国を北上し、二十六日には美濃国当伎《たぎ》郡家に到った。さらに十二月には不破《ふわ》郡不破頓宮、宮処寺《みやこでら》などにも足を延ばし、国衙《こくが》を視察し、さらに近江国に入り坂田《さかた》郡横川へと進み、その六日には橘諸兄らを山背《やましろ》国相楽《さがらか》郡恭仁《くに》郷への遷都を前提に視察させた。犬上《いぬかみ》郡、蒲生《がもう》郡、野洲《やす》郡を経て、十一日に志賀郡禾津《あわづ》に到っている。十三日には志賀山寺（崇福寺《すうふくじ》）に行幸して礼仏していることが注目される。志賀山寺は『延暦僧録《えんりゃくそうろく》』「近江天皇菩薩天智天皇伝」に、天智がこの寺を建立し、弥勒《みろく》を本尊とする金堂や仏塔などを造り、また灯樠《とうろう》一柱をたて、その中に天皇が指一本を截《た》って入れる発願をし、指の上を灯《とも》して仏塔と仏像を供養したとしている。この頃にはこのような「崇仏天皇」としての天智の捨身《しゃしん》伝承が成立していた可能性は高く、この近江国志賀山寺行幸は、聖武自身が後に行った「三宝《さんぼう》の奴《やっこ》」として「捨身」することに、少なからず影響をもたらした可能性は高い。そしてこれが孝謙・称徳天皇に大きな影響を与えていくことになる。

恭仁京遷都と国分寺造営の詔

聖武は十二月十四日に山背国相楽郡玉井を経て、十五日に恭仁宮に到着した。ここで皇都の造営を目指すことになり、実質的な恭仁《くに》京遷都となった。そしてこの日の『続日本紀』の記事に、「太上天皇、皇后、在後《あと》に至りたまふ」とあり、元正太上天皇や光明子はこの間の聖武には同行しておらず、後に遷都を受けて恭仁宮で合流したと考えられる。このことから阿倍皇太子も聖武に同行せず、平城宮に留まり、皇太子監国を行っていたと考えられる。

年が明けた天平十三年（七四一）正月の朝賀は、未完成の垣の代わりに帷帳《いちょう》をめぐらした新しい恭仁宮で行われた。この年は正月から広嗣の乱に加担した者たちに処罰が行われた。

そして『類聚三代格』によれば二月十四日に、聖武はいわゆる国分寺建立の詔を発している。ここ数年の凶作による飢饉や天然痘をはじめとする疫病の流行に対し、聖武自身は神仏に対する加護を求めて、例えば天平九年（七三七）三月には国ごとに一丈六尺の釈迦仏像一軀と脇侍二軀（普賢《ふげん》・文殊《もんじゅ》）の造像や『大般若経』を書写させ、また同年九月には天下に遣使して神宮の修造を行ってきた。また天平十二年（七四〇）年六月十九日には天下諸国の国ごとに『法華経』一〇部を書写させ、また七重塔の建立を命じていた。これらの最終段階として、この詔は国分寺の僧寺と尼寺の具体的なプランを決定したものであった。

聖武は近頃天候回復によって豊作となったことは、神仏が答えてくれたと感謝し、さらに「若し有らむ国土に、この経王《きょうおう》を講宣《こうせん》し読誦《どくじゅ》し、恭敬《きょうけい》供養し、流通《るつう》せむときには、我ら四王、常に来りて擁《おう》護《ご》せむ。一切の災障《さいしょう》も皆消殄《しょうてん》せしめむ。憂愁疾疫《うしゅうしつやく》をも亦除差《じょさ》せしめむ。所願《しょがん》心に遂《と》げて、恒《つね》に歓喜《かんき》を生せしめむ」と『金光明最勝王経』の滅業障品《めつごっしょうほん》や四天王護国品《してんのうごこくほん》の趣意文を合体させた文を掲げつつ、天下諸国に七重塔を造営し、『最勝王経』と『法華経』各一部を書写させ、そしてさらに自ら書写した金字の『最勝王経』一部を七重塔ごとに安置することを国司らに命じた。そして国分僧寺は金《こん》光明四天王護国之寺《こうみょうしてんのうごこくのてら》、国分尼寺は法華滅罪之寺《ほっけめつざいのてら》と命名した。

国分尼寺と「法華滅罪之寺」の意味

諸国の国分寺、国分尼寺の考古学調査によれば、僧寺と尼寺の寺域や伽藍構造に差があり、特に護国祈願の重要経典である『最勝王経』を安置する七重塔は、僧寺にだけ建てられていたことが明らかにされている。ただし例えば信濃国の例をみると、尼寺の規模は僧寺に比べれば確かに小さいが、金堂の大きさはほぼ見劣りしない形の遺構が残っている。また尼寺には鐘楼が備っている例も多く、僧寺だけで国分寺が成り立っていたわけではなく、格差がありながらも一緒に並立することの意味は大きかったといえる。

僧尼の人員数は、天平十三年（七四一）に建立の詔が出された時点では、基本的に僧寺は二〇人、尼寺は一〇人を原則とし、二対一の割合で配置した。また財政規模は、当初は僧寺・尼寺ともに水田各一〇町ずつ、稲各二万束ずつと等分の形に設定されていた。ただし、天平十九年（七四七）には水田は僧寺が一〇〇町、尼寺が五〇町という形で、二対一の割合に変更されている。天平勝宝元年（七四九）には、墾田の規模が東大寺は四〇〇〇町、大和法華寺は一〇〇〇町と四対一、諸国の金光明寺は一〇〇〇町、諸国の法華寺は四〇〇町と一〇対四となり、経営規模については、僧寺と尼寺は必ずしも対等ではなくなっていった。

いずれにしても、この国分寺設置は唐の載初元年（六九〇）の武則天による大雲寺《だいうんじ》、神龍元年（七〇五）の中宗《ちゅうそう》による諸州一寺一観制による龍興寺観《りゅうこうじかん》、開元二十六年（七三八）の玄宗《げんそう》による開元寺《かいげんじ》の影響がある。ただし日本の制度に尼寺が併置されたのは、八世紀以前から僧寺と尼寺をセットで建立する伝統を継承したもので、行基の活動でも僧院と尼院が併設されていた。そしてこの国分寺への尼寺の併設は光明子の意向が強く反映したと考えられる。

なお法華寺の正式名称の「法華滅罪之寺」は、『法華経』提婆達多品《だいばだったほん》の龍女成仏《じゅうにょじょうぶつ》譚にみえる女性に限定した罪を滅すという意味ではなく、広く人間の生死罪を滅すものであった。これは中世に法華寺金堂の三尊御座下から出土したとされる、天平宝字三年（七五九）十二月の光明子願文がみえる「金版銘」に、「生死罪を滅す」とあることからも明らかである。

さらにこれは中国洛陽《らくよう》の尼寺である安国寺《あんこくじ》の勅置法華道場で、慧持《えじ》・慧忍《えにん》の尼姉妹が八世紀前半に行っていた、天台系の法華滅罪法《ほっけめつざいほう》である法華三昧《ほっけざんまい》の情報に影響を受けた命名と考えられる。この洛陽における尼寺の情報は、おそらく天平期の遣唐使帰国時、特に天平八年（七三六）に洛陽から来日した唐僧道璿《どうせん》によって、光明子や阿倍皇太子など宮廷女性に伝えられた可能性が高い。道璿は、律はもとより華厳・天台に通じており、後に最澄も天台教学を伝えた重要な人物の一人として位置付けている。道璿は前述したように阿倍皇太子の師である吉備真備とも近しい人物であった。

阿倍皇太子の『法華経』

なお天台の教義から、法華三部経のうち、開経の『無量義経《むりょうぎきょう》』とともに、結経として重んじられた『観普賢菩薩行法経《かんふげんぼさつぎょうほうきょう》』は、法華三昧の行法に関する依拠経典でもあるが、天平九年（七三七）には日本に存在していたことを確認できる。「正倉院文書」の中の初見は、当時道璿の止住していた大安寺から皇后宮職に天平九年四月六日に貸し出した経典の中の一つとしてみえるものである（『大日本古文書』七―一九〇頁）。

また天平十年（七三八）から十五年（七四三）までの記録である「経巻納櫃帳《きょうかんのうひつちょう》」では、沈厨子《ちんずし》の中に『十輪経』『華厳経』『称讃浄土経《しょうさんじょうどきょう》』『最勝王経』その他の経典とともに、「法華経八巻」と「観普賢菩薩行法経一巻」が一緒に納められていた（『大日本古文書』七―二一六頁）。またその「経巻納櫃帳」で、散経《さんきょう》が納められた己櫃の中に、次の記事がみえる（『大日本古文書』七―二二九・二二〇頁）。

観普賢菩薩行法一巻 請東宮御所付延信果安十一年十月十日

法華経一部八巻（紙質等略）請東宮御所付延信尼十二年四月廿三日

請求先がいずれも阿倍皇太子の東宮御所であり、さらに延信尼《えんしん》が仲介していることが注目される。延信尼はこれ以外の史料にはみえないが、宮廷と関わりの深い尼と考えられる。また果安《はたやす》は天平十年頃の官人歴名にみえる蔵部の「山口伊美吉果安」と考えられる（『大日本古文書』二十四―八六頁）。阿倍皇太子にとって『法華経』は重要な座右経典の一つであり、前述したように阿倍内親王時代に上宮王院の「法華経講」を主催し、また皇太子になってからは、天平十年（七三八）三月三十日の令旨による書写にも「法華経八巻」があった（『大日本古文書』七―一六八頁）。そしてこの前後に、法華三昧にとって重要な『観普賢菩薩行法経』が宮廷仏教の世界に伝わった可能性が窺え、それが阿倍皇太子と関連したものにあったことは興味深い。

塩焼王配流事件

天平十三年（七四一）に平城京から恭仁京への遷都事業が推し進められ、七月十日には元正太上天皇も新宮へ移ってきた。九月には遷都による大赦も行われ、十一月にこの宮を大養徳恭仁大宮《やまとくにのおおみや》と命名した。そして翌天平十四年（七四二）二月には恭仁京から甲賀へ通じる東北道を開発し、さらに八月十一日には紫香楽行幸を計画して離宮を建設した。そして聖武は二十七日に行幸を開始し、九月四日に恭仁京に帰還していた。

この翌月の十月十二日、突然塩焼《しおやき》王が女孺《にょじゅ》四人とともに平城の獄に拘禁された。そして十七日には処分が下され、塩焼王は伊豆国三島に流された。なおこの日の記事では五人の女孺が上総・常陸・佐渡国、隠岐・土佐の国々に配流となっている。

塩焼王の父新田部《にいたべ》親王は天武天皇と藤原鎌足の娘五百重娘《いおえのいらつめ》の間に生まれており、元正朝から舎人親王とともに宗室の年長として政界に重きをなした人物であった。知五衛及授刀舎人事《ちごえおよびじゅとうとねりじ》として宮廷の軍事を統轄し、また大将軍の称号を授与され、さらに大惣管《だいそうかん》に任じられるなど、常に軍事の中枢を掌握する地位に就いていたが、天平七年（七三五）九月三十日、疫病流行の最中に没していた。

つまり塩焼王は、本人の母の出自は不明であるが、弟道祖《ふなど》王とともに、祖母によって藤原氏の血筋も引く、皇位継承の上でも有望な天武孫王の一人であった。生年は不明であるが、『公卿補任』天平宝字八年（七六四）の氷上塩焼《ひかみのしおやき》の年齢「五十」を逆算すると、霊亀元年（七一五）の生まれとなる。この天平十四年（七四二）当時は二十八歳となり、この時中務卿正四位下であり、八月の聖武の紫香楽行幸にも前次第司の一員として供奉したように、聖武に重用されていた。そして聖武の娘不破内親王の配偶者でもあり、不破の年齢は不明であるが、この時期既に婚姻関係にあった可能性もある。

それにもかかわらず、この突然の拘禁と伊豆国配流になった理由を、『続日本紀』は記していない。

ただし後の天平宝字元年（七五七）四月四日に、塩焼王が皇太子候補者の一人となった時、「太上天皇が無礼を以って責めた」として孝謙によって除外されており、これがこの時のことを示しているとされている。聖武が無礼として処分した対象に女孺も含まれたことは、聖武の後宮に及ぶ内容であった。

そして後の神護景雲三年（七六九）五月二十五日、不破内親王が称徳を呪詛した時に出された詔から、不破は「先朝（聖武天皇）の勅」によって一時的に内親王号を剝奪されていたことがわかる。これがこの時のことであり、不破も事件に絡んでおり、不破は配流などの処分は免れたものの称号を剝奪された可能性が指摘されている。さらにその内容が阿倍皇太子に対する呪詛などであった可能性を推測する説もある。いずれにしても、安積親王の同母姉である不破内親王とその配偶者の不穏な行動が聖武たちの逆鱗に触れた事件であった。阿倍皇太子にとって、この二人はこの頃から信頼するに値しない人物となっていくことになる。

なお塩焼王は、三年後の天平十七年（七四五）四月十五日に京に入ることを許され、翌天平十八年（七四六）閏九月七日に無位から本位に復している。不破内親王が内親王に戻る時期は不明であるが、天平宝字七年（七六三）正月九日に無品から四品を授かった記事が初見である。

2　阿倍皇太子、五月五日に「五節」を舞う

天平十五年（七四三）五月五日、恭仁宮の内裏において宴が行われた。この日、二十六歳の阿倍内親王は、皇太子として自ら「五節《ごせち》」を舞っている。

「五節」の舞

この時、聖武天皇は宣命第九詔によって、この「五節」を舞わせる理由を、橘諸兄を通じ、次のように元正太上天皇に述べた。すなわち「飛鳥浄御原宮に大八洲《おおやしま》知らしめしし聖《ひじり》の天皇（天武）は、天下を平定し、上下の秩序を整え平穏に維持するために、「礼《らい》」と「楽《がく》」の二つが行われていくようにと考えられて、この舞を始められ造られたと聞き、これを絶えることなく継承していくべきものとして、皇太子であるこの王（阿倍）に学《なら》わせ、頂《いただ》き荷《も》たせて、元正太上天皇に貢《たてまつ》ります」としている。

これに対して元正は、「我が子天皇（聖武）が、口に出すのも畏それ多い天皇（天武）が始められ造られた『国宝』として、この王（阿倍）を供《つか》え奉らせたならば、天下に立てられ行われた法は絶えることがないと喜んでいます」、また「今日行った態《わざ》を見ると、遊びのみではなく、天下の人に君臣祖子の理《ことわり》をお導きになることであるらしいと思います」と述べ、お導きを受け賜り、忘れ失わないために叙位を行うようにと命じている。

そしてこの宴で、「そらみつ大和の国は神からし貴くあるらしこの舞見れば」と御製の歌が詠じら

れた。また「天つ神御孫《かみみま》の命《みこと》の取り持ちてこの豊御酒《とよみき》を厳献《いかたてまつ》る」、「やすみしし我ご大君《おおきみ》は平らけく長く坐《いま》して豊御酒献《まつ》る」と天皇が酒を献じることを寿《ことほ》ぐ歌も詠われている。

御製の歌の「神から」は天武を意味しているとの説があり、天武を神とし、その天武が造った「舞」を舞う阿倍皇太子をその後継者として再確認させるものであった。

五節と田舞

「五節」は平安時代には四人、あるいは五人の少女の舞姫たちによる群舞として、大《だい》嘗祭《じょうさい》・新嘗祭《にいなめさい》に関連した十一月中辰日《なかのたつ》、豊明節会《とよあかりのせちえ》の宴に特定されて舞われた。しかし奈良時代ではむしろ正月十六日や五月五日などの節会に舞われた例が多い。

前年の天平十四年（七四二）正月十六日に、恭仁宮の大安殿における踏歌節会の宴で「五節・田儛《たまい》」が奏され、この時はさらに少年・童女の「踏歌」が行われた。これが「五節」の初見である。またこの阿倍皇太子による「五節」以降の例としては、天平勝宝元年（七四九）十二月二十七日に、宇佐八幡からの禰宜尼《ねぎに》入京を受け、東大寺で行われた法会における「五節・田舞」、天平勝宝四年（七五二）四月九日の大仏開眼会《だいぶつかいげんえ》における「五節」のように、臨時の国家的法会の際にも、外来の舞などとともに舞われている。

この時期の「五節」は、しばしば「五節・田舞」と併記され、田舞と同時に舞われる場合が多い。このため本来一体だったものが、後に分離したとする説もあるが、近年では「五節」と「田舞」は当初から別ものとする説が主流となっている。少なくとも『令集解』職員令の⑰雅楽寮《ががくりょう》条に引用されている弘仁十年（八一九）十二月二十一日官符から、九世紀初頭の時点において、雅楽寮に所属した儛師四人とは、倭儛師《やまとまい》一人・五節儛師一人・田儛師一人・筑紫諸県《つくしもろかた》儛師一人で構成されたことがわかる。さらに同じ『令集解』職員令の⑰雅楽寮条で、大宝令注釈書の古記の後に引用されている雅楽寮「大属尾張浄足説《だいさかんおわりのきよたり》」の中に「五節儛十六人、田儛師、儛人四人、倭舞師舞也」とある。この説が出された時期は、古記の引用と考えて天平十年（七三八）以前のものとする説や、散楽《さんがく》師の記載から、散楽戸廃止の天応二年（七八二）以前、さらに天平勝宝四年（七五二）の東大寺大仏開眼会に向けた楽舞に関する記録とみる説をとれば、八世紀中期のものといえる。この頃も田舞とは別の舞であり、そして浄足説の時期の五節は十六人による群舞であったことになる。ただしこれらの史料では儛人の性差は明記されていない。すなわち五節舞の師と舞人が男性か女性かも不明であり、また平安時代の少女群舞と同じであったかも不明である。

「田舞」は農耕の繁栄を祝う儀礼に基づく舞とされ、天智天皇十年（六七一）の五月五日に、天智天皇が西の小殿に出御し、皇太子（大海人皇子）・群臣が宴に侍り、是に「田舞」を再び奏《つかえま》ったとある『日本書紀』の例が初見である。なおこれに関連する可能性が高い「小墾田舞《おはりたまい》」は天武天皇十二年（六八三）正月十八日に行われている。

皇太子が舞う意義

宴の席で皇太子が舞い、太上天皇・天皇が見るという構図で、今回の阿倍皇太子の五節は行われているが、天智の時に大海人皇太子は天皇の前で舞ったのか、または単に侍っていただけなのかは判然としない。

ただし確実に皇太子が舞い、天皇がそれを見る例は、首皇太子が元正天皇の前で舞ったものがある。

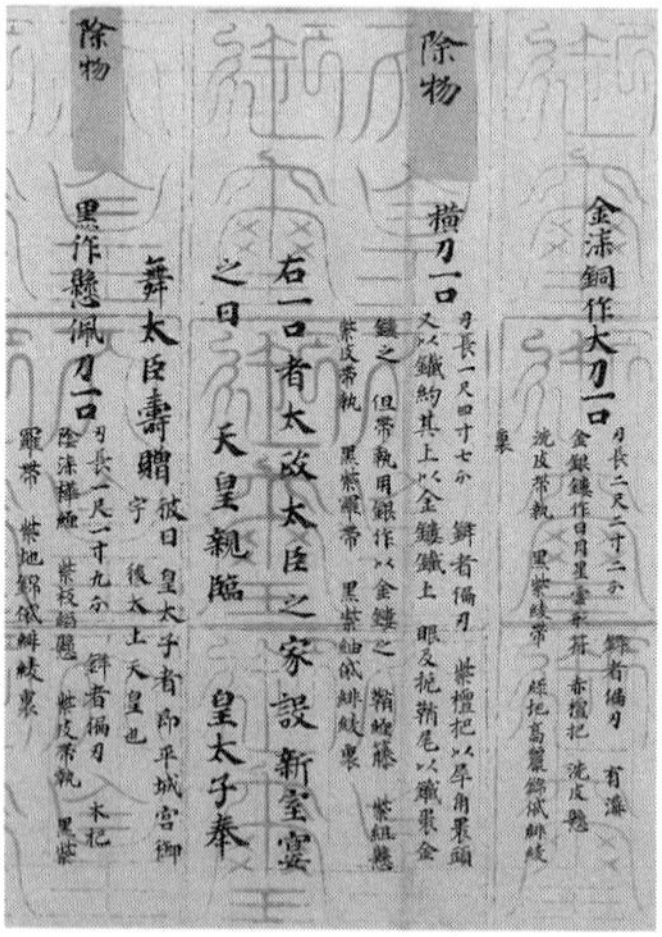
除物
横刀一口
右一口者太政太臣之家設新室宴之日 天皇親臨 皇太子奉舞太臣壽贈 彼日 皇太子者即平城宮御宇後太上天皇也
除物
黒作懸佩刀一口

「国家珍宝帳」部分（正倉院宝物）

『東大寺献物帳』国家珍宝帳には、不比等の家に新室宴を設けた日、元正天皇が臨席し、皇太子が舞を奉った時に、不比等から贈られた「横刀」がみえる。

横刀一口（中略）
右一口は、太政太臣の家に新室宴を設く日に、天皇親臨す。皇太子舞を奉る。太臣　壽《ことほぎ》して贈る。彼日の皇太子は即ち平城宮御宇後太上天皇なり。

この皇太子は聖武天皇であると注記されており、この新室は霊亀二年（七一六）に行われた十六歳の光明子と首皇太子の新婚の室とみる説もある。なおこの横刀は光明子によって後に「除物」とされて、現存はしていない。

新室の宴の楽舞については、『日本書紀』允恭《いんぎょう》天皇七年十二月壬戌朔条に天皇が琴を撫《ひ》き、皇后が起《た》って舞ったとする記事がある。そしてこれが皇后の妹の衣通姫《そとおりひめ》寵愛とその名代《なしろ》の藤原部《ふじわらべ》設置由来譚となっている。なお『日本書紀』はこの記事に、允恭の時の風俗として、宴で舞った者が舞終わった時、自ら「座長」に対して「娘子《おみな》奉《たてまつ》る」と申すことが礼であったと注記している。奈良期の舞人による「娘子」奉呈習俗の有無は別として、新築祝の座を媒介として舞人もしくはその縁者との共寝に結びつく場合もあったと考えられる。

いずれにしても皇太子が舞を習い、天皇や大臣の前で舞う経験は聖武にもあった。そしてこの時天皇臨席の中で舞われたことは、新築や婚姻のことほぎ以上の意味が加わっていた可能性がある。

例えば『日本書紀』顕宗《けんぞう》天皇即位前紀には、履中《りちゅう》天皇の孫、市辺押磐《いちのへおしは》皇子の遺児である億計《おけ》王・弘《お》計《け》王の二人が舞った新室祝《にいむろいわい》の宴での舞に関する話がみえる。播磨国司山部連の先祖伊予来目《いよのくめ》連小楯《おだて》が「新嘗供物」を弁じるためにたまたま播磨の縮見屯倉《しじみのみやけ》を訪れていた。その時に出席した宴で小楯が弾く弦に合わせて、奴として身を隠していた億計王・弘計王が舞い、特に弘計王は室寿《むろほぎ》し、また「節」に赴《あわ》せて、歌を歌ったという。そしてさらに殊儛《たつづのまい》を作って儛い、歌を歌って、自らが市辺押磐皇子の遺児であることを示し、小楯がこれを認知し、子のない清寧《せいねい》天皇の皇嗣とすべく二人の王をともに大和に迎えたという。なお殊儛とは立出舞ともあり、立ちながらあるいは居しながら舞うものであったとされる。新室を寿いで舞い、これを契機として皇位を継承すべき者がその正統性を示す先例として語られている点、そしてそのことを認知する者が楽器を弾き、それに合わせて舞うことも興味深い。

前述したように、和銅七年（七一四）六月二十五日に十四歳で元服した首親王は、この年に立太子したが、その後も「幼い」ことを理由に即位が延期され、霊亀元年（七一五）に元正が即位した。外祖父宅の新築祝において、舞の詳細は不明であるが、元正の前で首皇太子が舞ったことは、再度正統な皇位継承者であることを確認する意味もあったといえよう。

礼と楽

いずれにしても、阿倍皇太子が舞った「五節」は、「聖」である天武天皇が創設し、礼と楽により君臣祖子の理を表すものであることを強調して舞われたこと、そしてこの礼楽思想の根源が、阿倍皇太子が吉備真備から教授された『礼記』にあったことは重要である。

『礼記』楽記篇には、古《いにしえ》の聖天子である「先王」が制定した礼楽は、口腹耳目の楽しみを満たすためのものではなく、人民に好悪を平らにすることを教え、正しい臣下人民の道に帰させるものであるとする。そして礼楽の本質を知る者だけがその表現法を作ることができ、表現法を知る者だけが受け継いで述べることができ、そして礼楽を作る者を聖といい、よく述べ伝える者を明というのであるとする。さらに楽は陰陽を調え天地の和合を助け、礼は貴賤を明らかにして天地の秩序を助けるものであるが、誤って制すれば貴賤の秩序が乱れ、誤って作ると陰陽の調和を失うのであり、天地の道理に明るい聖人であってはじめて礼楽を制することができるとしている。

このことからすれば、「聖」である天武によって造られた舞を、継承し学ばせた聖武と、表現する阿倍皇太子が「明」足りうる存在となる。このような意味も込めて、「先王」天武が聖天子として制定した「五節」を、その血筋を引く聖武がその娘の阿倍皇太子に伝習させ、その舞においても、またその地位である皇太子としても、学ばせ「頂き荷《も》」たせて、謹んで体得させる存在であることを示し、天下に「君臣・祖子」の理を示すものであった。

なお『孝経』には、三才章の「先王、教えの以て民を化す可きを見るなり。（中略）これを導くに礼楽を以てして、民和睦す」や、広要道章の「風を移し、俗を易《か》ふるは、楽より善きは莫《な》し。上《かみ》を安《やす》んじ、民を治むるは、礼より善きは莫し。礼は敬のみ」とあり、ここでも礼楽が民を統治する上で重要であることを説いている。『孝経』を書写するなど、儒教的な素養や価値観を持っていた元正太上天皇に対して、この『礼記』や『孝経』などに基づく礼楽理論は、説得力を持ったと考えられる。そして君臣関係を確認するためにと、元正が聖武に求めた臣下への叙位が実施された時、真備だけが特別に正五位下から従四位下と二階を昇叙されたのも、真備が指導した礼楽理論が重視されていたことを表している。

「国宝」の意味

ところで元正太上天皇の言葉にみえる「態《わざ》」が「五節」であることは確かであるが、天武天皇が始め造った「国宝」は、通説どおり「五節」という舞のみを指すのだろうか。この「国宝」を阿倍が「供奉」することで「天下に立てられた法」が絶えることなく続くとあることは、むしろこれが「天下に立てられた法」を存続させることに関連する存在も指していると考えられる。

「国宝」は天平十五年（七四三）正月十三日に金光明寺に衆僧《しゅうそう》を請じて『最勝王経』を読ませた時の聖武天皇の詞にも使われており、この場合は優れた僧を指している。このような「国宝」の用例は、仏教関係に多く、弘仁九年（七七八）五月十三日に上表された最澄の「山家学生式（六条式）」にみえる「国宝」は、国にとって人的な宝としての意味である。聖武と元正の差はあるが、同時期の言葉としての共通性から考えると人的な宝の用例は無視できない。また『藤氏家伝』貞恵伝の誄にみえる

「国宝に酬いむ」は『春秋左氏伝』などにみえる官人・臣下として求められる徳行を示す。

令制に基づく「皇太子」の成立は飛鳥浄御原令からとする説を参考にするならば、この地位が天武天皇によって始め造られたとの認識に基づく語として、「国宝」が律令制に基づく皇太子という地位そのもの、または皇太子が優れた人物であることを指している可能性も考えられる。

例えば『日本書紀』の斉明天皇四年（六五八）十一月十日の記事にみえる「国宝の器」とは、有間《ありま》皇子事件で処罰された塩屋鯯魚《しおやのこのしろ》が、これを右手で作ることを願ったと述べたもので、有間皇子の皇位継承を象徴した言葉であったと考えられる。

その点から考えると、阿倍を「国宝」である皇太子に供奉させるとの意味も重ね持った可能性がある。女性皇太子という異例の地位が、既に五年を経ているにもかかわらず、周囲からまだ十分受け入れられていない不安定なものであり、安積親王など対抗勢力が存在する中で、皇太子としての正統性を示す言葉でもあったと考えられる。

いずれにしても注目すべき点は、「五節」に関連した叙位で、特に皇太子宮の官人に冠一階を授けたことである。そして前述したように真備は博士（東宮学士）として冠二階を特昇されている。この「五節」によって阿倍皇太子の東宮機構のさらなる地位向上と権限強化が図られたことにもなる。

なお「頂き荷《も》」つという語、特に「荷」に注目すると、『日本書紀』雄略《ゆうりゃく》天皇二十三年八月丙子（七日）条に「大業を負荷《たも》つ」とあり、『続日本紀』にみえる宣命や詔の中の「荷」の用例でも、天皇としての業に使用される例が多い。聖武が単に「舞」を学ばせるだけでなく、「皇太子」の業を荷たせることを示す言葉でもあった。

これが五月五日に舞われたのは、十五年五月五日という五の字を重ね、儒教や陰陽五行の「五節」を思想的背景にしたと同時に、天武天皇八年（六七九）五月五日に吉野行幸し、翌日の六日には、天武が持統とともに皇子たちに盟約を求めた、いわゆる吉野誓盟《せいめい》とその時の皇位継承に関わる記憶を呼び起こす意図も盛り込まれていた可能性がある。

「五節」起源と神女伝承

では阿倍皇太子が舞った天武創設の「五節」とはどのような舞であったのか。なお伊勢神宮の三節祭における五節は女性による解斎舞とされる。

平安時代に語られた「五節」起源説話は、十世紀初頭頃成立した『本朝月令《ほんちょうがつりょう》』を初見とする。天武天皇が吉野宮で日暮れに琴を弾いていると、にわかに前の岫《くき》の下に雲気が起こり、「高唐《こうとう》の神女」の如き者が曲に応じて舞ったという。その姿は天皇の眼にだけ見え、他人は見ることができなかった。そして袖を挙げて五変したので五節というとする。その歌は「をとめども、をとめさひすも、からたまを、たもとにまきて、をとめさひすも」という。

ここにみえる「高唐神女」は、『文選』巻十九「情」に採録された宋玉《そうぎょく》「高唐賦并序」「神女賦」を踏まえたものとされている。「高唐賦」の序では、宋玉が楚の襄《じょう》王に、昔「先王」が高唐の巫山で昼寝の夢に出てきた娘の枕席の誘いを受け、この神女のために「高唐観」を立てた故事が語られている。そしてその高唐のありさまが描写される賦の最後では、もし楚の襄王が神女に会い、その上で天下のことを思い、国政の害を憂い、賢聖の者を登用し、及ばないことを補佐させれば、身体すべての気が出入りする所が通じ、精神の停滞を通じさせ、寿命を延ばし長寿となると、記されている。

現在の王が、「先王」と神女との交情の故事に、自らも倣い、臣下の補佐による善政を行うことにより、長寿を得るというものであるが、この場合の神女は一人のみである。一方「五節」の歌のおとめは「とも」とあり複数で、「をとめさひ（び）」はおとめらしい行動をいう。後の五節も複数の舞姫によって舞われている。いずれにしても天武創設起源譚の吉野の神女と歌の間にも齟齬がある。

この歌は『琴歌譜《きんかふ》』にもみえ、その歌謡配列から十一月節会の歌と考えられる部分に記録されており、天香具山《あまのかぐやま》に近い「埴安《はにやす》」の地の神事に関係した歌を淵源とする可能性があるとされている。天武天皇四年（六七五）二月に畿内近国の歌男《うたお》・歌女《うため》を貢上させ、天武天皇十四年（六八五）九月には歌男・歌女や笛吹に歌笛を子孫へ伝習させることを命じるなど、天武期に歌舞の収集、整備、維持が行われており、おそらくこの歌もその一つであったと考えられる。そして神亀五年（七二八）の山上憶良作「世間の住《とどま》り難きを哀しぶる歌」（『万葉集』巻五、八〇四番）の中に「（前略）少女《おとめ》らが、少女さびすと、可羅多麻《からたま》を、手本《たもと》に纏《ま》かし（後略）」とあるのも、類似の歌であり、天平期においてもよく知られていた歌であった。通常、臣下によって舞われた「五節」は群舞であったと考えられるから、この歌と齟齬はなかったと考えられる。

この神女降臨伝承がこのままの形で八世紀まで遡れるかは、必ずしも確証があるわけではない。例えば本居宣長『続紀歴朝詔詞解《しょっきれきちょうしょうしかい》』では、『古事記』雄略天皇段の作り変えであり、平安期以降に創られた伝説とされている。しかしこの阿倍皇太子の「五節」に際して、吉野で天武だけが見た神女の舞をもとに天武が創設したという、新しい言説が作られた可能性も高い。『文選』の受容が見込まれる八世紀に、天武聖王観とともに創作され、自らも吉野行幸を行ったことのある元正や聖武（天平八年）の中で、共有された可能性がある。そしてその演出に吉備真備が関与したと推測する説もあり、その可能性は高いといえる。

女性皇太子と衣服

阿倍皇太子の「五節」が皇太子一人によって舞われ、神女舞伝説による演出がなされたとしても、それは『文選』のような王と交情する「神女」ではなく、『本朝月令』のような天武の前で袖を振り舞う「神女」がふさわしい。おそらく、阿倍皇太子は神仙・道教の「神女」もしくは仏教的な「天女」に擬され、衣装も女性の衣服をまとって舞ったと思われる。

ただし女性の衣服を着用した皇太子が「神女」「天女」として舞うことは、実は「神女」「天女」が本来は男身である菩薩が衆生を教化するために仮の姿として女身に変身したものという「方便《ほうべん》としての女身」「菩薩の化身《けしん》としての女身」のレトリックを用いることによって、阿倍が皇太子としてふさわしい存在であることを証明するために構想されたものであったと考えられる。

阿倍皇太子が太政官の直接の統制下にある春宮坊という家政機関を持ち、正式な皇太子となったとしても、まだ多くの問題を抱えていた。例えば皇太子が男性を前提とした地位であることは、衣服令《いふくりょう》に記された衣服の内容にも明確に示されていた。

衣服令では最初に皇太子礼服《らいふく》の規定が掲げられている。「礼服の冠、黄丹《おうだん》の衣、牙《げ》の笏《こつ》、白き袴、白き帯、深紫《ふかきむらさき》の紗《しゃ》の褶《ひらみ》、錦の襪《しとうず》、烏皮《くりかわ》の舃《くつ》」とあり、男性を想定した衣服である。一方、内親王の礼服は、例えば一品の場合、「一品の礼服の宝髻《ほうけい》、深紫の衣、蘇方《すおう》、深紫の紕帯《そえ》、浅緑《あさきみどり》の褶、蘇方、深浅紫《ふかきあさきむらさき》、緑の纈《ゆわた》の裙《も》、錦《にしき》の襪、烏皮の舃」とあり、当然女性の衣服であるが、これは皇太子の衣服ではない。

阿倍皇太子は「五節」以前にどのような衣服をまとって、公的な儀式に参加したのだろうか。律令に規定がある以上、この皇太子の衣服を着なければ、正統性のある皇太子たり得ない。そして将来は父聖武天皇が天平四年（七三二）正月に最初に取り入れた中国式の「冕服《べんふく》」を引き継ぐ必要から、それを身に付けた男性の天皇と同等の役割を果たす課題を担った存在であった。後述するように、孝謙天皇時代の天平勝宝四年（七五二）四月の大仏開眼会には、男性天皇と同等の天子冠である冕冠《べんかん》を被ったことは確かであり、少なくとも頭上は、それ以前の女帝とは明らかに異なる「男装」の天皇となっていった。

阿倍皇太子が令制に則った男性の衣服を身につけて公的な儀礼に参加したかは、史料的に不明である。多くの抵抗を受けながらも、前代未聞の女性皇太子は、当初は男装を必要としたと考えられる。または女性の衣服を着用した場合も、阿倍皇太子が本来は本質的に男性皇太子と同等の存在であることを示す必要があった。

3　女性皇太子の克服

ここで女性である阿倍内親王が男子を前提とする皇太子となり、さらに天皇となることの正統性を主張していくうえで、仏教の女性観をどのように理解、利用したかを考察しておきたい。

武則天の「方便の女身」「菩薩の化身としての女身」説

そこで参考になるのが、武則天（則天武后）の例である。武則天は、もと唐の第二代皇帝太宗《たいそう》の後宮に仕えていたが、太宗死後一時尼となっていた。その後第三代皇帝高宗《こうそう》に見出されて皇后となり、さらに高宗死後は息子の中宗《ちゅうそう》・睿宗《えいそう》の摂政として、皇太后の身分のままで既に実質的な国政関与や権力奪取を手中に収めていた。さらに最終的に武周革命を起こして皇帝となったが、最後まで障害となっていた女性であるという点を克服するために、菩薩が方便として女身となるという「菩薩転女身」、いわば「方便の女身」説もしくは「菩薩の化身としての女身」説を利用したことが知られている。

すなわち五世紀初頭の曇無讖《どんむしん》訳『大等大雲経《だいとうだいうんきょう》』六巻本が、この時期に四巻本『大雲経』として新訳された。この『大雲経』巻四には「汝（浄光天女）、その時に実に是菩薩なり。衆生を化さむが為に、現に女身を受く」や「この天形を捨て、即ち女身を以て当《まさ》に国土に王たりて、転輪王の統領する所の処四の一を得るべし」と記されている。仏弟子の浄光天女《じょうこうてんにょ》は実は菩薩であるが衆生を導くために女身となっており、その天形を捨て女身の国王となり、転輪聖王《てんりんじょうおう》の領地四分の一を得る、と説いた釈迦の言葉である。そしてこの経典の疏を武則天周辺の僧たちが作成したが、現在その写本が敦煌から発見されている。この「大雲経疏」では「衆生を化さむが為の故に、現に女身を受く。当に知るべし。乃ち是れ方便の身なり。実の女身に非ず」や「女身を以て当に国土に王たるべき者は、所謂聖母神皇これなり」と解説している。この菩薩転女身説は、本来は男身である菩薩が方便として女身となるというもので、これに中国撰述経典の「証明因縁讖」(『普賢菩薩説(此)証明経』)の論理を用いて、武則天は弥勒菩薩の応現であり、通常の性観念では捉えられない存在を体現した「聖母神皇《せいぼしんこう》」であると主張した。この「方便の女身」「菩薩の化身としての女身」説は、武則天以後の唐宮廷仏教でも受容され続けた。

阿倍皇太子の「方便の女身」説

唐における宮廷の仏教文化を、直輸入的に受容することができた光明子や阿倍が、「方便の女身」説を積極的に受け入れて、女性皇太子を合理化することは十分可能であった。そしてこの「方便の女身」説は、阿倍皇太子の座右経典の一つであった『法華経』の妙音菩薩品にもみえる。また孝謙・称徳天皇時代に、少なくとも三回以上『最勝王経』とセットで特別に書写させた『宝星陀羅尼経』にも、この「方便の女身」を説く部分があった。この経典の「授記品」に息華《そくか》という魔が女形を以って帰仏護法することを述べ、また多くの諸菩薩が女形を以って衆生を成熟させることを説いている。

ただし「方便の女身」説は一見肯定的な仏教女性観のようにみえるが、本質的には女身の垢穢《くえ》観や

「五障《ごしょう》」説を伴う「変成男子《へんじょうなんし》」説という、いわば否定的な女身観も前提としていた。五障とは、例えば『法華経』提婆達多品の龍女成仏《りゅうにょじょうぶつ》譚の舎利弗《しゃりほつ》の発言の中にみえ、女性は女身垢穢であり、梵天王《ぼんてんおう》、帝釈《たいしゃく》、魔王《まおう》、転輪聖王《てんりんじょうおう》、仏身《ぶっしん》の五つになれないとするものである。これに対し龍女が一旦男性に変身する「変成男子」をして成仏を示したとある。これは女身であっても、大乗仏教によって男女の別なく救済されることを強調するものであるが、いわばその過渡的な形態として、「変成男子」が存在していた。前述した『宝星陀羅尼経』も、菩薩が変身した女身を肯定的に位置づける一方で、現実の女身を否定的に捉えることを前提にして、女身を厭い男身に変身する、すなわち「変成男子」の教義を持っていた。この経典の「本事品」に「変成男子」を成就させる陀羅尼を載せていることも見逃せない。この「変成男子」説がみえる経典は、八世紀の日本にも十数種類存在した。『宝星陀羅尼経』以外でも、孝謙・称徳天皇の座右経典『最勝王経』『法華経』『薬師本願経』にみえる。

なお注目すべきは、先の「五節」を舞った直後である天平十五年（七四三）七月に、光明子・阿倍皇太子の周辺で活動した宮廷尼の安定尼が、本格的に「変成男子」説を展開する『無垢賢女経《むくけんにょ》』『腹中女聴経《ふくちゅうにょちょうきょう》』『転女身経《てんにょしんきょう》』に関心を持っていたことである（『大日本古文書』二十四―一七一頁）。

阿倍は孝謙・称徳天皇となっていく過程で、さらなる「変成男子」を模索していくことになるが、後述するように、この「変成男子」を、必ずしも否定的に受容したわけではなかった。いずれにしても、女身が男性と同等となり得る論理を模索する必要があった天平十五年の「五節」の時点では、「菩薩の化身としての女身」「方便の女身」である「神女」「天女」の姿で舞うことによって、女性皇太子の正統性を示す段階であったと考えられる。

阿倍皇太子の写経事業

阿倍立太子の年である天平十年（七三八）に、母光明子は平城京の東に福寿寺《ふくじゅてら》を建立した。弟皇太子の死後、菩提供養のための金鍾寺（山房）が建立されていた地域であり、これは後に東大寺二月堂、三月堂が建つことになる地域であった。これら山林寺院は「皇太子」護持の寺院の性格を持つとされている。

阿倍皇太子の写経事業も行われ、東宮御所に『梵網経《ぼんもうきょう》』『新翻《しんほん》薬師経』『観普賢菩薩行法経』『法華経』などの経典が奉請されている例が散見するが、これには乳母の安倍御母、また前述した延信尼などの尼たちも関わっていた。

また前述したように阿倍皇太子の座右経典となる『最勝王経』の書写が繰り返された。天平十五年（七四三）の一部十巻の写経は、五節の舞を皇太子自ら舞い、天武・草壁系の皇太子としての正統性をアピールした年の写経であり、さらに天平十六年（七四四）の二部の間写経は春宮坊の機関を通じた写経であり、皇太子としての地位を固めつつある時期のものであった。

そして『最勝王経』以外では、天平十五年から十六年の「間本充帳」には、「成唯識論枢要《じょうゆいしきろんすうよう》」「四分律抄《しぶんりつしょう》」「花厳経疏」「花厳経孔目《こうもく》」「花厳経疏一乗教分記」「十一面神呪心経義疏《じゅういちめんしんじゅしんきょうぎそ》」「大乗起信論疏《だいじょうきしんろんそ》」その他がみえる（『大日本古文書』八―三六五～三七〇頁、二十四―二七六～二八〇頁）。なお「四分律抄」は、ほぼ時を同じくして聖武・光明子・阿倍皇太子それぞれの発願によって書写されていた。

阿倍皇太子の写経事業は、春宮坊の機構による写経とみるよりも、光明子の写経事業に依存したものとみる説がある。母の強い指導性のもとで行われたことは確かではあるが、光明子が皇后宮職の写経事業や東大寺司の前身となる金光明寺造営事業を推進していく過程で、春宮坊という太政官の直接の統制下にある機構も利用し、私的機構から国家機構への脱皮を図っていった点では、車の両輪の関係にあった。また天平十七年（七四五）十月の造甲可寺所に、春宮坊官人の舎人正が関与していたことも注目される（『大日本古文書』二―二七六頁）。

なお天平から天平宝字期に王権が発願した一切経は多数に及ぶが、特に母光明子が皇后宮職系統の写経所で書写させた「五月一日経」は、「大官一切経」・「後写一切経」をはじめ、多くの一切経の基準目録兼書写テキストとして機能した。その構成は大乗小乗の経律論・賢聖集伝（高僧の伝記、経録を含む）と別生経・疑偽経・録外経律論及び章疏を含み、推定で約六五〇〇巻に上る経典群であった。

大仏発願の詔

天平十五年（七四三）五月二十七日に墾田永年私財法が発布され、そして十月十五日に聖武天皇が大仏造立の発願を行った。あらゆるものを救おうと仁恕を行っても、必ずしも天下に法恩が普く及んではいないとし、三宝の威霊によって天地を豊にし、万代の福業を修めて動物植物みな悉く栄えさせたいと、「菩薩の大願」を発して、盧舎那仏の金銅像を造立することを誓願している。国の銅を尽くして像を鋳造し、大山を削って堂を構え、また広く仏法が及ぶ世界に自分の知識となってくれる人を求め、同じ利益を蒙ってともに菩提に至ることを願った。天下の富と勢いを有《たもつ》ものは自分であり、これらを以って尊像を造立しようと思えば、このことは形としては可能であっても、本来の心による成就にはならないとし、知識による造立を願い、人々の一枝の草、一把の土の助成を呼びかけ、強制的な労働や搾取を禁じた。

聖武は、天平六年（七三四）の聖武発願一切経願文で「経史の中、釈教を最上とす」（『寧楽遺文』六一四頁）と記したように、仏教を最も重視し、良弁《ろうべん》らによって天平十二年（七四〇）から審祥《しんしょう》を講師として開始された『華厳経』講説の影響を受け、また天平十三年（七四一）の国分寺建立の詔で宣言した『最勝王経』の自写などを通じて、経典理解を深めていった。そして天平十五年（七四三）正月十三日に金光明寺で『金光明経』を読経させるために衆僧を請じた時の詞では、自らを「弟子」と称していた。すなわち仏弟子としての意識を鮮明にした仏教帰依が一段と進んでいた。

この大仏造立の発願から四日後の十月十九日に、紫香楽宮で盧舎那仏を安置する寺（甲賀寺）を開くことが決定され、これを受けて行基は弟子たちを率いて勧進活動を開始していった。平成十二年（二〇〇〇）の発掘によって、現在滋賀県甲賀市信楽町の宮町《みやまち》遺跡が紫香楽宮跡であることが確認されており、また甲賀寺は、従来「史跡紫香楽宮」とされてきた南西の内裏野の遺跡がそれに相当するとみられている。

安積親王の急死

しかし翌天平十六年（七四四）正月に、聖武天皇は難波行幸の準備を始め、閏正月になると、恭仁京と難波京のいずれを都とするかで、官人や市人らの意見を聴取した。官人の意見は恭仁京がやや上回るとはいえ、難波京を推す比率と伯仲していた。しかし市人は恭仁京を推す意見が多く、おおむね恭仁京を都とする方針が固まりつつあった。

ところが、十一日聖武が難波に行幸した当日、十七歳になっていた安積親王は「脚病」によって、河内国河内郷にあった桜井頓宮に還ることになった。そして二日後の十三日にあっけなく没した。この突然の急死をめぐっては、藤原仲麻呂らによる暗殺説などもあるが、その根拠は乏しく、脚気《かっけ》が重症になれば歩行困難や心臓肥大による循環器症状が起きることから、若年ながら不慮の急死とみる、脚気死因説のほうが実態であろう。かつて親王が藤原八束《やつか》の家で開いた宴に参加したことがあった内舎人大伴家持が、二月三日に朝夕狩を楽しんでいた若き親王を悼む挽歌を詠じている。

いずれにしても安積親王の急死によって、聖武の血筋を直接引く男子は絶えてしまった。女性皇太子に対する抵抗は依然残ったままではあったが、阿倍皇太子の存在感はさらに増すことになった。

その後皇都として優勢となっていた恭仁京から、二月には急速に難波京にその流れが変わり、駅鈴や内外の印、高御座《たかみくら》、大楯などが難波宮に運ばれた。その一方で聖武自身は、二十四日に紫香楽宮に向かって行幸し、そして安積の急死に直面して、さらに大仏造立事業に没頭していった。しかしこれに対して元正太上天皇は橘諸兄とともに難波宮にとどまり、二十六日には諸兄の宣により難波を皇都とする勅が発せられた。この勅は元正のものであった可能性は高く、聖武と元正は半年以上別行動をとることになった。

その後の甲賀寺における大仏造立事業は、十一月十三日には盧舎那仏像の体の骨になる柱を建て始めるまでに進捗し、聖武は自ら臨んで手で柱を建てる縄を引いた。この時様々な音楽が奏され、四大寺の衆僧も招かれた盛大な法会となった。そして二十七日には、とうとう元正も難波から紫香楽宮に合流し、両者の別行動は解消されていった。

大地震の発生と平城還都

天平十七年（七四五）正月には、宮がほぼ完成し、ここで元日節会の宴も行われた。そして二十一日には大仏勧進の功績を認められた行基が大僧正に任じられた。しかし四月に入ると甲賀寺の東の山や、伊賀国真木山、紫香楽宮の東の山と、山火事が頻繁に起こり、また四月二十七日には美濃に甚大な被害がもたらした大地震が三日三夜続いた。

さらに五月も畿内で地震が頻発する状況が続いた。一日から連日地震が起き、二日に京の諸寺で七日間の『最勝王経』転読を開始させた。そして再度、都をどこに置くか諮問すると、太政官以下諸官人が平城還都を進言するに至った。三日、四日も地震は収まらず、今度は薬師寺に四大寺の僧たちを集めて諮問すると、僧たちも平城還都を進言した。五日は地震が一日中続き、聖武も紫香楽宮から恭仁宮に還り、六日に恭仁京に流れる泉川にかかる橋まで聖武が到ると、百姓がその乗り物を見て万歳を唱えたという。その後も地震が続き、十日には争うように恭仁京や紫香楽宮（甲賀宮）から市人や人々が平城京へ戻り、十一日には聖武天皇自身も平城宮に戻っていった。

この五月に起きた地震は、震源地は不明であるが、常と異なり地は裂け水泉が湧き出る被害があったという。そしてその後も余震が続き九月まで収まらなかった。地震による被害は、天が天皇の徳の無さを災異として示したものと考えられており、天平六年（七三四）時の大地震でも、聖武天皇は「良《まこと》に朕《われ》の訓導《おしえ》の明《あき》らかならぬに由りて、民多く罪に入れり。責めは予《よ》一人に在り、兆庶《もろもろ》に関《あず》かるに非ず」と述べていた。地震が人々に与えた衝撃は筆舌に尽しがたいが、天皇という立場の聖武に与えた衝撃もまた格別なものがあった。ましてその余震が四カ月以上続けば、その心労の蓄積は計り知れない。

難波宮での聖武不予と孫王招集

八月二十五日から難波宮に行幸していた聖武は、地震などの心労が祟ってか、九月になると重病となった。十七日には大赦と賑給を行ったが、さらに病状が悪化し、十九日には「孫王」を呼び寄せるまでの重篤な状況に至った。

この「孫王」は天皇の孫にあたる、いわゆる二世王になるが、この天皇を誰に想定するかでその範囲は異なる。通説としては天智及び天武の孫王とみる。当時この範囲に入り得る有力男子孫王は、天智系では志貴皇子の男子（白壁《しらかべ》王・湯原《ゆはら》王）、天武系では舎人親王の男子（御原《みはら》王・三嶋王・船王・池田王・守部王・大炊《おおい》王）、新田部親王の男子（塩焼王・道祖王）、長親王の男子（智努《ちぬ》王・栗須王・石川王・奈良王・大市王）などであろう。ただし奈良王・守部王は天平十二年（七四〇）以降の消息は不明であり、塩焼王はまだ復位していないのでその対象から外れていた可能性もある。

阿倍皇太子も平城宮で監国の任になく難波に出向いたことは、この時使者を派遣して平城宮から鈴印も取り寄せていることから予想される。いずれにしても皇位継承の可能性がある人々であり、聖武の意図としては、阿倍皇太子を支える皇親の結束を確認するための招集であったと考えられる。その背景には未だ阿倍皇太子を無視し続ける動きがあり、事変もある可能性があったことによる。

例えば橘奈良麻呂は未だ「皇嗣」を不在として、佐伯全成《さえきのまたなり》に長屋王の息子で藤原長娥子所生、ただし三世王である黄文王を皇太子に立てる計画を図ったが、全成の拒否もあり未遂に終わっていた。奈良麻呂は父が三千代の子諸兄、母が不比等と三千代の娘多比能であり、阿倍皇太子とは不比等や三千代の血筋でつながっていた。それにもかかわらず「皇嗣」を不在としたのは女性皇太子を認めない立場であったためといえる。

すなわち奈良麻呂は、佐伯全成に「陛下は、病が悪化して危篤に至る状況である。しかもなお皇嗣は立てられていない。おそらく事変があるだろう。多治比国人《くにひと》と犢養《うしかい》と小野東人を率いて、黄文王を君に立てて人民の憂いに答えたい。大伴氏と佐伯氏たちがこの企てに随ってくれれば、前途は無敵である。今はまさに天下は憂い苦しみ、（相次ぐ遷都の繰り返しによって）居宅も定まらず、道路に泣き叫び、恨み嘆くものが多い。これによってこのはかりごとは必ず成就するだろう。これに随うかどうか」と語ったという。しかし全成は祖先が代々清廉に仕えてきたとしてこの誘いを断った。

いずれにしても諸社への奉幣、薬師法や薬師仏造像・『薬師経』写経、『大般若経』読経、また鷹・鵜などの放生、三八〇〇人の度者などが功を奏したのか、聖武の病状は、二十五日には平城宮帰還の途につくまでに回復し、こうして広嗣の乱以降の五年に及ぶ聖武自身の彷徨が最終的に終わった。

玄昉の末路

ひとまず皇位継承をめぐる危機を脱することになったが、聖武天皇の体調が万全とはいえず、その後も健康は不安定な状況が続いた。天平十八年（七四六）から聖武が譲位するまでの四年間、正月朝賀が行われなかったのは、聖武の体調が原因とされている。なお天平十八年二月七日に天皇の身辺を警護する第二次の授刀舎人が設置されるが、これは阿倍皇太子の身辺護衛体制も強化する意図があった可能性が指摘されている。

この年の六月十八日、玄昉が筑前観世音寺で没した。平城還都後間もない天平十七年（七四五）十月頃に処罰されたらしく、十一月二日には筑前観世音寺造営との名目で左遷され、十七日にはそれまで与えられていた封物も収公されていた。その後わずか半年程を経た頃の死であった。

光明子の「五月一日経」の原本となった経典類を唐から将来し、そして聖武母宮子を快癒させ、僧正にまで昇りつめ、内道場で天皇に近侍した栄光の日々から、沙門の行いに背いたとして一挙に転落し処分された。大仏造立などをめぐる対立の可能性があるが、時の人は玄昉の排斥を訴えながら反逆者として敗死した藤原広嗣の霊によるとも噂したという。

元正太上天皇の逝去と遺言

天平十九年（七四七）十二月になると、今回は元正太上天皇が体調を崩し十四日に大赦が行われた。そして四カ月後の天平二十年（七四八）四月二十一日に六十九歳で、その生涯を閉じた。

後の称徳の記憶によれば、元正は「後の御命」を臣下に語ったという。元正の遺言は、没後二十一年も経った神護景雲三年（七六九）十月一日に称徳が出した宣命第四十五詔の中にある言葉であり、記憶は称徳の中で若干合理化されている可能性は強いが、おおよそ次のような内容であった。

「お前たちを呼んだのは朝廷に奉仕する心構えを教えるためであり、まず貞・明・浄の心を以って、「朕子《わがこ》天皇（聖武）」に奉仕し護り助けなさい。そしてこの「太子（阿倍）」を助けて奉仕しなさい。朕のこの教命に従わないで、王たちが得ることのできない「帝の尊い宝位」を望み求め、人をいざない、穢い心をもって逆謀を企て、臣たちが自分の思い思いにこの王に付き、あの王に頼り、無礼の心を以って邪なはかりごとを構えるような人があるならば、朕はかならず「天翔《あまがけり》」してこれを見つけ、退け捨てて嫌うことになろう。このような者には天地の福も授からないだろう。このことを知って明らかに浄き心を以って奉仕する人には、慈しみ憐れんで処遇する。そのような者には天の福も授かるだろう、永世家門を絶つことなく奉仕させ栄えさせることになろう。ここのところを知って慎んで浄き心で奉仕しなさい」。

元正が、臣下に対して聖武と阿倍への忠誠を命じ、皇位を狙う謀りごとを牽制するとともに、死後も天皇霊として阿倍皇太子を守護するとしており、阿倍の即位を是認していたことが示されている。元正は二十八日佐保山陵で火葬にされ、五月には七日ごとに国司が潔斎して、諸寺の僧尼を一寺に集めて読経するように命じるなど、その後も仏事供養が重ねられた。

さらに六月四日になると、藤原南夫人（武智麻呂娘）が逝去し、聖武は南家系の皇子誕生の可能性も断念せざるを得ない状況となった。いよいよ阿倍皇太子の即位が実行されるべき時が近づいていた。前述したように六月二十七日にいわゆる「百部最勝王経」写経書写が公式に開始され、孝謙天皇即位に向けての地位強化が図られていった。

第五章　孝謙天皇の自覚——即位と崇仏天皇の継承

1　孝謙天皇となる

「三宝の奴と仕へ奉る天皇」

天平二十一年（七四九）は正月の朝賀が行われず、その一方で元日から七九日間、天下諸寺で悔過と『金光明経』転読が行われ、また天下に殺生禁断が命じられた。この年、四十九歳となった父聖武が「三宝の奴と仕へ奉る天皇」と称して、崇仏天皇・皇帝菩薩の立場をきわめ、さらには「太上天皇沙弥勝満」と出家者へと突き進み、最終的に譲位し、これによって三十二歳の阿倍皇太子が孝謙天皇として即位していく、新たな激動の年が始まった。

四月一日になると、父聖武は東大寺に行幸した。平城還都後に改めて大仏造立が計画され、その造立用地として金鍾寺から大養徳国金光明寺となっていた平城京東郊の寺地が改造された。天平十九年（七四七）九月には四〇万斤以上の銅を使用した大仏鋳造も始まり、冬には金光明寺の寺号は東大寺となっていた。そして二年ほどかかった鋳造もほぼ完成し、今年二月には不足していた鍍金用の黄金が、国内の陸奥国から初めて発見されていた。

聖武は北面して盧舎那仏像を礼拝し、光明子と阿倍皇太子もその傍に侍した。中国でも昊天上帝《こうてんじょうてい》に対し皇帝が北面している例はあるが、天子南面を基本とする天皇が、仏に対し臣下としての姿勢を示したものであった。しかも聖武は自らを「三宝の奴と仕へ奉る天皇」と称し、陸奥国から黄金が貢納され、仏像に鍍金できることを告げる宣命第十二詔を発した。その一方で、前殿の後ろに従っていた親王・諸王・諸臣・百官人等や天下公民に対しては、おそらくこの時は南面して、「現神御宇《あきつかみとあめのしたしらしめす》倭根子《やまとねこ》天皇」と称して、黄金の産出を喜び改元することを告げる宣命第十三詔を発した。この時行われた叙位・賜物・復除《ふくじょ》は、殆ど譲位や即位に似た大掛かりのものであった。そして翌二日には大赦を行った。ただし改元はこの時には何故か実行されず、実際には十四日に再び東大寺に行幸して、盧舎那仏の前殿で叙位と任官が行われ、「天平感宝」と改元された。

聖武が東大寺の盧舎那仏を前に、「三宝の奴と仕へ奉る天皇」と自称し、一方で「現神御宇倭根子天皇」として改元を予告し、その後宮に還り、「大赦」と「改元」を行ったことは、中国南朝の梁《りょう》の武帝《ぶてい》が同泰寺《どうたいじ》で捨身したため、在位が一時的に停止し、臣下らに銭で買戻され、宮に還った後に「大赦」と「改元」を行ったことと類似する点がある。聖武の場合も短期間で観念的なものにせよ、三宝に対し天皇の身体を「奴」として喜捨したことは確かである。しかし聖武はその一方で「現神御宇倭根子天皇」としての在位を即座に継続させて改元を明らかにしており、武帝に比べると完全な「捨身」ではなかった。いわば、仏に対しては一時的に捨身を表明しながら、一方で即座に「現人神《あらひとがみ》」の天皇としての在位を両立させていたといえる。

「太上天皇沙弥勝満」

しかし天平感宝元年（七四九）閏五月二十日になると、聖武は『華厳経』を根本とする一切経律論抄疏章等の転読・講説を大安・薬師・元興・興福・東大ほか主要な諸寺に命じた。この時聖武は「太上天皇沙弥勝満《しゃみしょうまん》」と自称した勅を出すに至った。聖武は前述したように天平十五年（七四三）に「弟子」と自称し、そしてここでは「太上天皇沙弥勝満」と称したことは確かであり、それ以前のある時期から「沙弥」と称する出家実態があったと考えられる。

『扶桑略記』天平二十一年（天平勝宝元・七四九）正月十四日条には、平城中嶋宮において、大僧正行基を戒師として菩薩戒受戒し、名は勝満となったという記事がある。なお「行基墓誌」によれば、同年二月二日に行基は八十二歳で没している。一方『東大寺要録』巻第一本願章第一では、「或日記」に云わくとして、前年の天平二十年正月八日に天皇と后が出家し、四月八日に行基を戒師として菩薩戒受戒したとある。この鑑真来日以前に聖武が菩薩戒を受戒したことを史実とする説と、これを疑問視し後世の付会とする説がある。

阿倍皇太子も後の孝謙天皇時代に受戒することになる菩薩戒は、大乗の菩薩が受持すべき戒で、『梵網経』の十重戒と四十八軽戒《きょうかい》からなる梵網戒と、『瓔珞本業《ようらくほんごう》経』『菩薩地持《ぼさつちじ》経』『瑜伽論《ゆがろん》』に説かれている三聚《さんじゅ》浄戒があった。小乗の声聞《しょうもん》戒と異なり、僧俗七衆に共通した戒法で、すなわち出家、在家いずれにも授けられた。俗人だけでなく、沙弥や尼が菩薩戒弟子となっている例は、八世紀の唐にもあり、日本でも経典識語の「菩薩戒弟子沙弥優曇」(『寧楽遺文』六一七頁)のように、既に天平十二年(七四〇)には沙弥の菩薩戒弟子の例がみえる。

そして『梵網経』には、国王が受戒すれば仏教的加護を受けて災厄無く、職位を長存できるとされていた。中国唐の皇帝は、複数回の菩薩戒受戒例があり、その法脈も涅槃系・華厳系・南山律系など別系統の戒師から受けている。そして受戒の場が宮殿であった例が多く、必ずしも寺で戒壇に登って受戒していない。

その点から既に天平八年(七三六)に道璿《どうせん》が律師として招聘されて来日しており、律・華厳・天台の教義に通じ、『梵網経』菩薩戒に関する注釈も残していることが注目される。道璿の注釈は玄昉の師であった智周《ちしゅう》の『梵網経菩薩戒本疏』に依っており、この智周の疏は華厳宗第三祖法蔵《ほうぞう》の『梵網経菩薩戒本疏』にも影響を与えたという。そして年紀は不明であるが、この道璿から菩薩戒受戒した石川垣(恒)守の例もある。

後述するように戒壇設立や登壇受戒は、鑑真来日後となるが、聖武がそれ以前に、中嶋宮など宮殿内で菩薩戒ないし沙弥と称し得る戒律を受戒したことは、戒師が行基であったか否かは別としても、可能性を全くは捨てきれない。

聖武が法名の「勝満」と「沙弥」を名乗ったことは、聖武自身の認識としては、「沙弥」としての出家であったことになる。ただし当時の日本における沙弥の存在形態の多様性からすれば、出家して「沙弥勝満」と名乗りつつ、一方で俗的な地位の部分を残しておくことが全く不可能ではなかった。

父の譲位

中国の場合は、隋の皇帝が在位しながら「菩薩戒弟子皇帝＋法名」と称した例はあっても、「菩薩戒弟子皇帝＋沙弥＋法名」という聖武のような「沙弥」を称した例は管見の限りではみえない。その点で、聖武が閏五月二十日に「沙弥」と名乗った段階は、単なる在位を前提とする菩薩戒弟子皇帝の段階とは違ったものであった。この聖武が「太上天皇沙弥勝満」となったことは、梁の武帝が捨身して皇帝から一時的にせよ退位していたことに近くなっている。そして薬師寺宮を御在所としたことは、「太上天皇沙弥」の形で寺に居住した状況に入ったといえる。薬師寺が宮に選ばれたのは、一つには従来から聖武関係の写経が薬師寺において行われていたこと、薬師寺には僧綱が置かれていたことなどによると考えられる。そして天皇のいわば「捨身」状況が長期化したこと、このため正式の譲位をしないまま「沙弥」として在位した約四〇日間は「天皇」の不在によって「万機」が滞る事態になっていた。なおこの数日前の閏五月十一日に佐伯全成が陸奥国介として上京し、産金の功労者として叙位されていたが、この時も橘奈良麻呂が佐伯全成に謀反を持ち掛けていたとされている。

聖武自身は、最初から本格的な退位を決意したものであったかもしれない。しかし周囲としては一時的ではあるが、本格的な「捨身」行為を行ったと見なして対処していた可能性も考えられる。天皇自ら「清浄の大捨」、すなわち「羯磨《こんま》」を行う「沙弥」となり、一時的に天皇位から退いて「太上天皇沙弥勝満」となって寺に滞在したとしても、これを短期間に留め、一定の還俗・復位の形式をとることができれば、聖武はまた通常の天皇として在位した状態に戻ることも可能であったかもしれない。

しかし聖武自身が阿倍皇太子への皇位継承という政治的意図も含み、最終的に復位を望まず、またこの期間が長期化したことが、「万機《ばんき》密《しげ》く多くして御身《みみ》敢《あ》へ賜はずあれ」との理由による七月二日の聖武の正式な譲位につながった。

そして聖武の天皇位への復帰による還宮や大赦・改元ではなく、孝謙の即位・大赦・改元へと移行したと考えられる。これ以前に女性天皇の生前譲位の例はあったが、男性天皇が生前譲位し太上天皇となったのはこれが最初であった。

孝謙の即位

七月二日、「大極殿」で三十二歳となっていた孝謙天皇の即位が行われた。東宮機構に関わっていた人物を中心に叙位が行われ、そして天平感宝を天平勝宝と一文字だけ換える形で改元された。なお実際には平城還都後にまだ大極殿は再建されておらず、発掘調査の所見から東区朝堂院下層の掘立柱の正殿がこれに見立てられた可能性が指摘されている。三日には乳母三人にも叙位が行われた。

ところで『続日本紀』では孝謙の即位前紀記事を載せず、巻も改めないままという異例の記述法をとっている。そして宣命も譲位と即位を鮮明には分離せずに載せている。この宣命第十四詔の概略は、元正から、天智が定めた「不改常典」によって、この天つ日嗣高御座の業を継ぐようにと聖武に授けられたこの地位ではあるが、もろもろの政務が多く、わが身は堪えることができないので、法に随って「朕が子王」に授けるとする聖武天皇の譲位の宣命を受け、孝謙が即位することを宣言したものであった。

なお『続日本紀』の即位時の宣命にはみえないが、後の神護景雲三年（七六九）十月一日宣命第四十五詔にある称徳の記憶によれば、この時父聖武は臣下に対して「自分を君と念《おも》う人は太皇后（光明子）によく仕え奉れ。朕《われ》を思うのと異なることは思うな」と述べ、また「朕が子太子（阿倍皇太子）に明らかに浄く二心なく奉仕せよ。朕には子が二人ということはなく、ただこの太子一人のみが朕が子である。この心を知り護り助け奉れ。朕は体が疲れたので、太子に天の日継の継ぎてを授ける」と勅を発したという。

すなわち光明子に対して聖武と同等の忠誠を臣下に命じ、阿倍皇太子こそ唯一の聖武の子であり、皇位を継承すべき存在として譲位することを明らかにしたとする。

今までの天皇・皇后・皇太子体制を、より強固にする太上天皇・皇太后・天皇体制に移行したといえる。実質的な変化に乏しい部分もあるが、大きな相違は太上天皇が出家者となっていることである。またここで注目すべき点として、孝謙即位に伴う新たな皇太子は聖武の生存中は保留され続け、実際聖武の遺詔によって天平勝宝八歳（七五六）五月二日に道祖王が立太子するまで空席だったことである。

紫微中台の設置

そして七月十日には皇后宮職に代わって紫微中台《しびちゅうたい》が創設された。紫微は天帝の座の紫微垣《しびえん》、つまり天子の常居の意味であり、紫微中台は皇后宮職を単なる皇太后用の機関に変更させたものではなく、男性太上天皇という今までに先例のない存在であり、しかも沙弥となっている聖武、そして皇后を置くことがありえない女性天皇である孝謙、この二人の天子の後宮を支える皇太后光明子、この三位一体の体制のための機関でもあった。

武智麻呂第二子の仲麻呂を長官の紫微令《しびれい》に任じ、さらに九月には四等官総勢二二人（令一人・大弼二人・少弼三人・大忠四人・少忠四人・大疏四人・少疏四人）の官位相当（正三位・正四位下・従四位下・正五位下・従五位下・従六位上・従七位上）を定めるなど、本格的な組織整備が行われた。紫微中台の官人には皇后宮職の系譜を引く者が多いが、一方で大弼の石川年足が春宮大夫、少弼の肖奈王福信が春宮亮であったように、もと阿倍東宮機構の系譜を引く者も含まれていた。天武天皇や草壁皇子の宮の系譜を引く飛鳥の島宮《しまのみや》を管理するなど、皇太子の空位期間における東宮付属施設管理もその職掌となっていた可能性がある。

官司としてのランクは中務省と対等もしくは上位であり、太政官に次ぐ位置づけとなっていた。後の天平宝字二年（七五八）八月二十五日に官名の改正を行った時、太政官（乾政官《けんじょうかん》）の職掌「天の徳を施して万物を成育するがごとし」の次に、紫微中台（坤宮官《こんぐうかん》）の職掌を「中に居《お》り勅を奉《う》けたまはりて、諸司に頒《わか》ち行ふこと、地の天に承けて、庶物を亭毒《ていどく》するが如し」と表現している。亭毒は育て養うことを意味する。

この職掌にみえる「勅」を光明子の命令とみて、光明子が大権発動を掌握したとする説、また孝謙は賞罰や兵馬などの大権を持っていなかったとする説がある。一方あくまでも天皇の勅とみて、孝謙の命令権であり、光明子は一貫して天皇を介して意向を実現しているに留まり、親としての人間関係による強い影響力を持っていたに過ぎないとする説もある。多くの判断に実質的な光明子の意向が反映されていたとはいえ、大権そのものは孝謙にあったと考える方がよい。光明子の権限は、聖武天皇の第一夫人を足掛かりにして、さらに皇太子の母として皇后となり、そして孝謙天皇の母として皇太后となったことに支えられていた。

2　崇仏天皇への道

孝謙即位後初めての行幸

孝謙は即位三カ月後、初めての大規模な行幸を行った。天平勝宝元年（七四九）十月九日に河内国大県郡の智識寺を訪れ、その日から茨田《まんだの》弓束女《ゆづかめ》の宅を行宮として宿泊した。

茨田弓束女はこの当時外従五位下の位階を持ち、この孝謙の行幸によって正五位上に昇叙された。茨田氏は、河内国茨田郡茨田郷（門真市門真付近）を本拠地とし、その祖先の野見《のみ》宿禰《すくね》が仁徳朝に茨田堤を造営したとの伝承を持つ皇別氏族である。天平十七年（七四五）正月七日に無位から外従五位下に叙され、天平十九年（七四七）六月七日に宿禰姓を同族男性と思われる従八位上の枚野とともに賜っている。所属は不明であるが、光明子や孝謙の側に仕えた宮人であったと考えられる。

そして茨田氏と孝謙のつながりで注目されるのは、阿倍皇太子時代の天平十六年（七四四）頃の令旨写経のうち、『法華経』や『法華玄賛』の書写に関する宣を行っていた茨田枚麻呂の存在である。枚麻呂は「正倉院文書」の天平十七年（七四五）四月十八日の文書断簡に「少進」とある（『大日本古文書』八―四六六頁)。この史料と類似の五月二十九日分の粮米等の申請がみえる中宮職解(『大日本古文書』八―四六五頁)と同類とされて、『日本古代人名辞典』では中宮少進に比定されている。しかし中宮職のものは四月十四日に既に申請されており、四月十八日に別の人物たちによって再度申請されるとは考えがたい。同時に署名している少属の川原蔵人凡は天平十八年(七四六)に皇后宮職少属であることは確かであり(『大日本古文書』九―一三九頁)、枚麻呂は皇后宮職の少進と考えられる。前述したように、皇太子時代の令旨《りょうじ》による写経は、母光明子の皇后宮職との関係が密であったことから、枚麻呂が皇太子写経事業をサポートしていたことを示している。そして弓束女と同時に宿禰になった枚野と同じ枚の字が使われている点から、枚麻呂も弓束女の親族であった可能性が強い。枚麻呂は私願経の『最勝王経』を書写させるなど、私的にも仏教に帰依していた人物であった。また天平十八年には近江国介となっており、この時は仲麻呂も近江守として署名しているように(『大日本古文書』二―五二三頁)、仲麻呂とも結びつきがあった人物である。なお枚麻呂は、この行幸の二カ月ほど前、天平勝宝元年(七四九)八月十日に美作守となっていた。

智識寺とその周辺

孝謙がこの地に滞在した最大の目的は智識寺参詣であった。特別の思いがこの寺にあったのだろうか。天平勝宝元年(七四九)十二月二十七日宣命第十五詔によれば、「去る辰の年」すなわち天平十二年にこの寺に行幸し、盧舎那仏を拝したとあるが、この詔は孝謙ではなく、聖武の詔とされている。今回父の強い勧めもあって、東大寺大仏造立の手本となった知識の力と、それを束ねる「崇仏天皇」の役割を学ぶために、孝謙は行幸したのであろう。後の天平勝宝八歳（七五六）二月には父とともに難波行幸の途中でも礼仏している。

　智識寺がある中河内地域は仏教受容の先進地域の一つであった。渡来系氏族で王仁《わに》の後裔氏族とされる西文《かわちのあや》氏の一族の文・武生・蔵氏、王辰爾《おうしんに》後裔氏族の津・葛井・船氏の蟠踞する地域であり、特に西文氏の西琳寺《さいりんじ》、船氏の野中寺《やちゅうじ》、葛井氏の藤井寺《ふじいでら》などが建立されていた。そしてこれらの氏族からは古くは道昭《どうしょう》、そしてこの時代では慈訓《じきん》、慶俊《きょうしゅん》など重要な僧侶を輩出していた。その一方で、民間の知識結による造像や写経も早くから盛んであった。

智識寺東塔心礎石
（大阪府柏原市太平寺・石神社境内）

　この智識寺がある大県郡には飛鳥戸・春日戸・橘戸・高安戸などをはじめとする渡来系氏族が多く、下級官人などを多く輩出する地域でもあった。そしてまたこの地域は祖母三千代以来の縁があり、母光明子の名安宿媛も河内国安宿郡に関連していた。後に光明子が没した後、天平宝字五・六年（七六一・七六二）頃には光覚《こうかく》という教化僧の指導のもとに知識を募り、「皇帝后」（光明子）のためとして、一切経の書写勧進活動が行われたこともあった。

　孝謙は行宮滞在から五日後の十四日に、河内国を流れる石川のほとりに行幸した。そして中河内の志紀・大県・安宿の三郡を国見し、その郡の百姓に賜物や負債の免除などを行った。天平勝宝六年（七五四）九月二十九日の日付のある、「家原邑知識経《えばらむら》」と通称される『大般若経』の願文（『寧楽遺文』六二三頁）によれば、天平十一年（七三九）頃、万福《まんぷく》法師という教化僧がこの地域で様々な活動をしており、その中の一つが河内大橋の改修であったという。この橋は龍田道と大津道と渋河路の分岐点、大和川と石川の合流点でもある交通の要所にあった。孝謙が行幸した「石川のほとり」はこのあたりであろう。

万福法師は天平十二年（七四〇）の冬に至るまでその活動をしたが、志半ばで死去したという。この年は前述した聖武の智識寺行幸があり、万福法師は智識寺の盧舎那仏造営も指導していた可能性がある。そして孝謙が行幸した天平勝宝元年（七四九）当時は、万福法師の遺志を継いだ花影《かえい》禅師の指導によって、中断していた知識活動を再開しつつあった頃である。

孝謙はさらに十月十五日には、河内国の寺六六区に現住している僧・尼・沙弥・沙弥尼に絁や綿を賜った。これら仏教に比重を置いた行幸が、孝謙即位直後、大嘗祭に先立って行われていることが注目される。孝謙が仏教と神祇信仰のそれぞれを重視しつつも、仏教に大きな比重を置いていくうえで、その先駆けの一つになっている。

孝謙天皇の大嘗祭

天平勝宝元年（七四九）十月十五日に河内国智識寺等の行幸から帰る際、孝謙は平城宮ではなく大郡宮《おおごおりのみや》（所在地不詳、大和国内か）に還った。なお史料に「還」の字があることから、孝謙は大郡宮から河内行幸に出発していた可能性もある。

さらに十一月二十五日に南薬園新宮（所在地不詳、大和郡山市か）において孝謙の大嘗祭《だいじょうさい》が行われた。

大嘗祭とは天皇が即位した後、最初に挙行する大規模な新嘗祭《にいなめさい》であり、即位儀礼はこの祭祀の執行をもって最終的に完結する。通常は平城宮東区朝堂院朝庭で行われる大嘗祭が、平城宮外において営まれるという、この異例の措置は、朝堂の掘立柱建物から礎石建物への建て替え工事がこの時には始まっていたためと推測されている。さらに後、十一月三十日に再び大郡宮に遷っている。その後天平勝宝元年末まで孝謙が他所に移動した形跡はなく、翌天平勝宝二年（七五〇）正月一日の元日朝賀を迎えた宮も、南薬園新宮であった可能性が指摘されている。

なお「大嘗の歳」にも橘奈良麻呂が再度佐伯全成に謀反計画を打診し、断られていた。時期は明らかではないが、奈良麻呂が男性天皇の出家と譲位という前例のない事態を、かつての難波宮における聖武天皇危篤という緊迫した時期に次ぐ、女性天皇阻止の好機と認識したことによる。しかし孝謙即位を支える光明子の意向を背景にし、藤原仲麻呂率いる紫微中台体制の下では実行は不可能であった。

宇佐八幡神の入京

大嘗祭の前後で特筆すべきことは、十一月十九日に宇佐八幡《うさはちまん》の託宣によって八幡神が入京することになったことである。

この神は七世紀までに在地の宇佐氏の信仰、渡来系氏族の辛嶋《からしま》氏による先進文化と仏教信仰に、畿内の大神《おおみわ》氏による応神天皇信仰が融合していたとする説、または八世紀に作り出された神格とする説などがある。中世の『八幡宇佐宮御託宣集《はちまんうさぐうごたくせんしゅう》』や『宇佐八幡宮弥勒寺建立縁起《うさはちまんぐうみろくじこんりゅうえんぎ》』などでは、欽明《きんめい》天皇の時代に出現した神とされる。そして八世紀に関連した伝承としては、養老年間の隼人《はやと》政策に神威を発揮し、聖武の時代に官社に列したとある。しかし八幡神は記紀にはみえず、六国史では『続日本紀』

天平九年（七三七）四月一日、新羅との軍事的緊張を背景に、伊勢神宮、大和の大神社《おおみわ》、筑紫の住吉《すみのえ》社、香椎宮《かしいぐう》とともに、八幡社にも「新羅無礼の状」を報告する奉幣使が派遣されたのが初見である。そして天平十二年（七四〇）十月九日、藤原広嗣の乱に際し、詔によって戦勝祈願し、この戦勝成就に報いるため、天平十三年（七四一）閏三月二十四日には、八幡神宮に秘錦冠一頭・金字最勝王経・法華経各一部・度者一〇人・封戸・馬五疋を奉り、また三重塔一区を造立している。神宮寺を伴う神仏習合的性格が顕著な神となっていたことがわかる。

天平勝宝元年（七四九）十一月一日、禰宜《ねぎ》の大神社女《おおがのもりめ》と主神司《しゅじんし》の大神田《おおがのた》（多）麻呂《まろ》が朝臣の姓を賜ると、十九日に八幡大神の入京の託宣が降った。このため二十四日に迎神使が任じられ、路次の諸国に兵士一〇〇人以上が差発され、殺生や穢れを排除する警備体制のもと、十二月十八日には平群郡から八幡神が京に入り、二十七日には禰宜尼として社女が紫色の輿に乗って東大寺を拝礼した。

孝謙天皇・太上天皇・皇太后も行幸して盛大な礼仏読経の法会が行われ、大仏造立を守護する八幡神に一品、比咩神《ひめかみ》に二品が奉られ、社女以下にも叙位がなされた。禰宜が尼となっているように、仏教と習合した性格を持つこの八幡神は、孝謙を支える神として重んじられ、特別な待遇を賜与され、それに伴って政治にも大きな影響を与えていくことになった。また天平勝宝二年（七五〇）十月一日には、八幡神の教えによって、仲麻呂の弟藤原乙麻呂を大宰帥に任じるなど、人事にまで影響が及んでいる。

祝賀ムードの中で暮れた孝謙即位元年であったが、翌天平勝宝二年（七五〇）正月十日、突如孝謙の側近であった吉備真備が筑前守に左降されて京を離れていった。真備の左降と遣唐使派遣

真備薨伝によれば藤原広嗣の逆魂の故とも評され、筑前守の後さらに肥前守になったという。真備の中央政治からの排除は、この頃紫微令として発言権を増していた仲麻呂の影響を想定する説が多い。おそらく孝謙の意向ではなかったであろう。

その後孝謙は、二月に大郡宮から薬師寺宮に移御した。ただし御在所としたとは記されていないので、一時的なものか、あるいは薬師寺宮は薬園宮の誤記の可能性もある。なお七月二十九日付の浄清所解には大郡宮行幸に関する決算報告がみえる（『大日本古文書』一一―三五一～三五三頁）。浄清所は皇后宮職、紫微中台の被管官司と考えられており、大郡宮に光明子が二十六日の少し前まで行幸して、平城の皇太后宮に還御したことを示している。孝謙の行幸に同伴した可能性もあり、この頃孝謙も平城宮に還御したと考えられる。

この年は孝謙即位後初めての遣唐使派遣が計画され、九月二十四日に大使は藤原清河《きよかわ》、副使は大伴古麻呂が任命された。しかしこの派遣はすぐには実行されず、その準備が進行するなか、約一年後の天平勝宝三年（七五一）十一月には吉備真備が以前の留学経験を踏まえて遣唐副使に追加任命された。そして実際に遣唐使が節刀を賜り平城京を出発したのは、天平勝宝四年（七五二）閏三月であった。

孝謙の和歌

『万葉集』には孝謙の和歌が三首残っている。そのうちの巻十九の四二六四・四二六五は、孝謙御製の長歌と短歌である。孝謙が高麗福信《こまのふくしん》を難波に派遣し、酒肴を入唐大

使藤原清河らに賜った時のものである。ただし宴が開かれた日は不明とされている。勅使となった高麗福信はもと肖奈《しょうな》姓であり、この時の役職は紫微少弼中衛少将と山背守などであったが、阿倍皇太子時代に春宮亮を務めた人物でもあった。

（四二六四）
そらみつ　日本の国は　水の上は　地行くごとく　船の上は　床に居るごと　大神の　斎《いわ》へる国そ　四《よ》つの船　船舳並べ　平けく　早渡り来て　返り言　奏《もう》さむ日に　相飲まむ酒そ　この豊御酒は

（四二六五）
反歌一首
四つの船　はや帰り来と　しらか付け　朕が裳の裾《すそ》に　斎ひて待たむ

数少ない孝謙の歌の例ではあるが、四隻の遣唐使船が平安に、すぐ渡り来て、復命してくれるであろうその日に、ともに飲む美酒について詠んでおり、また反歌では、わたしの裳の裾にまじないをして無事を祈ると詠んでいる。使いを送り出す「賜酒儀礼」の歌であるが、女性の衣服である裳、さらに呪力が宿るとされる裳の裾に斎うことで無事の帰還を祈る姿は、男性を送り出し、その帰りを待つ女性の形式を踏んでおり、女帝の歌である特徴が出ている。

大仏開眼会

即位後の孝謙は、聖武の影響を受けて仏教を重んじる「崇仏天皇」を目指し、かつ実践していった。例えば天平勝宝二年（七五〇）四月四日に、自ら思い立って、『薬師経』による行道懺悔《ぎょうどうざんげ》を行い、恩恕を施して人を救済することを願い、さらにまた大赦している。同年五月八日には中宮安殿に僧一〇〇名を請じて『仁王経《にんのうきょう》』を講説させ、かつ左右京四畿内七道の諸国にも講説させている。これは孝謙の即位に伴う一代一講の仁王会《にんのうえ》として行われた可能性がある。

また天平勝宝三年（七五一）正月十四日に、即位後二度目の東大寺行幸に出かけている。基本的には父と母の東大寺大仏への思いを引き継いだものといえる。一方、聖武は譲位後も体調がすぐれなかった。このため孝謙は父の病気平癒を念じて、十月二十三日、新薬師寺《しんやくしじ》で四九日間、四九名の僧を招請し、続命《ぞくみょう》の法による行道をさせている。さらに天平勝宝四年（七五二）正月十一日も僧九五〇人、尼五〇人を得度させるなど、聖武の病気平癒のための仏事を断続的に行わせていた。

この年の三月十四日から始まった大仏鍍金はまだ完了していなかったが、四月九日になって、聖武の念願であった大仏開眼会《だいぶつかいげんえ》が行われた。体調のすぐれない聖武天皇の代理として、天平八年（七三六）に来日していた南天竺《みなみてんじく》僧の菩提僊那《ぼだいせんな》が開眼師となり、厳かに行うことになった。菩提僊那の持った筆には縄（絹紐）が付けられ、それの端を聖武以下おそらく孝謙、そして参集した人々が持ち、大仏の眼に墨を入れる瞬間を共有した。そして講師の隆尊《りゅうそん》、読師の延福《えんぷく》が『華厳経』の講説を行い、その後大歌《おおうた》・久米舞《くめまい》から始まり、唐・高麗《こま》など諸外国の楽や舞が奏された。そして斎会には一万に及ぶ僧沙弥尼が招請され、「万僧供《まんそうく》」が行われた。正倉院に蠟燭のように固まって伝来していたいわゆる

「蠟燭文書」が近年解読され、その断片の一つには菩提僊那などの名もみられ、この時に招請された僧の名を書き上げた名簿であったことが判明した。

この時三十五歳となっていた孝謙は、「仏法の東に帰《いた》りてより、斎会の儀、かつて此の如く盛りなるは有らず」と評された盛大な法会を、天皇として主催した。孝謙が率いた文武百官は元日と同じ儀礼に基づき、五位以上は礼服を着用し、六位以下はその位に定められた色の朝服を着用した。

孝謙自身が開眼会当日に天皇として着用した冠、また聖武太上天皇、光明皇太后の礼冠の部品の残闕、二つの冠架とこれを納める赤漆小櫃二合が正倉院に残っている。

天子冠を被った女帝

また「礼服礼冠目録断簡」（『大日本古文書』二五―附録一三七～一三九頁）には、聖武太上天皇、光明皇太后の礼服と礼冠、孝謙天皇の礼冠の具体的な内容が記載されている。この「礼服礼冠目録断簡」（和田軍一復元）によれば、聖武太上天皇の礼服は「帛袷袍《はくのあわせのほう》一領、襖子《あおし》二領一架綿一袷、汗衫《かざみ》一領、褶《ひらみ》一腰羅襴《らのすそ》、袴一腰絮綿《あしわた》」、そして光明子は「帛綾袷袍《はくのあやのあわせのほう》一領、単衣《ひとえ》一領、絮綿褶一腰羅襴、帛羅帯一条」とあり、すなわち白色の礼服であった。襖子一領分は光明子用と推定する説もあり、また聖武の袴は褶で隠れるため、外見上は男女差がなかったとされる。ただし孝謙天皇はついてはなぜか衣服の記載はない。

天皇の衣服は弘仁十一年（八二〇）二月一日に嵯峨天皇の詔によって、神事や荷前《のさき》発遣の儀式には「帛衣」、正月朝賀には中国式の大袖の赤い袞衣《こんえ》に龍や二日月など十二種類の吉祥文様を配した「袞冕《こんべん》

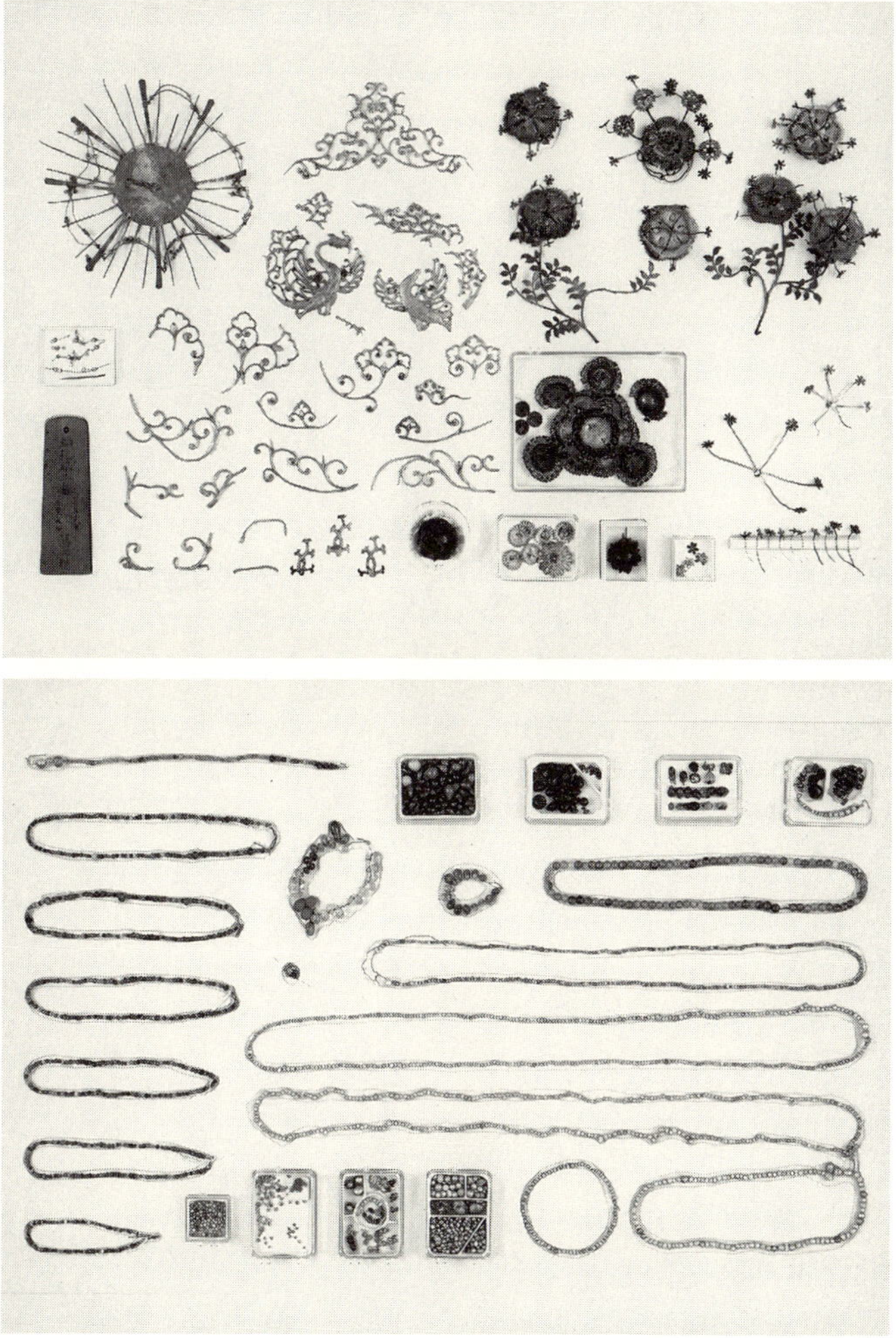

礼服御冠残欠第１層（上）と第４層（下）
（正倉院宝物）

冕冠（孝明天皇御即位御料）
（宮内庁蔵）

十二章《じゅうにしょう》」、告朔《こうさく》、聴政や蕃国使に対して、また一般の奉幣、大小の諸会では「黄櫨染衣《こうろぜんのころも》」を用いるよう定められた（『日本紀略』）。天平四年（七三二）に聖武が「冕服」を取り入れたとある。しかし通説では、嵯峨天皇の時に赤色の「袞冕十二章」が初めて採用され、光仁・桓武・平城天皇を含め、それまでの天皇の衣服は男性天皇・女性天皇を問わず、伝統的な白を基調とした衣服であったとされている。孝謙以前から女性天皇の衣服が男性天皇と区別がなかったのは、天皇が性差を超越した存在であったためとみる説もある。

なお『西宮記《さいきゅうき》』第二巻（臨時三）装束に、天皇即位の女帝御服は「白御衣」とあるが、これはこの時期の最後の女帝であった孝謙・称徳の即位時の服がモデルであったと推測されている。ただし『西宮記』は、女帝は宝冠を着け、男性天皇のみが冕冠《べんかん》を用いるとしており、孝謙が実際は冕冠を用いていたことを知らない後世の説でもある。

「礼服礼冠目録断簡」によれば、聖武の礼冠は皀羅《くりのら》に金銀宝珠荘が施され、黒紫組纓《くみえい》が二条ついたものであり、光明子の礼冠は純金鳳と金銀葛形宝珠荘が施されたものに、白綿組緒《くみお》が二条ついたものであった。これに対して、孝謙の「礼冠」は旒《りゅう》があり、雑玉飾がついていた。この旒とは冠の前後に玉を糸に通して垂らした飾りであり、このことからこれが冕旒のある冠であったことがわかる。そしてまた併記された「凡冠」にも雑玉飾がついていた。実際にはこの礼冠と凡冠二つを組み合わせて被ることによって、中国皇帝の冕冠に範をとった天子冠となった可能性も指摘されている。そして聖武の礼冠用とされて伝来した赤漆八角小櫃内の冠架に、実際はこの孝謙用の礼冠と凡冠がセットで納められていたと推測されている。

前述したように聖武は天平四年（七三二）の朝賀に初めて中国式の冕冠を着用した。この冕冠を天子冠とすることを受け継いだことにより、孝謙は男性天皇と同等の天子冠である冕冠を被ることになった。その点では少なくとも頭上は、それ以前の女帝とは明らかに異なる「男装」の天皇であった。なお十二世紀末までは、正倉院の冕冠は孝謙の天子冠であると認識されていたらしいが、十三世紀中頃になり、成人男帝である後嵯峨天皇の即位用玉冠を新造するための手本として、正倉院から借り出された冠四頭のうち、二頭を孝謙のもの、二頭を聖武のものとし、孝謙の被った冕冠を聖武のものと誤解していくようになっていった。これは女帝が冕冠を被ることをまったく想定できなくなった時代を象徴している。

仲麻呂田村第への行幸歌　無事に開眼会が終わると、その夕べに、孝謙は大納言の藤原仲麻呂の邸宅である田村第に還り、ここを御在所にした。

次の『万葉集』巻十九の四二六八の歌は、大納言藤原家に行幸した日の孝謙の歌である。

この里は　継ぎて霜や置く　夏の野に　我が見し草は　もみちたりけり

詞書には、天皇と太后がともに大納言藤原家に行幸した日、黄色に色づいた沢蘭《さわあららぎ》一枝を抜き取って、内侍《ないし》の佐々貴山君《ささきやまのきみ》に持たせ、大納言の仲麻呂や陪従の大夫らに遣わし、命婦《みょうぶ》に誦させたとある。沢蘭はキク科の多年草サワヒヨドリの古名で、秋に白または淡紅紫色でフジバカマに似た花をつける。この里は引き続いて霜が置くのだろうか、夏の野に私が見た草は黄葉になっていると詠んでいる。

この夏の行幸は、『万葉集』巻十九の前後の歌の年代関係から、通説では天平勝宝四年四月の大仏開眼会直後の行幸を指すとされている。夏に黄色になるのは通常ではない現象で、その珍しさが目を引いたとみる説である。しかしこれを、秋の歌とみて、再度秋に訪れた時の歌とみる説もある。

孝謙の御在所となった田村宮は左京四条二坊にあったことが、延喜二年（九〇二）十二月二十八日太政官符（『平安遺文』四五五一号文書）から窺える。勝宝感神聖武皇帝供養三宝料として、孝謙天皇が東大寺に勅施入した園地の一部である「田村所」二ヵ所内の、左京四条二坊の約一町分の四至表記に「北限小道幷田村宮」とみえる。この地は南に大道があり、また他の史料から十二坪に相当することが知られている。田村宮の規模は不明であるが、十二坪も元は宮の一部であった可能性があり、この北の十一坪などを含んだと考えられる。なお東大寺に十二坪を勅施入したのは天平勝宝八歳（七五六）五月二十五日（「孝謙天皇東大寺宮宅田園施入勅」『大日本古文書』四―一一八～一二〇頁）であった。この宮と仲麻呂の田村第は、合わせて左京四条二坊の東側半分の八町分（九～十六坪）を占めていたと推定されている。後述するように孝謙は天平勝宝九歳（天平宝字元・七五七）五月四日の大宮改修時にも、田村宮に行幸していく。

新羅・渤海の仏教外交

大仏開眼会の半月程前に、新羅の王子金泰廉《こんたいれん》以下七〇〇余人という異例の大編成となった新羅使が大宰府に到着していた。そしてこのうち三〇〇余人が入京し、六月十四日に孝謙に拝謁し、十七日に饗宴が行われ、さらに二十二日には金泰廉らは大安寺、東大寺に赴き大仏に礼拝した。そして帰国に際し、七月二十四日には難波館でも賜物や酒宴が行われた。

新羅との外交関係は、日本側が新羅国王へ日本と新羅の宗主国―付庸国の統属関係を主張し貢調を強制していたことから、必ずしも友好的に推移していたわけではなかった。特に天平期は対新羅関係の悪化によって派兵まで検討されたものの、天然痘の流行と藤原四子の死去などによって頓挫したこともあった。しかし今回は新羅側から名目的であった可能性はあるが、前例のない「王子」を派遣し、奏上の際は「日本照臨天皇《にちほんにてらしみませる》」の語を使用するなど、きわめて親密友好的なムードで進行した。新羅側が政治的な建前を一時保留し、盧舎那仏という東アジア共通の華厳信仰を媒介とした宗教的な礼仏交流を前提に、新羅交易による経済的実質を重んじたものであったと考えられる。

父聖武が願主として造立した盧舎那仏の蓮華蔵《れんげぞう》の「法界《ほっかい》」における平等という、東アジアの仏教文化の中での共同幻想に基づき、国内の人々、また新羅王や新羅の人々が、逆に統属関係を取り払った中で結縁し、このすべての人々がともに大仏に帰依することによって、国内外の安定が保障される世界を、聖武が構想した可能性も考えられる。それゆえ新羅側も最終的には「沙弥勝満」となった聖武の造った「大仏」への礼拝の招請を「拒否」できなかったといえよう。このような仏教を媒介とした新羅外交を父とともに成功させたことも、孝謙天皇の経験として大きかった。

また渤海との外交も、例えば聖武天皇時代の神亀四年（七二七）や天平十一年（七三九）に来航した使節は、「大王」や「天皇」と奏上したのに対し、孝謙天皇時代の天平勝宝五年（七五三）五月に拝朝した渤海使も「日本照臨聖天皇」と奏上する外交を展開するようになっていた。これも皇帝菩薩化した「聖天皇」、「崇仏天皇」像に関連した可能性がある。このような外交を通じても、孝謙は「聖天皇」、「崇仏天皇」としての自覚を持っていった。

鑑真から菩薩戒を受ける

天平勝宝五年（七五三）正月、孝謙が派遣した遣唐使は、唐長安において玄宗の朝賀に参列した時、新羅と席次を争って序列を入れ替えさせる事件も起きたが、当時玄宗に重用されていた阿倍仲麻呂（朝衡）の働きもあって、無事任務を終え、十月には阿倍仲麻呂とともに帰国の途に就いた。

しかし大使清河と阿倍仲麻呂の乗船した第一船は阿児奈波《あこなわ》（沖縄）を出た後遭難し、唐に戻ることを余儀なくされた。一方唐僧鑑真と僧尼や俗人の弟子たちを乗せた副使大伴古麻呂の第二船は、阿児奈波から薩摩国阿多郡秋妻屋浦《あきずやのうら》に着岸し、無事大宰府に至った（『唐大和上東征伝』）。鑑真の来日は、天平度の遣唐留学僧栄叡《ようえい》・普照《ふしょう》らが、天平十四年（七四二）春に揚州大明寺の鑑真のもとに到り、来日を要請して以来、度重ねて渡海を試みること六回目にして、ようやく果たされたものであった。また副使吉備真備の第三船は益久島（屋久島）を経て、紀伊国牟漏埼《むろのさき》に着き、第四船は遅れて六年四月になって薩摩国石籬浦に帰着したことが報告された。

鑑真一行は天平勝宝六年（七五四）二月に平城京羅城門で盛大な迎接儀礼を受けた後、東大寺に入った。十二年にわたる苦難に満ちた労をねぎらい、勅使吉備真備が「自今以後、授戒伝律はもはら大和尚に任《まか》す」という孝謙の意向を伝えた。なお真備はこの後、大宰大弐として筑前国の怡土城の築城などに活躍し、中央に復帰するのは天平宝字八年（七六四）の恵美押勝の乱直前、造東大寺長官として孝謙が呼び戻す時点であり、その間孝謙との関係が地理的に離れていった。

そして四月には大仏前に設置した戒壇において、鑑真を戒師として聖武太上天皇らが菩薩戒を受けた。『唐大和上東征伝』には「初めて盧遮那殿前に於いて戒壇を立て、天皇初めて登壇し菩薩戒を受く、次いで皇后皇太子亦登壇受戒す」とあり、この史料の表記では皇太子となっているが、孝謙も父聖武、母光明子とともに、戒壇に登って菩薩戒を受戒している。「崇仏天皇」の証として菩薩戒を重視した孝謙が、中国高僧から戒を授けられたことは、三十七歳となっていた孝謙にとって重要な経験であった。同日沙弥澄修ら四四〇余人も受戒し、後日、大僧賢璟《けんきょう》・忍基《にんき》らの学僧八〇余人は具足戒を受けた。東大寺では、翌天平勝宝七歳（七五五）十月、大仏殿西方に聖武らの受戒した戒壇の土を移して常設の戒壇院が造られた。

その後鑑真は、天平宝字元年（七五七）十一月二十八日に備前国水田百町を賜ったので、これを財源に新たな伽藍建立を願った。平城右京五条二坊にあった故新田部親王の旧宅地が下賜され、この地に建立し、そして天平宝字三年（七五九）八月に寺名が唐招提寺とされた。

なお孝謙が初めて菩薩戒を受戒したのは、この鑑真来日直後であったが、『唐招提寺戒壇記』には、天平宝字三年八月に唐招提寺の戒壇が造られた時、孝謙天皇が登壇受戒したとみえる。近年この寺の戒壇院も鑑真在世中に造立された可能性を指摘する説があり、この時とは確定できないものの、再度鑑真から受戒した可能性もある。

祖母宮子の逝去、行信厭魅事件

天平勝宝六年（七五四）七月十三日、祖母宮子の病気平癒のために大赦や度者が行われたが、宮子は十九日に中宮で逝去し、八月四日には佐保山陵で火葬された。この時点で孝謙の祖父母が全員死に絶え、残る肉親である父母も次第に高齢化と健康不安が増すようになっていった。

十一月八日には「二尊」すなわち父聖武と母光明子の御体平安、長寿を祈願して四九名の僧を招いて七日間薬師供養会を行い、放生の教えによって大赦している。光明子は前年四月にも体調を崩して大赦を行っていた時があった。

このような中、十一月二十四日に厭魅を理由に、薬師寺の行信が下野薬師寺に配流された。また二十七日には宇佐八幡宮の禰宜大神社女と主神大神多麻呂は位階や朝臣の姓を除かれて、それぞれ日向、多褹嶋に配流された。行信は、かつて孝謙が光明子とともに皇太子への道を模索していた天平七年（七三五）十二月に、阿倍内親王が主催した翌年二月の上宮王院法華経講料施入を勧め、孝謙の聖徳太子信仰に大きな影響を与えた行信と同一人物の可能性が強い。また大神社女はかつて八幡神入京に際し、華々しく紫輿に同輿して東大寺を拝した人物であり、多麻呂はそれによって昇叙されていた。

行信は、光明子や聖武に重用され、律師や大僧都として僧綱に列していたが、『僧綱補任』天平勝宝二年（七五〇）以降記載されず、何らかの理由で解任されたらしい。天平勝宝三年七月十二日付の「正倉院文書」の「経疏出納帳」に単に僧行信として登場しており（『大日本古文書』三―五一二頁）、降格に対する不満が背景にあったと考えられる。

厭魅の対象や内容は不明であるが、多麻呂は称徳天皇時代の天平神護二年（七六六）に復権しており、この厭魅は孝謙が直接の対象ではなかった可能性がある。宇佐八幡の神官内部の権力闘争と絡んでいた可能性もあり、大神氏以外の禰宜・祝が新たに補任され、封戸・位田は大宰府に検知されることになった。なおこの頃の大宰府の帥は石川年足、大弐は紀飯麻呂で、年足は春宮大夫でもあった人物である。いずれにしてもそれまで築かれてきた宇佐八幡神の関係が一挙に不安定になり、翌天平勝宝七歳（七五五）三月には八幡大神が一四〇〇戸の封戸と一四〇町の賜田を返上する託宣を行った。

行信の没時は不明であるが、行信が『法華経』『最勝王経』『大般若経』『瑜伽地師論』合わせて二七〇〇巻の書写を誓願したが果たせずに没した後、神護景雲元年（七六七）九月五日に弟子の孝仁らが継承して書写したとする写経識語が残っている（『寧楽遺文』六三七頁）。その中で、「（前略）仰きて願はくは、挂《か》けまくも畏《かしこ》き聖朝、金輪《こんりん》の化、乾坤《けんこん》と与《くみ》して動かず、長遠の壽、劫石《ごうしゃく》と争いて弥《い》や遠からむことを。退きて願はくは、篤く四恩《しおん》を蒙り、涅槃《ねはん》の山に枕し、菩提の樹に坐し、位を成して灌《かん》頂《じょう》し、力を奮わして降摩《こうま》し、広く法界《ほっかい》、六道有識《ろくどううしき》に及ぼし、離苦得楽《りくとくらく》して、斉《ひと》しく覚道《かくどう》に登らむことを」とみえ、称徳が金輪聖王《こんりんじょうおう》として長寿となることを願っている。

3　孝謙天皇の試練

天平勝宝七年（七五五）は正月四日の勅によって天平勝宝七歳と改正された。年を歳と表記するのは、唐において玄宗の天宝三載から粛宗の至徳三載まで年を載と表記した例を模倣したものであった。

聖武太上天皇の逝去

十月二十二日、聖武の体調が悪化し、孝謙は大赦を行い、殺生禁断を命じ、また山陵と不比等の墓へ奉幣を行った。さらに十一月二日にも伊勢神宮に奉幣の勅使を派遣した。繰り返される聖武の体調悪化は、そのたびに政治不安を引き起こした。そして今回、聖武の病気を知った橘諸兄が酒に酔って少し謀反《むへん》に関わる暴言を述べたという。これを諸兄側近の佐味宮守《さみのみやもり》が聖武に密告したが、聖武はこれを見逃して咎めなかった。幸いこの時の病状は大事には至らず、しばらくは小康状態が続いた。しかし天平勝宝八歳（七五六）二月二日に、諸兄が左大臣の辞職を願い出て、孝謙はこれを慰留せず勅で許可を下した。前年の暴言密告に関わる経緯を知って辞意を固めたものであったらしい。

二月二十四日から、孝謙は聖武・光明子とともに難波行幸に出発した。聖武のたっての希望だったのであろう。この日一行は、河内智識寺の南の行宮で宿泊し、孝謙は翌日智識寺をはじめ周辺の山下・大里・三宅・家原・鳥坂等の七寺に礼仏した。二十六日には孝謙は智識寺以外の六寺に内舎人を派遣し、誦経させて布施を行い、二十八日には河内国内の寺に布施し、神社の祝・禰宜らに賜物をしつつ、難波宮の東南の新宮に至った。父聖武の体調を考慮した、ゆったりとした旅となっていた。

聖武は三月の初めに難波の堀江の上に出かける気力はあったが、その後体調を崩し、四月半ばに再度大赦を行うまでに重篤となった。復路は渋河路を通り、今回も智識寺で一泊しつつ、十七日に平城宮に還ったが、これが難波宮と浅からぬ因縁のあった聖武にとっての最後の行幸となった。

この天平勝宝八歳（七五六）四月の聖武重篤時にも、橘奈良麻呂は三度目の謀反計画を立て、これをまた佐伯全成に持ち掛けていた。弁官曹司で謀られた計画は大伴古麻呂とも共謀し、黄文王を立てて君とし、藤原豊成・仲麻呂らの立てる王に対抗するものであった。しかしこの時も現実には実行されずに終わった。

そして法栄ら一二六人に及ぶ看病禅師《かんびょうぜんじ》、特に良弁・慈訓ら高僧たちの心力を尽くした勤行、また伊勢や宇佐八幡への奉幣なども空しく、五月二日、とうとう聖武が平城宮寝殿で五十六歳の生涯を閉じた。これによって聖武太上天皇・光明皇太后・孝謙天皇の三位一体体制の一角が崩れた。

道祖王の立太子

聖武逝去の日、聖武の生存中保留されていた皇太子を道祖王《ふなど》とせよという聖武の遺詔があった。聖武による新しい皇太后・天皇・皇太子体制を示したものであった。

道祖王は新田部親王の子で天武二世王に当たり、天平十七年（七四五）に難波宮で聖武が危篤となった時、召集された孫王の一人であったと考えられる。新田部親王の母は藤原鎌足の娘五百重娘であり、藤原氏の血筋とも無縁ではなかった。このことが二世王の中でも道祖王が選ばれた大きな要因であった。新田部親王は天平七年（七三五）に没していたが、道祖王は天平九年（七三七）九月二十八日に無位から従四位下に叙位されており、もしこの時二十一歳とすれば、孝謙よりは一歳程年上になる。道祖王の兄塩焼王が聖武皇女不破内親王と婚姻関係にあったことを考えると、孝謙が天皇にならなければ、若い頃に配偶者候補となり得る年齢関係でもあった。

道祖王は天平十年（七三八）に散位頭、十二年（七四〇）に従四位上になり、天平十四年（七四二）に兄塩焼王の配流事件の影響があった可能性もあるが、その後天平二十年（七四八）に元正太上天皇の山作司を務め、天平勝宝五年（七五三）正月に石上宅嗣《いそのかみのやかつぐ》家の宴に参加した時は大膳大夫であった。そしてこの立太子時は中務卿従四位上、年齢は四十歳ほどであった。

『日本霊異記』下巻三十八縁には、遺詔の経緯について次のような伝承を載せている。聖武が仲麻呂を呼んで「朕が子阿陪の内親王と道祖の親王との二人を以て、天の下を治めしめむと欲《おも》ほす。云何《いかに》、是の語《こと》受くべしや不《いな》や」と相談し、仲麻呂は「甚だ勝れて能し」と受け入れたので、聖武は祈《うけい》の御酒を飲ませ、「若し朕が遺す勅を失はば、天地相憾《にく》ミ、大きなる厲《わざわい》を被らむ。汝今誓ふべし」と命じた。これに対して仲麻呂は「若し我、後の世に、勅詔に違はば、天《あま》つ神、地《くに》つ祇《かみ》、憾み嗔《いか》りて、太きなる災を被り、身を破り、命を滅さむ」と禱《うけい》の儀式を行って誓ったという。聖武は孝謙と道祖王の共治体制を願っており、これを反対しそうな仲麻呂に事前に誓約させていたというものである。

なお聖武の初七日直後の五月十日、大伴古慈斐《こじひ》と淡海三船《おうみのみふね》が朝廷を誹謗したとして拘禁されたが、三日後に放免されるという事件が起きた。これが何によるのかは不明であるが、この立太子に関わるものであったかもしれない。

聖武没後は喪葬・仏事供養で明け暮れ、また翌年の東大寺及び全国の国分寺で行う一周忌に向けた準備も進められた。年末の十二月三十日に、孝謙の勅によって『梵網経』講師六二人を招請するため、重臣たちが東大寺・大安寺・外嶋坊・薬師寺・元興寺・山階寺に派遣された。来年の四月十五日から五月二日まで、六二カ国で経を講義させるためであった。この時、皇太子道祖王が春宮大夫及び紫微少弼・侍従・右大弁でもあった巨勢堺麻呂《こせのさかいまろ》とともに東大寺に派遣された。これが皇太子として務めている唯一の記事である。

孝謙の筆跡

なお聖武の悲願であった東大寺の大仏の鍍金事業は、大仏開眼後も継続され、実際には天平宝字六年（七六二）前後まで続いた。その途中の天平勝宝九歳（天平宝字元・七五七）正月十八日に造東大寺司が沙金二〇一六両を請求したことに対して、二十一日に数によって下すことを孝謙が勅裁で許可した。この時孝謙が「宜」と御画《ぎょかく》した「請沙金注文（造東寺司沙金奉請文）」が現存している（『大日本古文書』十三―二〇七頁）（口絵参照）。孝謙の直筆としては唯一確実なものであり、大きく力強く書き上げられた筆跡から、四十歳となり、天皇としての自信にあふれた孝謙の姿が窺われる。また天平宝字三年（七五九）三月十九日の「施薬院請薬注文」（『大日本古文書』十四―二七九頁）も、淳仁天皇ではなく、実権をもった孝謙太上天皇の筆蹟とみる説もある。

なお王羲之流の字で彫られた奈良期のものとされる「唐招提寺」の額は、孝謙の揮毫に基づいて作成されたとする伝承がある（口絵参照）。後世の『南都唐招提寺略録』に「建初律寺と号し、後に掛るところの孝謙天皇宮額、改めて唐招提寺と称す」とあるが、古代の縁起類にはみえず、確実な根拠があるわけではないが、孝謙の御画の「宜」と通じるものがあるという指摘もある。

道祖王の廃太子

翌天平勝宝九歳（天平宝字元・七五七）正月六日、橘諸兄が七十四歳で没した。前年に引退していたとはいえ、政治的な影響力を持っていた諸兄の存在は、仲麻呂の暴走の歯止めになっていた。ところが九日には、皇親の石津王に臣下の藤原姓を賜り仲麻呂の子とするという、きわめて異例の措置がとられた。また三月二十七日には藤原部を久須波良《くずはら》部、君子《きみこ》部を吉美侯部と表記させる改正を行った。仲麻呂の発言力を背景にして、天皇の諱を避ける措置に類似させつつ藤原氏を特別に扱う政策が出されるようになる。

その一週間前の三月二十日に、孝謙の寝殿の上から張られた塵を防ぐ布の裏に、「天下大平」という瑞字が自然に生じているのが発見され、孝謙は二十二日に親王と群臣を召してこの瑞字をみせた。「正倉院文書」に残る二十五日に出された孝謙の宣命草によれば、この祥瑞を大いに貴び祝うべきであるが、今の間は政に異変があり、他の事に関われないので、そのことが終わってから趣旨を検討するとしている（『大日本古文書』四―二二五・二二六頁）。

そして二十九日に孝謙は突如群臣を招集し、先帝聖武の遺詔を示して、道祖王を廃太子するか否かの諮問を行った。聖武の服喪中であるにもかかわらず、道祖王が婬欲な志を縦《ほしいまま》にし、教勅を加えても、悔い改めることがなかったことが原因とされた。

翌四月四日の勅では、山陵の草も乾かないのに、密かに「侍童」に通じ、先帝に恭順ではないこと、喪礼では憂愁の意に適っていなかったこと、国家の機密を民間に漏らしたこと、好んで「婦言」を用いて道理に背いたことを挙げている。

孝謙が依拠した先帝の遺詔は、後の神護景雲三年（七六九）十月一日に称徳が発した宣命第四十五詔から推測できる。すなわち「この帝の位は天のお授けにならなかった人に授けても保つことはできない。またかえって身を滅ぼすことになる。朕が皇太子として立てた人であっても、汝が目でみてよくないとわかった人は、改めて立てることは、思ったようにしなさい」と言われていたとする。つまり聖武天皇は道祖王を皇太子としたが、適格者でないと孝謙が判断した場合は、廃太子することも孝謙に許可していたと理解していた。

右大臣藤原豊成らは、聖武の顧命には背けないとし、これによって廃太子が決定して、道祖王は右京の自宅に戻っていった。

大炊王の立太子

道祖王廃太子を受けて、四月四日に孝謙は群臣を招集し、新たな皇太子の人選を諮問した。右大臣豊成と中務卿永手は塩焼王、摂津大夫文室弥努《ぶんやのちぬ》（長親王の子、もと智努王）と左大弁大伴古麻呂は舎人親王の子である池田王を挙げた。これに対し大納言仲麻呂は、「臣下を知るのは君主であり、子供を知るのは父であり、ただ天意の選んだ者に従うだけです」と述べた。

孝謙は、そこで舎人親王の子の中で、船王は女性関係に問題があり、池田王は孝行に欠け、新田部親王の子塩焼王は聖武太上天皇が無礼と責められたと退け、まだ年齢は若いものの過失などを聞かないとして、二十五歳の舎人親王の子大炊王を立てたいとした。これが直接名を口にはしなかった仲麻呂の本命であった。この当時大炊王は仲麻呂の意向によって仲麻呂亡男真従《まより》の妻粟田諸姉《あわたのもろあね》と関係を結び、仲麻呂の招きにより田村第に居住していた。結局群臣が了承してこれを迎えて皇太子とした。

なお舎人親王旧宅は、左京にあったことは確かであり（『大日本古文書』一―六三二頁）、後に恵美寺《えみでら》（興仏寺）となったという伝承（『帝王編年記』天平宝字三年条）を参考にすると、もとから田村第に近接していた可能性がある。

この大炊王を傀儡化できる立場にいる仲麻呂の強力な意思が作用していることは確かであり、またこの人選に光明子も一定の理解を示していたと考えられる。孝謙自身は、道祖王や船王ら他の候補者たちに対する評価に表れているように、特に性癖について敏感であり、強い嫌悪感を持っていた。また不孝や無礼も孝謙の価値観からは許し難いものであった。ただし大炊王と夫を亡くした女性との関係は問題とはしておらず、他の王と比べ孝謙にとっても無難な選択となったのかもしれない。

大炊立太子に伴う孝謙の詔では、「天下大平」の瑞字の出現は、孝謙が「三宝」と「神明」に政の善悪を示してほしいと自ら願ったことに対する験であったとしている。ここで孝謙は仏教と神祇から示される霊験を政治判断の指針にしていることを明言しており、後の称徳時代に明確になる仏教的な政治思想の一端が既に現れ始めている。この時に大赦し、中男《ちゅうなん》正丁の年齢を一年引き上げる改正をして公民の負担軽減をし、『孝経』一本を家ごとに備えて読ませること、不孝・不恭の者を陸奥国の柵に配流することなど、儒教的価値観に基づく政策も出している。これは唐の玄宗の政策に倣った政策が多く、仲麻呂の意向を酌みとったものが多いが、かつて吉備真備から学んだ儒教を基礎とした孝謙自身の政治判断も含まれていたと考えられる。

五月二日に聖武の一周忌法要が無事に終わり、四日から大宮改修のために孝謙らが田村宮に移っており、仲麻呂の勢力範囲のもとで大炊王即位の準備が進められていった。二十日には仲麻呂が紫微内相に任じられ、内外諸兵事を掌り、また官位や禄賜、職分の田や封戸・資人などが大臣相当とされた。そして孝謙が外祖父故太政大臣不比等を顕彰するという形で、「養老律令」を施行するという勅も出された。これも実質的には仲麻呂影響下の政策であった。

一方で、このような仲麻呂に反発する動きも次第に活発化していた。この反仲麻呂の動きを封じるために、六月九日には諸氏の氏長《うじのおさ》が公事《くじ》でないのに一族を招集したり、王臣が所有する規定以上の馬を飼ったり、令の規定以外で兵器を保有したり、武官以外の者が京中で兵器を持ち歩いたり、京中を二〇騎以上の集団で行動したりすることを禁止する五つの規制が出された。そのような中、六月十六日に、橘奈良麻呂は正四位下の位階相当の兵部卿を外され、従四位上相当の右大弁とする降格人事が行われ、また大伴古麻呂は陸奥鎮守将軍として下向が命じられた。

橘奈良麻呂の変

そしてとうとう六月二十八日、黄文王・安宿王・橘奈良麻呂・大伴古麻呂らの謀反計画が発覚した。それまでにも前述してきたように、奈良麻呂は天平十七年（七四五）の聖武天皇危篤時、天平勝宝元年（七四九）の孝謙即位時、天平勝宝八歳（七五六）四月の聖武危篤時に佐伯全成に謀議を持ち掛けていたが、ここに至って決行が具体化していた。

すなわち六月中頃に、奈良麻呂家で、次に図書寮書庫のある庭で謀議していた。ただしこれらは六月十六日に右大弁巨勢堺麻呂、二十八日に山背王《やましろ》によって密告されていた。

それを知らずに奈良麻呂らは、二十九日の夜に太政官院の庭で二〇人ほどが集まり謀議し、天地と四方を礼拝し塩汁を歃る《すす》誓《うけい》が行われた。決起日は七月二日の夜とし、精兵四〇〇を率いて仲麻呂の田村宅を包囲し仲麻呂を殺害し、大殿を包囲し皇太子を退け、次に皇太后宮（朝）を傾け、駅鈴《えきれい》・印《いん》璽《じ》を奪い、右大臣豊成を召喚し天下に号令して、孝謙女帝を廃し、塩焼・道祖・安宿・黄文の四人の王から君主を選ぶというものであった。「田村宮」については賀茂角足らが図面まで入手して作戦を検討していた。

七月二日、孝謙は諸王臣を集め宣命第十六詔を発した。孝謙は「大宮」を包囲する謀議の噂があったが、「朕《わ》が朝《みかど》」を背く者などいないと思っていた。しかし多数の人の奏上があり問い質さなければならないことになった。狂い迷う者の心を慈悲によって正すこととしたが、このような状況では法によって処分せずには済ますことはできないとした。

それが終わると更に光明子も右大臣以下を召し入れて、異例の宣命第十七詔を発した。お前たちは私の近しい兄弟姉妹の子であり、聖武がしばしばお前たちを集めて「私が死んだあとは太后によく仕えるように」と言われていた。また大伴氏と佐伯氏は古くから内を守る役割を果たし、特に大伴氏は私の親族である。皆同心して天皇を助けるべきであるのにもかかわらず、醜い噂が聞こえてきた。みな明き清い心を持って奉仕せよと諭した。

当日仲麻呂も中衛舎人上道斐太都《かみつみちのひだつ》から、小野東人が大炊皇太子と仲麻呂の殺害に斐太都を誘ったこと、そしてその計画と参加者の詳細を聞きつけていた。この日のうちに小野東人、答本忠節が逮捕され、また道祖王の宅も包囲された。

三日は、豊成が尋問に加わっていたためか、小野東人が供述せず、夜には御在所に塩焼王・黄文王・安宿王・橘奈良麻呂・大伴古麻呂の五人を召し、仲麻呂が異例の光明子宣命第十八詔を伝えた。光明子の身内である五人に対して、罪を許すから今後はこのようなことをするなという恩詔を受けて、彼らは御在所の南門で感謝のお辞儀をしたという。この時は光明子の手前、まだ奈良麻呂・古麻呂らを完全に処分しようとせず穏便な措置を取る方針だった。

謀反人への拷問と処罰

しかし翌四日に永手だけを派遣して東人を尋問させ、自白によって事態の全貌が判明し、関係者を逮捕し拷問した。首謀者の奈良麻呂の供述によれば、謀反の動機を仲麻呂の政は「甚だ無道《あじきな》きこと多し」とし、具体的には東大寺造営が人民、氏人の苦しみ憂いを呼んでいること、剗《せき》を奈羅《なら》に置いたことを挙げた。しかし勅使が東大寺造営は父諸兄の時からの政策ではないかと反論すると、奈良麻呂は言葉を詰まらせて罪に服したという。黄文王・道祖王・大伴古麻呂・多治比犢養・小野東人・賀茂角足らが厳しい拷問の杖に打たれて死に、また獄死した者も多かったという。ただしこの拷問死した人々の中に奈良麻呂の名はない。欺かれて謀議に参加しただけと供述した安宿王は佐渡に流され、そして佐伯全成は陸奥国で尋問され、長年の経緯を語った後自殺した。

その後も処分は終わらず、九日には豊成に常日頃奈良麻呂と親しかった第三子乙縄《おとなわ》の引き渡しを命じ、乙縄を日向掾に左遷し、さらに十二日に豊成も右大臣を罷免し、大宰員外帥に左遷した。ただし豊成は難波の別業で病と称して、恵美押勝の乱後の天平宝字八年（七六四）九月に復位するまで、その地に八年間居住した。

同じ十二日、孝謙は平城宮朱雀門北の第一次朝堂院の南側と考えられる南院に出御し、諸司や京畿内の百姓の村長などに対して、この事件を総括し、黄文王に煽動された百姓を出羽国小勝《おかち》村の柵戸《きのへ》に移すことを命じた。

このことを命じた宣命第十九詔で、謀反人たちの処罰は、法によれば皆死罪に相当するが、姓名を貶めて、遠流に処すとした。さらに取り調べの拷問に耐え切れず杖下に死した黄文王を奴《くな》（久奈）多夫《たぶ》礼《れ》、道祖王を麻《ま》度《ど》比《ひ》と名を貶し、また賀茂角足は姓を乃《の》呂《ろ》志《し》と改めさせた。名や姓をきわめて感情的な表現で貶めることは、孝謙が行った処罰の特徴の一つであり、これがその初見であった。中国の武則天が刑罰として、本来の姓と同じ字音であるが、王氏から梟氏、蕭氏から蝮氏など嫌悪される動物名に貶姓《へんせい》したり、尽忠から尽滅など悪い意味の字に名を変えさせたりしたことの影響がみられる。この時の孝謙は、自分に背いた者に狂や頑迷、愚鈍などの意味を込めている。

ただしこの人々の中にも奈良麻呂の名はない。これは奈良麻呂が嵯峨皇后の橘《たちばなの》嘉智子《かちこ》の祖父であることから、『続日本紀』の記事が後に削除されたと推測して、奈良麻呂も獄死したとする説が通説的位置を占めている。しかし奈良麻呂は早くに自白しており、罪に服したとあり、拷問を受けたとしても、死にまで至らず、流罪となった可能性を指摘する説もある。『公卿補任』は謀反伏誅、或本遠流は如何と記し、『皇代記』云として橘奈良丸は遠流との記事が頭書されている。

この橘奈良麻呂の変から十数年経た神護景雲四年（宝亀元・七七〇）六月一日、重病に陥っていた称徳が大赦した際、前後の逆党に縁坐した者の軽重を審査するようにと命じた。これを受けて七月二十三日、刑部省が「天平勝宝九歳の逆党橘奈良麻呂等并せて縁坐せる惣て」四四三人のうち、二六二人は罪が軽いので免じるよう名簿を添えて天裁を仰いだ。しかし死を予感しつつあったとはいえ、称徳は軽罪者の免罪と戸籍での本貫復帰は認めたものの、正身の入京を認めなかった。この史料の書き方からすれば、奈良麻呂はまだ生存していた可能性も皆無ではないが、もし生き延びていたとしても、当然重罪として免罪はされなかったであろう。

奈良麻呂は、祖母は三千代、母方祖父は不比等と、孝謙と血縁的に近しい関係でありながら、天平十七年（七四五）の頃から「なお皇嗣立つることなし」と阿倍皇太子の存在を無視しつづけ、今回も孝謙殺害までは想定していなかったかもしれないが、きわめて異例の「廃帝」という屈辱に満ちた計画を立てていた。このような奈良麻呂とその加担者に対する、孝謙の許し難い感情の継続、また処分者たちの恨みに対する警戒心が入り混じったものであった。

山田御母への怒り

二十七日になって、新帝候補として名が挙がっていた四王のうち、塩焼王だけが、新田部親王の子孫を絶やすことができないとして、道祖王の連坐の罪を免れた。不破内親王が配偶者であることを配慮したと考えられる。ただしこの後は王籍を離れ氷上真人塩焼となっている。

そして八月二日に故山田三井比売嶋《やまだのみいのひめしま》の「御母《みおも》」の名を除き、天平勝宝七歳（七五五）正月に一族にも賜与されていた御井（三井）宿禰の姓を剝奪し山田史に戻す処分が下された。故人となった時期は不明であるが、この変に関連し獄死または自殺したのかもしれない。『万葉集』巻二十、四三〇四の歌の題詞から天平勝宝六年（七五四）三月二十五日に山田御母宅の宴に橘諸兄が赴いたことがみえており、奈良麻呂とも親しい関係にあったらしい。孝謙は、山田御母が奈良麻呂のことを聞きながら隠蔽していたことを聞いて、「寒毛がたつ」とその驚きと怒りをあらわにしている。幼い頃から乳母の中でも特に信頼していた「山田御母」に裏切られた思いは激しかった。

そしてこのような奈良麻呂の変の危機を未然に救ってくれたのは、宣命第第十九詔によれば、「天《あめ》地《つち》の神の慈《うつくし》び賜ひ護り賜ひ、挂《か》けまくも畏《かしこ》き開闢已来御宇《あめつちひらけてよりこのかたあめのしたしらしめ》しし天皇が大御霊《おおみたま》たちの穢き奴等《ども》をきらひ賜ひ弃《す》て賜ふに依りて、また、盧舎那如来、観世音菩薩、護法の梵王・帝釈・四大天王の不可思議《ふかしぎ》威神《いじん》の力に依りてし、此の逆《さかしま》に在《あ》る悪しき奴等は顕れ出で」と認識された。すなわち孝謙を守護する力を、この時は神祇、皇統、そして仏菩薩諸天と認識し、まだこの時期は仏菩薩は神祇や皇統の後ではあるが、仏教の力は、孝謙にとって不可欠の存在となっていった。

孝謙の天皇大権

奈良麻呂の変の時期、天皇大権は光明子にあったとする説がある。その根拠とされるのが四日の記事で六月二十九日に首謀者たちが誓約した内容に、「皇太后宮」を傾けて、「鈴・璽」を取るとみえ、一方、宣命第十九詔では、「皇太后朝」を傾け、「鈴・印・契」を取ると記されていることである。すなわち、これを皇太后宮に鈴印等があり、光明子に実質的な大権が掌握されていたと理解する説である。

「鈴・璽」、「鈴・印・契」は「駅鈴・天皇御璽《てんのうぎょじ》（内印）・関契《げんけい》」を指す。太政官所属の少納言が「鈴印伝符を請け進める」と運用に関わり、中務省所属の大主鈴《おおいすずのつかさ》・少主鈴《すないすずのつかさ》が「鈴印伝符」の出納に関わった。ただし後宮の蔵司《くらのつかさ》長官である尚蔵《くらのかみ》の職掌に「神璽・関契」がみえ、通常は内裏内で蔵司の宮人たちが保管した。すなわち常に天皇御在所に置かれ、本来的には天皇に鈴印の保管権があり、この時代は天皇に、また在位していれば太上天皇にも運用権があったことは確かである。

皇太后宮に鈴印等があったことは、大宮改作のための一時的な管理であった可能性を指摘する説、また皇太后宮が実質的には天皇の政務の内裏代りとなっていた可能性があり、この時期に限定される臨時的措置であったとする説もある。必ずしも光明子に大権があったわけではないとする説である。

いずれにしてもこの時は、平城宮外の東側に独立して存在した皇太后宮に鈴印があったとみる点では同じである。しかし「皇太后朝」「皇太后宮」という表現は保管場所を示しているのだろうか。

皇太后に「朝」を付けて表現する例は、「孝」を重んじた孝謙が、この時期の宣命で母を崇めて使う特有の表現であり、天平宝字二年（七五八）の孝謙譲位宣命第二十三詔の「掛けまくも畏き朕がはは皇太后朝」などにもみえ、光明子その人を意味する。

一方「傾」は、『続日本紀』では、長屋王の変の罪状を「国家を傾けむ」、今回の奈良麻呂の変も天平宝字元年八月十三日の改元詔では「謀りて宗社を傾けむ」と表現している。名例律の八虐条で、謀反を「国家を危くせむと謀れり」とすることに相当する表現である。そして恵美押勝の乱の天平宝字八年（七六四）九月二十日の宣命第二十八詔に「朝庭を傾動《かたむけ》むとして鈴印を奪い」とする表現との類似性を考えると、皇太后宮は、鈴印の保管場所を示しているわけではなく、光明子を指すと考えられる。

この点から、奈良麻呂は光明子を傾ける、つまり光明子に対する謀反を計画したことになる。これは孝謙即位を無視し続けた奈良麻呂からみた朝廷の実権に対する認識を反映している。しかし孝謙は二日の宣命第十六詔では「大宮」包囲計画を「朕が朝に背き」と表現しており、孝謙が光明子だけを「朝」の主体と考えていたわけではない。孝謙にとって「皇太后朝」と「朕の朝」は共存し、天皇と皇太后の共同による朝廷と認識していた。大権が光明子に握られていたのではなく、大権を持つ孝謙が天皇の母たる皇太后光明子によって教導されていたことが実態であり、孝謙なくして光明子の「朝」はありえなかった。

ではこの時孝謙と光明子はどこにいたのだろうか。孝謙が五月四日に「大宮（平城宮）」を改修するため「田村宮」に移ったことは確かである。ただしこの改修期間がいつまで継続していたかは必ずしも明らかではない。六月二十八日の山背王の密告では「田村宮」包囲の謀略が伝えられた。そして七月二日の孝謙の宣命第十六詔では「大宮」包囲と表現している。この場合の「田村宮」も「大宮」も同じ場所を指すならば、この時点で孝謙が滞在していた宮となる。「大殿」に大炊皇太子だけでなく孝謙もいたとみる説もある。

ただしこの宣命第十六詔の直後、これに引き続き、右大臣らを召し入れて、異例の皇太后宣命第十七詔が発せられており、この日は孝謙と光明子は同じ場所にいた可能性が窺える。現実的には危険を察知して「大宮」以外の別の場所へ避難していたかもしれないが、この時期二人は常に行動を共にしていた可能性がある。

三日の記事では、この日に仲麻呂が「御在所」に侍り、首謀者五人が召され、仲麻呂が「太后（光明子）」の詔を伝えている。この「御在所」の南門で首謀者たちは恩詔に感謝して拝礼しており、光明子の御在所と解釈する説があるが、これは孝謙の御在所でもあったと考えられる。ここでも孝謙と光明子は共同行動をとっていた可能性がある。大権を持つ天皇とそれを教導する皇太后は、一心同体の関係であり、孝謙は母光明子の教導なしでは天皇と成り得なかったが、光明子も聖武亡きあと、現実的には天皇の母という立場なしには、政治的手腕を発揮できなかった。ただし孝謙を無視しつづけた奈良麻呂にとって、皇太后の存在感が天皇よりも強烈なものであったことは確かであり、すべての元凶を皇太后に求めこれに対する謀反の表現になったのであろう。

天平宝字の改元

八月十三日に、蚕が「五月八日開下帝釈標知天皇命百年息」と瑞字を成したものを駿河《するが》国益頭《やきづ》郡の金刺舎人麻自《かねさしのとねりあさじ》が発見し、国郡司を介さず中衛舎人が駅使となるという異例の方法で献上してきた。これを受けて十八日に天平宝字へ改元が行われた。この時の孝謙の詔によれば、天が三月の「天下大平」瑞字によって孝謙の治世の安泰を示し、奈良麻呂らの謀反を未然に防いで暴徒や与党者を処分することができたとし、今回の瑞字は聖武太上天皇の一周忌悔過《けか》の最終日である五月八日に、帝釈天が皇帝（孝謙）・皇后（光明子）の誠に感応して、天に通じる門を開き通し、百年に及ぶ長い命を得て皇位が永く続き、国内の安息、国家が平和になる験であると説明している。奈良麻呂の変直前の段階では「天下大平」瑞字が仏教と神祇から示された霊験としたが、今回は蚕の示した瑞字をより仏教的な解釈に基づく政治判断の指針にしている。この点で孝謙や光明子の願望に添った瑞字であり、この意向を酌んだ仲麻呂の指示によってもたらされたものといえる。

瑞字の中の「五月八日」は聖武一周忌斎会終了日を示すとともに、五と八を掛け算した四十が「不惑」を意味し、これが孝謙の年齢にあたり、また「日月明を共にして、紫宮の永配に象《かたど》れり」と日月を皇帝・皇后（皇太后）に比し、ともに天子の居所にあるとしている。東大寺唐禅院の衆僧供養料に備前国墾田を施入した十一月二十八日の勅でも、「皇帝・皇太后は、日月の照り臨むが如くにして、並に万国を治め」とあり、孝謙と光明子の共同統治を表明している。天皇・皇后の並立を理想とすれば、女性天皇としては置くことができない、「しりへの政」を行う皇后の役割を、皇太后が引き受けたものであった。

五月に大納言から紫微内相になっていた仲麻呂は、奈良麻呂の変を勝ち抜き、兄豊成も左遷させ、首班筆頭となり、さらに儒教政治理念に基づいた政策を打ち出していった。その中には問民苦使《もんみんくし》の派遣、課役年齢区分改正など唐の模倣がみられるものもあるが、民心安定策、文武の奨励などの政策は、大仏造営に結集された天平期の社会矛盾を彼なりに是正したいとの意欲によっていた。しかし次第にその政治手法は専制政治化し、藤原氏の優越化が進められ、当初の健全さが喪失されていったとされている。

第六章　孝謙太上天皇の反撃——出家と恵美押勝打倒

1　孝謙太上天皇の時代

孝謙の譲位と淳仁即位

天平宝字二年（七五八）八月一日、孝謙が譲位した。宣命第二十三詔によれば、長年の在位による疲労もあるが、それだけでなく母である皇太后に人の子としての道理からお仕えしなければと思い、皇太子に譲位するとしている。

しかし在位期間からすればまだ十年目、父聖武が没し、重石ともなる太上天皇がいない、天皇単独の治世となってからまだ二年目、ようやく油が乗り出した時期である。特に本人に目立った体調不良もなく、本来の天皇適正年齢となってきた四十一歳の孝謙が、必ずしも自ら決めたことではなかったと考えられる。

確かに、この年光明子は五十八歳を迎え、七月四日には病気平癒のために殺生禁断を命じ、獣類の献上を停止させたように病気がちとなっていた。光明子が皇太后としての政治関与から実質的に引退することと抱き合わせに、娘として孝行し看病に専念するという、孝謙としては抗えない理由を突き付けられて、退位させられたというのが実情であったといえよう。孝謙が「孝行」を重んじることは、例えば天平勝宝九歳（七五七）四月四日の詔で、唐の玄宗の政策に倣って天下の家ごとに『孝経』一本を所蔵し、皆が誦習するよう命じていた。この政策は仲麻呂の影響も考えられるが、孝謙自らも率先して重視すべき徳目であった。女性天皇が『孝経』を重視した先例は元正天皇にあり、『東大寺献物帳』の国家珍宝帳によれば、元正自筆の『孝経』が、赤漆文欟木御厨子の中に納められていた。

仲麻呂から考えると、光明子が生存し孝謙に対して大きな影響力のあるうちに、仲麻呂の自由になる男性天皇体制の基盤を固めておく必要があった。仲麻呂は紫微中台を拠点とした専制から、淳仁即位による新しい太政官体制を基盤にした専制化へと変更していくことを目指したといえる。実際、二十五歳で即位した淳仁は、その即位宣命第二十四詔によれば、「賢人の能臣」を得て天下をよく治められることを強調している。この「賢人の能臣」が仲麻呂を念頭に置いたものであったことは言うまでもない。

尊号の奉呈

淳仁即位の同日、百官の代表である仲麻呂と、僧綱の代表である菩提僊那が、それぞれ奉った長文の上表を受けて、孝謙は上台《じょうだい》として宝字称徳孝謙皇帝《ほうじしょうとくこうけん》、光明子は中台《ちゅうだい》として天平応真仁正皇太后《てんぴょうおうしんにんしょう》の尊号を受けるに至った。仲麻呂の上表には「宝字称徳孝謙」の根拠といえる明確な言辞はみられない。むしろ菩提僊那の上表にみえる「追遠《ついえん》の孝尤《もと》も重く、錫類《しゃくるい》の徳弥《いよいよ》厚し。（中略）謙卑懐《かい》に在り。瑞蚕《ずいさん》の藻文《そうぶん》は聖寿《せいじゅ》の遐祉《かし》を薦《すす》め、宝字の結象《けつぞう》は皇基の永昌を開く」が明快である。「称」の字の由来は明らかではないが、「称徳」は音としては「聖徳」にも近く、内親王時代から「聖徳太子」に一方ならぬ思いを抱いていた孝謙には気に入った響きを持ったと思われる。

この皇帝号は、唐の女性皇帝武則天の尊号（聖神皇帝・金輪聖神皇帝・超古金輪聖神皇帝）の影響を踏まえたものであった。これは仲麻呂による唐風趣味政策の一つと評価されることが多い。しかしそれだけでなく、草壁系皇統から外れている舎人親王系統の淳仁の正統性を保証する権威を、孝謙に付与するために、臣下から奉呈した尊号であった。ただし一方でこの皇帝号を伴う尊号が、太上天皇以上に天皇と同様の地位を保証し、孝謙の行動の根拠となったことは確かである。上台は天子の御座所であり、本来天皇を意味する。単なる退位した太上天皇ではない、独自の太上天皇としての権力を保持した存在であった。

そして淳仁の即位後も改元は行われず、その即位は必ずしも孝謙が保持していた天皇の権能すべてを引き継ぎ、その権限を抑制するに至らなかった。なによりも孝謙は、寝室の帳に現われた「天下大平」、二月二十七日に大和神山《やまとかんやま》の藤の根から発見され「臣、天下を守り、王の大なる則幷《のりあわ》す。内をこの人に任せば昊命《こうめい》大平ならむ」と解釈された「王大則幷天下人此内任大平臣守昊命」、蚕卵の「五月八日開下帝釈標知天皇命百年息《かいかたいしゃくひょうちてんのうめいひゃくねんそく》」など複数の「宝字」は、上天が降してくれた天意と捉えており、天平宝字年号の「宝字」は、孝謙の治世を象徴するものであった。このことが尊号にも明確に表現されていたことも見逃せない。淳仁はこの孝謙治世年号を改元することなく、常にその年号のもとで在位した。つまり改元の権限を最後まで行使できなかった天皇であった。

そして皇帝号奉呈は八月九日には故聖武に対しても行われ、勅によって「勝宝感神《しょうほうかんじん》聖武皇帝」とし、また出家によって贈られていなかった諡を「天璽国押開豊桜彦尊《あめしるしくにおしはらきとよさくらひこ》」とした。さらに日並知《ひなみしの》皇子命《みこのみこと》（草壁皇子）を「岡宮御宇天皇《おかのみやにあめのしたしらしめしし》」とした。この勅や十八日の摩訶般若波羅蜜多《まかはんにゃはらみった》の念誦を命じた勅などは、孝謙が発した可能性が高く、いずれも孝謙の権威強化策であった。

仲麻呂の恵美押勝改名と大保就任

淳仁は改元ではなく、官名の改正によって、新しい天皇の治世イメージを付与することとなった。八月二十五日に、太政官は乾政官《けんじょうかん》、紫微中台は坤宮官《こんぐうかん》、中務省は信部《しんぶ》省、式部省は文部《もんぶ》省、治部《じぶ》省は礼部《らいぶ》省、民部省は仁部《にんぶ》省、兵部省は武部《むぶ》省、刑部省は義《ぎ》部《ぶ》省、大蔵省は節部《せつぶ》省、宮内省は智部《ちぶ》省、弾正臺が糺政臺《きゅうせいだい》とされ、そのほか特に仲麻呂の重視した図書寮が内史局、陰陽寮が大史局とされた。また衛府関係に対しても改名が行われた。この改正は職名にも及び、太政大臣は大師《だいし》、左大臣は大傅《だいふ》、右大臣は大保《だいほう》、大納言は御史大夫《ぎょしだいぶ》となり、特に大保に任命された仲麻呂は藤原恵美朝臣の姓と押勝という名を賜与され、鋳銭・挙稲と恵美家の印の使用を許可された。藤原氏、その中の嫡流としての南家の中から、さらに一段抜きん出た「恵美家」として、現体制を束ねていくことになった。

十一月二十三日に淳仁の大嘗祭を終え、翌天平宝字三年（七五九）正月には元日朝賀が平城宮大極殿で行われ、淳仁の天皇としての権威固めが進められた。なお朝賀に参列した渤海使を伴って前年に帰国していた遣渤海使小野田守は唐の安禄山《あんろくざん》の乱など、混乱する海外の情報を伝えていた。淳仁や仲麻呂は、聖武の弔問を目的として来日した渤海使との外交に精力的に関与し、まだ帰国を果たせていない藤原清河らを迎えるための使節を渤海使の帰国に随伴させた。三月の大宰府からの対外防備に関する上言に対して、淳仁の勅が出されるなど、天皇としての実績も積みつつあった。

しかし孝謙の発言力が完全に抑制されていたわけではなく、この時期の勅には孝謙の影響が強いと思われるものも多い。例えば五月九日に百官の五位以上と僧の師位以上に対して意見封事を命じた勅は孝謙の意向が反映していると考えられ、勅の中の「六合《りくごう》に母として臨み、兆民《ちょうみん》を子として育ふ」という文言にも表れている。この表現は前年の天平宝字二年（七五八）正月五日に、孝謙が奈良麻呂の変後の動揺を鎮めるために発した詔の「区宇《くに》に母として臨み、黎元《おおみたから》を子として育ふ」と類似している。そして百官だけでなく僧を共立させる政策は、仏教を重視した孝謙の太上天皇としての意向が示されている。孝謙の勅の可能性が高い。

舎人皇統の顕彰と前聖武天皇の皇太子

六月十六日になって、淳仁は父舎人親王に崇道尽敬《すうどうじんきょう》皇帝を追号し、母に大夫人《おおみおや》、兄弟姉妹に親王と称させた。また押勝夫妻を父母に擬え叙位しようとしたが固辞したため、押勝の子供に叙位することにした。

その経緯を示す淳仁の宣命第二十五詔では、太皇大后が「太政を始めた頃は人心が定まらなかったので、吾が子（淳仁）を皇太子と定め、先づ皇位に即かせて、人心が安定した上でその他のことを仰そうと思っていたが、今は天皇として日月も重なってきたので、先考（舎人親王）に天皇を追号し、親母を大夫人とし、兄弟姉妹を親王とするように」と仰せられたという。

そしてこの仰せを孝謙太上天皇に奏上したところ、孝謙は、淳仁が光明子に「朕《われ》一人を天皇に昇らせていただいた恩を、朕の世に酬い尽くすことも難しく、子孫が次々にお仕えしてはじめて御恩に報いることができると夜も昼も恐《かしこま》っていますのに、その上に朕の父母腹からに至るまでに、天皇の親兄弟姉妹の地位に上げていただくことは恐れ多く、お受けすることはできません」と申し上げて辞退するように勧めたとする。また淳仁自身も「前の聖武天皇の皇太子と定めて、天日嗣高御座の坐《くらい》に昇げていただいたのであり、どうして実父母兄弟に及ぶことなどできましょう」と辞退した。

しかし光明子がこれに対し、「たび重ねて私がこのように言わなければ、あえて言う人はいない。およそ人の子が禍《わざわい》を去り、福を蒙るようにと思うのは親のためでもある。この福を舎人親王に贈るように」と教え賜ったとする。

光明子が淳仁を「吾が子」と称し、淳仁も自らを「聖武天皇の皇太子」としており、皇位継承上で淳仁は草壁から続く聖武皇統に組み込まれていた。このことから「聖武天皇の皇太子」は、聖武実子である某王、阿倍内親王、「聖武遺詔」による道祖王、さらにこの大炊王の計四人といえる。一見、淳仁は孝謙天皇の皇太子という位置付けではなかったようにみえるが、前述したように聖武自身も現実には元明・元正の二人の女帝の皇太子であったが、男系系譜上の名目としては文武の皇太子であった。この点からすれば、淳仁はやはり孝謙の皇太子でもあった。

淳仁が殊更に「前聖武天皇皇太子」と称したことが、孝謙のプライドを傷つけたとする説もある。しかしいわば孝謙の「弟」に相当する立場を自覚し、聖武皇統の継承を重んじることは、淳仁の実父である舎人皇統を否定することとなる。これが孝謙の立場であり、それを受けた淳仁の当初の態度といえる。

孝謙と光明子の溝

しかしあえて光明子が舎人親王ら実の「親」を顕彰させたことは、淳仁が即位したものの、淳仁の皇太子となり得る候補が当面不在である状況のもと、その候補を舎人皇統に絞り込んでおく必要があったためともいえる。また血筋上の親兄弟姉妹だけでなく、いわば現在の「朕が父」と「母」である押勝・袁比良夫妻、さらに恵美家の子供の重視を抱き合わせにするためでもあった。いずれも光明子の背後に押勝の意向が見え隠れする。光明子は皇統よりは、それを支える藤原氏の意向を結果的に優先した。

孝謙太上天皇と光明子の間に、淳仁の位置付けに差が生じていたとはいえ、光明子の意向は「孝」を重んじる孝謙にとっては絶対であった。この時期に光明子の意見に従ったことが、その後の光明子と孝謙、また孝謙と淳仁の関係を直ちに悪化させることはなく、そして孝謙と押勝の関係も悪化してはいなかった。この時点ではまだ奈良麻呂の変をともに乗り越えた一体感が保たれていた。そして前述したように、孝謙は「皇帝」としての行動が可能であり、また年号も孝謙が天皇であった時から変化せず、孝謙の治世としてのイメージは保たれていた。

その後も孝謙は任官や叙位など天皇大権の一部を保持していた。例えば天平宝字四年（七六〇）正月四日に仲麻呂を太政大臣相当の大師に任命した宣命第二十六詔は孝謙太上天皇の口勅であった。そしてこの時期には「高野天皇及び帝」が行動をともにする例が散見し、正月四日に両人がともに内安殿において藤原恵美押勝などに叙位を行い、五日には押勝の邸宅へ行幸して袁比良などに叙位し、さらに七日には大極殿南面門に出御し渤海使に叙位賜物するなど、外交関係にも共同で関与していた。

なお同月二十九日には聖武夫人で房前の娘藤原北夫人が没した。聖武との間に子女を設けることができなかったが、光明子の「五月一日経」に先立つ一切経であるいわゆる「元興寺経」を残している。

母光明子の逝去

天平宝字四年（七六〇）三月になると、光明子の体調は深刻さを増していった。平癒を祈願し伊勢神宮をはじめとする諸社に祭祀を行わせ、神官らに位階を賜い、また閏四月二十八日には五大寺に雑薬や蜜などを施した。しかしその甲斐もなく、光明子は六月七日に六十歳の生涯を閉じた。

喪葬がしめやかに行われ、聖武の眠る佐保山南陵に隣接する佐保山の東に埋葬された。この墓は十二月には宮子の墓とともに山陵扱いとなり、忌日は国忌扱いとされた。また法会も盛大に執り行われ、特に七月二十六日の四十九日法要には天下諸国に阿弥陀浄土の画像を造り奉り、『称讃浄土経《しょうさんじょうどきょう》』を国内の僧尼に書写させ、国分寺で礼拝供養させている。そして光明子の晩年から改修工事が進んでいた法華寺に阿弥陀浄土院が造られた。奈良時代の阿弥陀信仰は、三千代から光明子に受け継がれていた。

法華寺は、かつて聖武天皇が紫香楽宮から平城京へ還都した天平十七年（七四五）に、光明子が「旧皇后宮」を「宮寺」とし、さらに天平十九年（七四七）以降、「法華寺」へと名称を変更した尼寺である。この地は元をたどれば平城宮の東にあった不比等の邸宅であった。本来の大和国分尼寺としての法華寺は野田法花寺址にあったとされ、国分尼寺の機能をこの「宮寺」に移したものと考えられる。これにより法華寺は、金光明寺とセットになった公的な寺としての性格が強くなったが、しかしこの頃も本質的には、宮廷の尼の存在を前提とした宮寺を原型としたままだった。

法華寺には有能な尼が多くおり、寺の管理組織である三綱《さんごう》は尼によって編成されていた。しかしそのうえに大鎮《だいちん》・小鎮《ちょうちん》が存在した時があり、この役職には慶俊《きょうしゅん》や浄三《じょうさん》など男性の僧が任命され、尼組織だけでなく僧組織によっても支えられていた。特に教学的な指導から、華厳講師の僧が、「宮」空間の中にあった外島院に居住していたこともあった。一方で、法華寺の事務を担当した法華寺政所は、光明子の時代には皇后宮職の俗人男性官人によって担われ、三綱成立以降も併存して実質的な経営を支えており、皇后宮の中に併存する仏教施設という性格に変化はなかった。いわば尼・宮人と僧・官人に支えられた寺であった。

法華寺の伽藍空間も、当初は邸宅を一部寺院化した程度の仏教施設で、まさに皇后宮に付属する「宮寺」としての法華寺というべきものであり、この他に写経所や経堂的な施設が併存していた。しかし聖武の没後、自らの晩年を意識した光明子は、公的な総国分尼寺に相応しい、本格的な伽藍をもつ寺として整備するために、大規模な造営に踏み切っていった。造法華寺司が天平宝字二年（七五八）六月から史料にみえ始め、中世に金堂から出土したとされる金版銘によれば、天平宝字三年（七五九）に光明子は願文を作成しており、この頃金堂が完成した。なお同年十一月に天下諸国に「国分二寺図」を頒布したが、尼寺にこの法華寺の伽藍整備をモデルとさせるためであった。

またこの時期に西南隅の島院（西院）も整備の対象となっており、「正倉院文書」に詳細な造営関係の史料が残っている。これが光明子没後、追善の場としての阿弥陀浄土院となっていった。そしてこの後、この寺で孝謙は出家していくことになる。

2　孝謙太上天皇の出家

保良宮行幸

孝謙にとって大きな影響力があった母光明子の逝去は、大いなる喪失であるとともに、また大いなる解放でもあった。そして押勝にとっても、淳仁を傀儡とした新たな体制を築く好機であった。しかし孝謙と押勝の権力闘争はこの時点から顕在化したともいえる。

光明子の喪葬と供養仏事が天平宝字四年（七六〇）七月二十六日の四十九日法要で一段落し、八月七日には、不比等に淡海公、三千代に正一位と大夫人の追号をする勅が発せられた。また押勝が自らの大師の栄誉を故父武智麻呂と故房前に譲りたいと進言し、これによって二人に贈太政大臣を追贈した。房前に贈られたことは、押勝の室宇比良古（袁比良）の父を顕彰するためであった。

天平宝字四年八月十八日から天平宝字五年（七六一）正月十一日までの約五カ月間、大史局（陰陽寮）の奏聞によって、淳仁は小治田宮《おはりだ》に行幸した。押勝の息のかかった大史局が、日時方角の吉凶を勘申した、おそらく方違《かたたがえ》のようなものであった可能性もある。ただしそれだけでなく、その意図は明らかではないが、単なる滞在時の食料とは思えない三〇〇〇〇斛《こく》に及ぶ備蓄用の糒《ほしいい》を播磨・備前・

備中・讃岐から運ばせていた。なおこの時孝謙がともに行幸したかは、史料からは明らかではない。

天平宝字五年六月になって、法華寺阿弥陀浄土院で光明子の一周忌法会が行われ、そして諸国の国分尼寺に阿弥陀丈六像一軀と脇侍菩薩像二軀が造り奉られた。

この光明子の一周忌が無事終わると、八月三日に孝謙は薬師寺へ行幸したが、この時は「高野天皇及び帝」とあり、淳仁とともに行幸し礼仏したことは明らかであり、この日は藤原御楯《みたて》の邸宅で宴が行われた。そして十月十三日には平城宮の改造のためもあり、近江保良《ほら》宮行幸が始まった。そしてこの保良宮を北京とする構想も示されたが、これは押勝の父武智麻呂が近江守となって以来、押勝が重視した近江国に陪都《ばいと》を置くことを目指したものであった。この時は孝謙も保良宮に行幸したことは確かであり、この時点までは比較的安定的な淳仁との共同統治体制が継続していた。そして翌天平宝字六年（七六二）二月には大師（太政大臣）恵美押勝は、従一位から正一位となり、臣下最高位に達した。

しかし天平宝字六年（七六二）六月、この保良宮で孝謙と淳仁の間に回復しがたい亀裂が生じた。

孝謙と淳仁の対立

『続日本紀』宝亀三年（七七二）四月七日の「道鏡伝」には、天平宝字五年（七六一）に保良宮に行幸した時から、道鏡が時々孝謙の看病に侍して「寵幸」を得るようになったが、このことに対して、淳仁が常に発言をしたことで、淳仁と孝謙とが不仲になったとある。中世の史料である『宿曜占文《すくようせんもん》抄《しょう》』によれば、看病した時期は六年四月ともあるが、この史料は信憑性に問題がある。

「寵幸」は、『藤氏家伝』上巻の「近臣宗我鞍作《そがのくらつくり》を寵幸す」など、当時必ずしも男女の性的関係を前提とした言葉ではない。孝謙が道鏡を看病禅師として寵幸したとしても、そのことだけでは非難されるべきことではない。一方『続日本紀』天平宝字八年（七六四）九月十八日の恵美押勝（仲麻呂）の略伝記事では、「時に道鏡常に禁掖に侍し、甚だ寵愛せらる。押勝これを患へて、懐《こころ》自から安からず」とあり、「寵愛」としている。この言葉はやや性的な関係を匂わすが、いずれにしても淳仁の発言は、淳仁よりはむしろ押勝の方が道鏡の存在を快く思っていなかったことが原因となっていた。また男女関係に関しては押勝らが流した誹謗中傷であった可能性が高い。

しかし、もし男女関係があったとしても、配偶者のいない太上天皇が自由な男女関係を持つことをなぜ非難される必要があったのだろうか。男性天皇、男性太上天皇では非難されない問題が、女性天皇にのみに制約が存在し、この制約が女性太上天皇の場合も継続したためだろうか。

持統や元明など皇后、皇太妃を経た既婚の女性天皇も、在位の時期に配偶者がいないことが慣例となっていた。持統や元明が譲位後も独身を継続したことは確かではある。未婚のまま即位した元正も少なくとも建前上は終生配偶者を持たなかった。この時期の太上天皇は、天皇と同等の権限を保持しつづけており、天皇在位中の制約を引き続き保って、未婚状態を強いられていたためだろうか。あるいは建前は未婚であっても、自由な男女関係は問題なかったが、相手が看病禅師の密教僧であったことがスキャンダルであったのだろうか。そして本当にスキャンダルがあったのだろうか。

淳仁の後宮

孝謙太上天皇と淳仁天皇の共同統治体制下の後宮において、立太子以前に淳仁の配偶者であった粟田諸姉は、仲麻呂邸における内縁的な存在であり、即位後は命婦《みょうぶ》相当の従五位下になったものの、正式なキサキ待遇の夫人や嬪扱いになった形跡や行動はみられない。また淳仁の後宮に有力氏族から后妃や夫人クラスの入内があったかも不明である。

　このことから孝謙が淳仁の皇后正妻、逆にいえば淳仁が孝謙の入婿であったとする説がある。ただしこの説の中でも擬制説と実態説がある。いずれにしてもこれらの説の根拠は、『日本霊異記』の下巻第三十八縁に「大炊天皇、皇后の為に賊《う》たれ」と孝謙を「皇后」と記していることによる。しかしこれは、「僧道鏡法師、皇后と同じ枕に交《と》通《つ》ぐ」と道鏡に関しても使用しており、道鏡と孝謙の男女関係を憶測し、孝謙を天皇よりも低く扱って非難した『日本霊異記』説話の表記法である。中国において、武則天が皇后から皇帝となり、「聖神皇帝」の称号を持っていたが、没後はこれを「聖神皇后」と、皇帝を無視して皇后に書き換えていた例にやや似ている。なおこの説話では「帝姫阿倍天皇御世」という表現も併用しており、年代を示す表現では天皇であることを否定しているわけではない。

　前述したように淳仁と孝謙の関係は、「聖武の皇太子」からは姉弟関係に擬制されていた。大炊立太子時に孝謙は四十歳、大炊王は十五歳年下の二十五歳、年齢的には親子世代になり得た。もちろん異母の兄と妹の婚姻関係はタブーではないが、年齢差が大きい姉と弟の関係が同じであったかは不明である。孝謙が次期皇位継承者を出産できる可能性は乏しく、また天皇と皇太子の婚姻関係も想定しがたい。やはり淳仁即位後には、当時四十一歳の孝謙が二十六歳の天皇を、「皇帝」号を保った太上天皇の立場から教導していたといえる。ただし、かつて光明子が孝謙天皇の後宮に影響力を及ぼしていたように、後宮政策にも口を出し、淳仁以後の後継者問題を孝謙が保留させていた可能性はある。

この時期に、押勝の室宇比良古《おひらこ》（袁比良）が尚侍《ないしのかみ》と尚蔵《くらのかみ》を兼任し、天皇の日常に奉仕する後宮十二司のトップとなっていた。尚侍は天皇の宣を伝達し、尚蔵は神璽や関契を保管する重要な役職であり、本来の尚侍は定員二名で従五位相当、尚蔵は定員一名で正三位相当であった。既に天平宝字四年（七六〇）十二月十二日には、尚侍と尚蔵の職掌を重視し、令では男性の半給が原則であった封戸や位田、資人を男性並みの全給に変更していた。これは袁比良を前提にした優遇策であり、小治田宮における仲麻呂の淳仁後宮掌握策の一環といえる。しかし保良宮から帰還した直後の天平宝字六年（七六二）六月二十三日に袁比良は没しており、保良宮滞在時期は体調不良によって実質的な影響力を無くしていた可能性がある。

淳仁以後の後継者問題は、孝謙の意向を無視することができず、未解決のまま時間が経過していたことも確かである。かつて道祖王を廃太子したと同様の危機が、場合によっては淳仁にも訪れる可能性も皆無ではなかった。孝謙が仏教にのめり込み出し、僧侶を側近とした新たな体制を模索し始める可能性を予感し、押勝は危機感を持ち始めていたのかもしれない。

また押勝には、武則天が妖僧薛懐義《せつかいぎ》を寵愛したスキャンダルから連想した危惧があったのではないか。武則天は太后の時から、馮小宝《ふうしょうほう》という一介の薬売りを取り立て、僧懐義とし、娘の太平公主《たいへいこうしゅ》の婿である薛紹《せつじょう》と一家の契りを結ばせ、また白馬寺《はくばじ》などに止住させる一方、内道場で活躍させた。そして宮中の乾元殿を明堂《めいどう》に建て替えるうえでの責任者とし、その北に天堂を造営させ、さらに女性皇帝即位を正当化する『大雲経』経疏にも関与させた。しかしその後、皇帝となった武則天の寵愛が次第に薄れつつあることに危機感を持った薛懐義は、無遮会《むしゃえ》などが行われた天堂《てんどう》に自ら放火し、大仏が安置されていた明堂も延焼させた。当初この明堂の再建を任されたものの、その途中に武則天の命令で密に太平公主の側近女性に暗殺されたという。

保良宮の決裂の時点では孝謙は四十五歳、淳仁は三十歳になっていた。道鏡は没時の年齢が不詳で、この時の年齢も不明である。

道鏡の登場

道鏡の初見史料は、天平十九年（七四七）六月に良弁《ろうべん》大徳御所に奉請した「梵網経二巻」の使に「沙弥道鏡」とみえるものである（『大日本古文書』二十四―一八一頁）。『西琳寺文永注記《さいりんじぶんえいちゅうき》』所引「天平十五年帳」にみえる「僧侶歴名」の公験《くげん》発給の実態から推定すると、日本的基準による比丘戒受戒推定年齢はすべて二十一歳以上であり、沙弥はそれ以下の可能性もある。この時に道鏡が十代後半もしくは二十歳とすれば、保良宮に供奉した頃、道鏡は淳仁とほぼ同年代の、三十歳前後になる。

しかし道鏡は天平十九年の時、既に三十歳を超えていた可能性がある。「僧侶歴名」の受戒年齢は、二十四・三十三・三十四・三十六歳の例もあり、三十代の沙弥も多く存在した。また「正倉院文書」の「優婆塞・優婆夷貢進解」という得度申請文書によれば、沙弥になる得度申請年齢は十三歳から四十歳までと幅広く、戒律遵守して修行する「浄行」の年限も個人差があり、最長修行例は船連次麻呂の二十一年間で、九歳から三十歳まで『法華経』『最勝王経』だけでなく六〇〇巻本『大般若経』、八〇巻本『華厳経』と大部の経典修行を積んでいた（『大日本古文書』二―三三三・三三四頁）。

道鏡は、『公卿補任』、『七大寺年表』所引の『僧綱補任』、『元亨釈書《げんこうしゃくしょ》』など、後世の史料では義淵《ぎえん》門流、あるいは義淵弟子・義淵之徒と記されている。ただし義淵は神亀五年（七二八）に竜蓋寺《りゅうがいじ》（岡寺）で没しており、もし義淵最晩年に十歳ほどの童子として修行を開始したとしても、天平十九年（七四七）には三十歳程度にはなっており、むしろ直接的には義淵門流の良弁の弟子として沙弥得度した可能性が高い。以上の点を考慮すると、道鏡は天平十九年（七四七）頃に三十代前半であり、保良宮で看病禅師となった天平宝字五年（七六一）頃は四十代前半であった可能性がある。

なお道鏡は単に仏教だけでなく、儒教の素養もあったとされている。『日本後紀』延暦十八年（七九九）二月二十一日の「和気清麻呂伝」に、真人姓の路豊永《みちのとよなが》（長）が道鏡の師とあることによる。この中で、豊永が伯夷叔斉《はくいしゅくせい》の故事を例に出して道鏡の野心から距離を置く発言をしており、このことから豊永を大学寮関係の人物と推測し、道鏡がかつて官途を目指し、大学で学んだが、何らかの理由で仏門に入ったと推測する説がある。ただし大学に入学せずに、個人的に儒教を学んでいた可能性も考えられる。天平年中の史料である「読誦考試歴名」に、ほとんどの受験者が『法華経』『最勝王経』や『唯識論』の試験を受けている中で、『毛詩』『論語』『孝経』『駱賓王集』など儒教の経書や詩文の試験を受けている人物の例があり（『大日本古文書』二十四―五五四～五五五頁）、当時仏教経典以外の勉強をしていた人物が、沙弥・沙弥尼となる機会は十分にあった。また得度後に外典を学ぶこともあり得たと考えられる。

内道場の禅師

道鏡は河内国若江《わかえ》郡の弓削連《ゆげのむらじ》の出身であり、『続日本紀』の没時記事では、梵文を解し、禅行で注目され、内道場に列し禅師となったという。ただし梵文（サンスクリット）の語句研究ではなく、陀羅尼真言の暗誦誦持に長けていたことを意味すると推測されている。「正倉院文書」に残る道鏡が請求した経典類には、大乗経典とともに密教系の経典が散見し、彼が密教修法に通じていたことは確かである。

しかし興福寺本『僧綱補任』天平宝字七年条裏書に「如意輪法《にょいりんほう》」を修行したとあるが、道鏡の経典請求例に如意輪観音信仰関係のものがなく、西大寺にも如意輪観音安置の形跡がない。また京都の高山寺本《こうざんじぼん》『宿曜占文抄《すくようせんもんしょう》』の道鏡伝に、「宿曜秘法《すくようひほう》」を用いて孝謙を治療したとするが、まだこの時代には「宿曜秘法」が依拠すべき系統の『宿曜経』の将来がないことから、その真偽は未詳とされている。

なお道鏡の本貫地にあった弓削寺は密教系経典の修行を取り入れており、天平十四年（七四二）十二月に弓削寺僧行聖によって得度申請している星川五百村《ほしかわのいおむら》の学習内容は、『法華経』『薬師経』などの他に、密教経典の『理趣経』『千手経』がみえ、また千手陀羅尼などの陀羅尼類も多かった（『大日本古文書』二―三二四・三二五頁）。

道鏡の禅行に関して、興福寺本『僧綱補任』天平宝字七年条裏書によれば、大和葛木（城）山に籠って厳しい苦行をしたという。葛木（城）山（金剛山）は道鏡とともに孝謙から法臣として優遇された円興《えんこう》の氏神である高鴨神《たかかも》の勢力範囲であり、この地域で山林修行した頃から何らかの結びつきが生じた可能性が指摘されている。

天平宝字五年（七六一）十二月から保良宮の側では、塑像の丈六《じょうろく》如意輪観音を本尊とする石山寺の増改築が行われていた。造石山寺所《ぞういしやまでらじょ》が同六年（七六二）八月までに本堂以下の諸堂舎を造っており、

「銅鏡背面下絵」（正倉院宝物）

「如意輪法」の伝承は、この石山寺との関係と重なるためかもしれない。そして天平宝字六年三月二十四日に、孝謙は一尺の鏡四面を鋳造するため、上手の工人を早急に召し寄せるように命じたが、この鏡は合金比率から日常使用する白銅鏡ではなく、石山寺本尊の如意輪観音のためのものと考えられている。孝謙の勅は因八麻命婦《いなはちまのみょうぶ》（中村）の宣によって石山院に伝えられ、二十五日に石山院から東大寺の奈良政所に鋳工を進上するように通達が出されたが（『大日本古文書』十五―一七七頁）、この文書には大僧都すなわち良弁も関与していた。御鏡四面は四月二日に東大寺鋳鏡用度注文が作成され、四月中に鏡の材料や鋳造用の燃料等、また工人やその浄衣料などの手配が行われたが（『大日本古文書』十五―一八二～一八七頁）、正倉院に残る「銅鏡背面下絵」は、この鏡の下絵と考えられている。なお孝謙の鏡に対する思いの強さは、後に西大寺十一面堂《じゅういちめんどう》の十一面観音像と不空羂索《ふくうけんじゃく》観音像の台座と光背に合計一八四面の鏡がつけられていたことからも知られる。

おそらく石山寺造営に関わっていた良弁の伝手を通じて、道鏡は孝謙の保良宮の内道場に出入りするようになり、看病禅師として孝謙の病気を治療したものと考えられる。

ただし禅師は山林修行し、戒律遵守を旨とする清僧こそ、その験力が期待されたと思われる。孝謙が、かつて天平勝宝八歳（七五六）五月二十三日の勅で、父聖武の看病禅師として活躍した禅師法栄の名を後世に伝えよと命じた時、孝謙は禅師法栄を「立性清潔、持戒第一にして、甚だ能く看病す」と評価している。少なくとも孝謙にとって、道鏡はそのような禅師であったのではないか。それゆえに深く帰依すべき師と仰いだと考えるべきであろう。道鏡は孝謙にとって薛懐義のような人物ではなかった。

孝謙の出家

天平宝字六年（七六二）五月二十三日、決裂した孝謙、淳仁両者ともに保良宮から平城に帰還し、淳仁は平城宮中宮院（内裏）へ、孝謙は法華寺へとそれぞれ別々の居所に入った。孝謙が法華寺に入ったのは、出家するためであった。『扶桑略記』天平宝字六年六月条や『本朝皇胤紹運録』は法諱を法基《ほうき》と伝えている。

なお孝謙は重祚するまで法華寺に留まったとする説もあるが、出家後まもなく孝謙は平城宮内の別宮、称徳期に西宮として散見する場に移ったとみる説の方が妥当であると考えられる。孝謙がしばしば法華寺に赴いたであろうが、法華寺の尼たちは、日常的に平城宮西宮内裏にも関与していた。道鏡もおそらく隅寺に止住させつつ、法華寺内の院や西宮内裏の内道場にも供奉させていたと考えられる。

孝謙は法華寺に入ってから約一週間後の六月三日に、孝謙尼太上天皇として平城宮朝堂に五位以上を集めて、宣命第二十七詔を発している。この宣命は孝謙の言葉として重要であり、ここでは重要な部分の宣命原文をまず引用しておきたい。

朕《わ》が御祖太皇后《みおやおおきさき》の御命《おおみこともち》以て朕に告《の》りたまひしに、「岡宮《おかのみや》に御宇《あめのしたしらしめ》しし天皇《すめらみこと》の日継《ひつぎ》は、かくて絶なむとす。女子《おみなご》の継《つぎ》には在《あ》れども嗣《つ》がしめむ」と宣《のり》りたまひて、此の政《まつりごと》行ひ給ひき。かく為《し》て今の帝《みかど》と立ててすまひくる間に、うやうやしく相従ふ事は无くして、とひとの仇《あた》の在る言《こと》のごとく、言《い》ふましじき辞《こと》も言ひぬ、為《す》ましじき行《わざ》も為《し》ぬ。凡《おおよ》そかくいはるべき朕《われ》には在らず。別宮《ことみや》に御坐坐《おおましま》さむ時、しかえ言はめや。此は朕が劣《おぢな》きに依《よ》りてし、かく言ふらしと念《おもお》し召《め》せば、愧《はずか》しみいとほしみなも念《おもお》す。また一つには朕《わ》が菩提心発《ぼだいのこころおこ》すべき縁《よし》に在るらしとなも念す。是を以て出家《いえで》して仏の弟子と成りぬ。但し政事《まつりごと》は、常《つね》の祀小事《まつりいささけきこと》は今の帝《みかど》行ひ給へ。国家《みかど》の大事賞《おおきことしょう》罰《ばつ》二つの柄《もと》は朕《われ》行はむ。

この詔には決裂の経緯と出家にいたる思いが次のように語られている。

「私の母である太皇后（光明子）は私に『岡宮御宇天皇（草壁皇子）の皇統が絶えようとしている。女子の継承ではあるが継がせよう』とおっしゃったので、天下の政を行ってきた。このようにして今の帝（淳仁）を立てて年月を経てきたが、私を敬い相従うことがなく、鄙の身分の低い者が仇《かたき》でもあるような物言いで、言うべきではない言葉をいい、してはならないことを行った。凡そそのような無礼なことを言われるべき私ではない。私が別宮に居住していれば、そのようなことを言うことができるだろうか。これは私が劣っていて弱々しく意気地がないことによって、このように言われるのであると思うと、恥ずかしく辛いことと思う。もう一つとしては、私が菩提心を起こすべき縁があるらしいと思う。ここをもって出家して仏の弟子となった」。

このように出家理由を語る宣命から、むしろ道鏡と男女関係がないのにもかかわらず、誹謗中傷されたことに対する孝謙の悔しさが滲み出ているようにみえる。出家して尼となることによって、邪淫の憶測を排除したとも考えられる。孝謙は出家以前に鑑真から菩薩戒を受けており、俗人ながら菩薩戒弟子としての自覚を持っていた。梵網菩薩戒の十重禁戒《じゅうじゅうきんかい》は「不殺《ふさつ》・不盗《ふとう》・不淫《ふいん》・不妄語《ふもうご》・不酤《ふこ》酒《しゅ》・不説四衆過《ふせつししゅうか》・不自讃毀他《ふじさんきた》・不慳惜加毀《ふけんしゃくかき》・不瞋心不受悔《ふしんじんふじゅかい》・不謗三宝《ふぼうさんぼう》」とある。

「劣」を「おぢなし」と訓じると、劣っている、または弱々しい、意気地がないという意味になる。孝謙が女性であり、弱々しいことを自ら認めていると解釈する例が多い。しかし表面的にはそのような表現であっても、むしろそのように扱われることを口惜しく思い、これに反発する気持ちが込められていると解釈することができる。このことを脱却するために、そしてこのことを契機に菩提心を起こして出家したのである。

変成男子説と出家

そしてこの時期には、孝謙は「方便の女身」を超えて、現実に女性の身であることによる偏見を覆すためには、僧形という性差を超えた剃髪・僧衣による変身が必要であると考えたのであろう。

前述したように孝謙は、阿倍皇太子時代に、中国唯一の女性皇帝となった武則天が利用した、本来は男身である弥勒菩薩が方便として女身に転じて衆生を教化するという「方便の女身」「菩薩の化身としての女身」というレトリックを応用し、「神女」「天女」の姿で舞うことによって女性皇太子の正統性を示した。また孝謙天皇時代には、男性天皇の天子冠である冕冠を被り、少なくとも頭上は、それ以前の女帝とは明らかに異なる「男装」の天皇であった。今回の孝謙太上天皇としての出家は、これらに残っていた女性としての限界を払拭した存在となるものであった。

仏教経典には「変成男子」を説く経典は数多くあるが、具体的な「変成男子」の方法は大別すると、(1)性転換を意味する変身、(2)剃髪と袈裟を着用する仮装、(3)男心を修める変心、に分類できると指摘されている。このうち(1)性転換を意味する変身を記している代表例は、『法華経』提婆達多品の龍女成仏がある。しかし現実的な「変成男子」とは、(2)のような僧形となる出家であった。僧の髪型や衣服に男女差はなかった。

当時はまだ提婆提達品が重視されておらず、中国や現存する日本の学匠たちの発言は、個別の経典から教理的要素を抽出して、機械的に分類ないし解説しただけで、経文の文面解釈次元での関心しかなく、女人滅罪は初唐の中国でも日本でも顕著な潮流にはなっていなかったとされている。ただしきわめて特殊で少数ではあるが、前述した天平十五年（七四三）に宮廷尼が「変成男子」説を説く『無垢賢女経』などを特別に請求していたように、一部の僧尼や宮廷女性に関心を持たれていた。そして前述したように孝謙の座右経典の『法華経』『薬師如来本願経』『宝星陀羅尼経』『最勝王経』にも「変成男子」説がみえた。

大乗仏教は「非男非女」の論理によって男女の別なく救済されることを強調するものであり、「変成男子」説は、この一切衆生の成仏を唱える大乗仏教が、そのままでは成仏できない女性たちの成仏を説くために、過渡的形態として生み出していったものとされている。提婆提達品の「五障」説は克服すべき小乗的な女性観として挙げられているとする見方もある。ただし女身を穢れて劣った否定すべきものとする考えを前提としており、そのような女身であっても男性に変身することで成仏できると説かれている。つまり女身が積極的に肯定されているわけではなく、「変成男子」説は東アジアにおける基層信仰の女性観と融合して受容されていく傾向があり、現実社会では女身を穢れたものと否定的に捉える女性観が必ずしも克服されていたわけではなかった。

しかしおそらく孝謙は肯定的な「方便の女身、菩薩の化身」だけでなく、「変成男子」説も否定的ではなく、むしろ肯定的、積極的に捉えたと考えられる。孝謙は、剃髪し僧衣を着た「僧形」となる出家、つまり(2)剃髪と袈裟を着用する仮装の「変成男子」によって、現実の女身すなわち女性としての限界を克服し、そしてまた(3)男心を修める変心による「変成男子」をした太上天皇となることで、より男性と同等の役割を現実に果していくことを示したといえる。

自ら出家した太上天皇となったことは、このような女身の克服と同時に、父聖武の沙弥太上天皇を見習い、「崇仏君主」としての権威に基づく、政治を目指したものであった。出家太上天皇の先例は、父聖武にあり、後の院政の前例ともいえる。

「国家の大事賞罰二つの柄は朕行はむ」

そして孝謙が出家の理由を述べたこの宣命第二十七詔でさらに注目されるのが、「但し政事《まつりごと》は、常《つね》の祀小事《まつりいささけきこと》は今の帝《みかど》行ひ給へ。国家《みかど》の大事賞罰《おおきことしょうばつ》二つの柄《もと》は朕《われ》行はむ」、すなわち、天皇「政事」の分割を行い、常祀、小事は淳仁が担い、国家の大事、賞罰の二つなどは孝謙が行うと宣言したことである。

これは神祇祭祀などを淳仁に任せるが、賞罰と国家大事は、太上天皇として継続して関与するとしたものである。この国家大事とは、律令や六国史の用例から考えて、国家の非常事態に関する皇位継承と軍事、すなわち立太子や立后の権限、反乱鎮圧などの軍事権行使であった。

この天皇「政事」分割宣言に対して、二年後に起きた恵美押勝の乱の時に、鈴印が淳仁のいた中宮院にあったことから、孝謙に天皇大権を行使する実態はなかったとする説がある。しかし天皇の所在の場に鈴印が保管されていたことは、前述したように橘奈良麻呂の変の時も同じである。押勝の乱の時も、淳仁の内裏に保管していたが、特に国家大事では孝謙尼太上天皇の運用権が優先されることが自明のことであり、少納言を通じてならば、孝謙に鈴印を引き渡させることに問題がなかったことを示している。少納言山村王の派遣による入手は、淳仁から強引に略奪したわけではない。これを力で奪おうとしたのは押勝側であり、孝謙はこれを授刀衛に阻止させたのである。

また「賞罰」という語は、押勝の乱直後である天平宝字八年（七六四）九月二十日の宣命第二十八詔でも、孝謙が使用していることが注目される。押勝がかつて「唯己独りのみ朝庭の勢力を得て賞罰の事を一《ひたぶる》に己が欲しきまにまに行はむ」とし、その実例として兄豊成を偽って讒言し、位を剝奪させていたとしている。豊成を讒言で左遷させたのは橘奈良麻呂の変の時点であり、この賞罰を欲しきままにするために、押勝がその当時の天皇であった孝謙に賞罰の処分をさせていたことを言うのであろう。その時は変を乗り切った一体感によって納得していたことではあったが、対立関係になったこの時点では、許しがたい臣下の越権行為と認識された。孝謙にとって「賞罰」とはこのような国家的危機における賞罰を想定していたと考えられる。

当然のことながら淳仁が全く国事から疎外されたわけではない。宣言後の天平宝字六年（七六二）十二月の官人の人事が押勝人脈に通じる配置であり、このことから太政官構成には孝謙の発言権は及ばなかったとする説がある。しかしこのことは孝謙の予想した国家の大事の賞罰ではなく、通常の人事は問題のない限り淳仁を教導しつつ任せるつもりでいたことになる。実際に行われた人事がすぐに反孝謙に結びつく人事でもなかった。またその人事の中には、押勝の乱の時点で、孝謙側になった人物も存在する。

なお十二月一日の人事は、孝謙尼太上天皇の異母姉井上内親王の配偶者である従三位白壁王、妹不破内親王の配偶者である従三位氷上塩焼がともに中納言となったことが注目される。井上や不破の母である県犬養広刀自がこの人事の少し前の十月十四日に逝去していた。母を亡くしたばかりの異母姉妹の配偶者たちであり、翌天平宝字七年（七六三）正月には不破内親王自身も無位から四品に昇叙され、完全な復権を遂げていくことになる。藤原氏の血筋でもある塩焼は、後に押勝が反乱を起こした時、押勝が次期天皇に据えようとした人物であり、また不破は後に孝謙を厭魅呪詛《えんみじゅそ》することになるが、彼らが自分に危害を与えるようになるとは、この時点では予想していなかったと考えられる。

3 孝謙尼太上天皇の勝利

道鏡の僧綱入り

道鏡は天平宝字六年（七六二）十二月から「正倉院文書」に頻出し、孝謙尼太上天皇のもと、内裏系統の写経機関である奉写御執経所に積極的に関与していったことがわかる。この写経所は、天平宝字二年（七五八）頃から内裏系統の写経を行っていた写御書所を引き継いだものと考えられるが、「御執経」とあるように、尼太上天皇が座右とする経典を扱う写経所であった。この写経所では、これ以後内裏仏事に関する経典類を道鏡や側近の尼たちが請求し、また後に称徳天皇勅定一切経となる「神護景雲二年御願一切経」の写経や勘経が行われていった。

ただし天平宝字六年十二月から七年八月までの写経所関係文書では、本人の自署は「法師道鏡」とあるが、それ以外は弓削禅師・由義禅師と書かれる例が多く、道鏡禅師は二例だけである。このような俗姓と禅師の組み合わせ例は、「正倉院文書」では、この他には造石山寺関係文書に大友禅師の例があるだけである。

弓削禅師の例は、造東大寺司判官葛井根道《ふじいのねみち》、主典阿刀酒主《あとのさかぬし》、乾政官史生因幡国造田作または内竪《ないじゅ》日置浄足《ひおきのきよたり》が関与した文書が多い。この時期の造東大寺司は押勝の影響力が強く、道鏡を俗姓で表現していることは、俗人まがいの禅師として、造東大寺司内で通用していたある種の揶揄が混じったものであった可能性もある。

しかし押勝との関係が強く、これまで内裏仏事を取り仕切っていた慈訓《じきん》が、天平宝字七年（七六三）九月四日に、詔によって道理に乖《そむ》く政を行ったことを理由に少僧都《しょうそうず》を更迭され、一方この代わりに道鏡が少僧都に任命された。この人事は孝謙の意向による措置と考えられる。そして道鏡が少僧都になった頃から、「正倉院文書」では弓削禅師の表記は見られなくなり、これ以降道鏡を少僧都として表記するようになる。そして造東大寺司でも、孝謙の任命した少僧都道鏡の影響力を無視できない状況になったといえる。なお既に僧綱から外れていた鑑真はその数カ月前の五月六日に没していた。

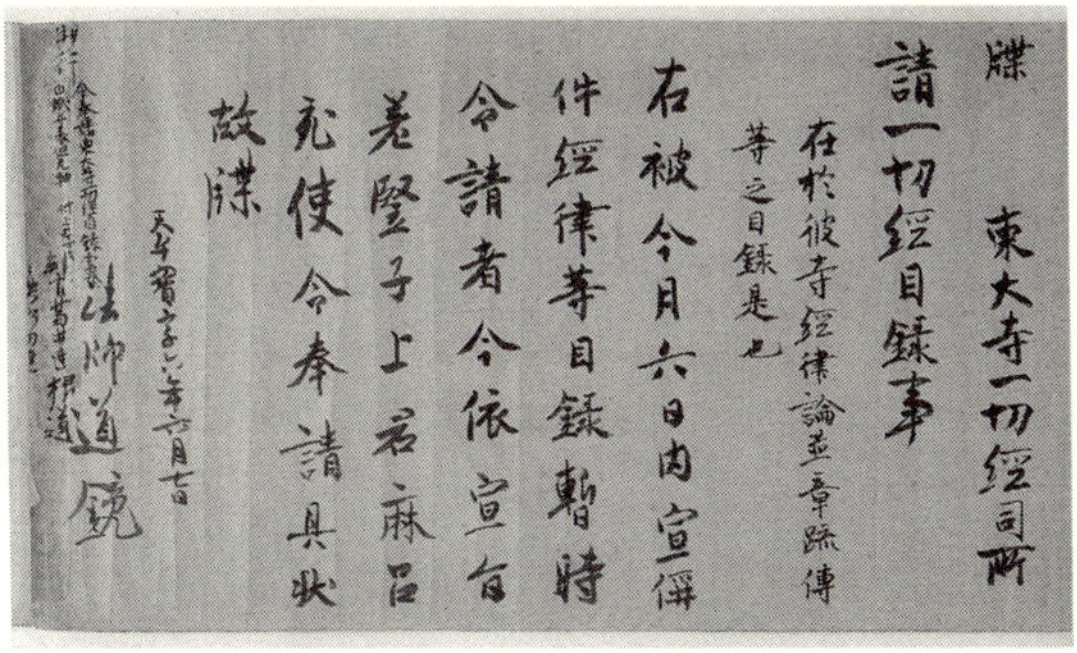
牒　東大寺一切経司所
請一切経目録事
在於彼寺経律論并章疏傳
等之目録是也
右被今月六日内宣偁
件経律等目録暫時
令請者今依宣旨
差竪子上君麻呂
充使令奉請具状
故牒
法師道鏡

「法師道鏡牒」（正倉院宝物）

押勝殺害謀議事件の処罰と造東大寺司人事の変化

宝亀八年（七七七）九月十四日の「藤原良継伝」によれば、押勝の乱の二年程前に、良継（当時宿奈麻呂）・佐伯今毛人・石上宅嗣・大伴家持が大師押勝殺害を謀議したと、右大舎人の弓削男広《ゆげのおひろ》が押勝に密告したという。全員の身柄が拘束されたが、宿奈麻呂が自分だけを首謀者とし、他の者の関与を否定する自白をし、宿奈麻呂が「大不敬《だいふきょう》」の処分を受け、この間は姓や位を剝奪されたという。なお佐伯今毛人は天平宝字七年（七六三）正月九日に造東大寺司長官に任命されていたが、四月十四日の人事で市原王に交替しており、おそらくこの頃に起きた事件であったとされている。

この処罰は、前述した押勝が「賞罰の事を一《ひたぶる》に己が欲しきまにまに」行ったことの一つと考えられ、孝謙の意向を無視して押勝が淳仁と処罰を下したため、賞罰権を保持したと宣言した孝謙に対する押勝の不従順が鮮明になり、緊張関係がさらに強くなっていったと考えられる。孝謙がこの処罰に関係しなかったことは、逆に宿奈麻呂が押勝の乱当日に孝謙の詔を受けて兵数百を率いて討伐に加わっていくことにつながった。

一方造東大寺司判官の葛井根道は天平宝字七年（七六三）十二月二十九日に、中臣伊加麻呂《いかまろ》、その息子真助とともに酒を飲んで「時の忌諱」に及んだことが密告され、隠岐に流罪となっている。「時の忌諱」が押勝に関することとする説と孝謙と道鏡に関することとする説がある。ただし後者であれば、この時の密告者酒波長歳《さかなみのおさとし》が近江史生に任じられていることは、この時期には押勝の権威の衰退を象徴しているとみる説もある。

また天平宝字八年（七六四）正月二十一日の人事では、造東大寺司の長官は市原王から、さらに吉備真備が任命され、人事権への孝謙の影響力は高まっている。しかし真備は病を理由に家に籠って、造東大寺司に出仕していなかったという。まだ造東大寺司では押勝の影響力が若干残っていたのであろう。両者のせめぎ合いが強まっている時期の人事といえる。

恵美押勝の策謀

この天平宝字八年は、一昨年の大雨、昨年の旱魃の飢饉に引き続き、正月以降毎月のように各地から飢饉や疫病が報告された。特に山陽道や南海道が深刻な状況であった。昨年に京の米価が高騰しており、今年は淡路に至っては種籾さえ枯渇した状況で、四月には疫病も報告された。その都度賑給《しんごう》が行われたがそれだけでは足らず、また平城京の東西市に食を乞うて集まった人々を私蓄の食料で救った紀政臺（弾正台）の役人が顕彰叙位され、これを奨励する勅も出された。

このような社会不安が続く中、六月に押勝の女婿で授刀督《たちはきのかみ》兼伊賀近江按察使《あぜち》の藤原御楯《みたて》が没した。これ以降授刀衛は急速に、押勝側の勢力から孝謙尼太上天皇側の影響が強くなっていった。そして七月六日には道鏡の弟で授刀少志従八位上だった弓削浄人が連姓から宿禰姓となった。道鏡の親族の昇進の開始であり、これ以降弟は道鏡の重用と連動して昇進を続けていくことになる。

なお前年の十二月十日に、紀寺の奴であった益人《ますひと》らの放賤従良に関する天裁を請われて下した孝謙の勅による賜姓処分を、紀伊保《きのいほ》らが勅でないと疑ったことに対し、本年七月十二日に御史大夫文室《ぶんやの》浄三《じょうさん》と参議仁部卿藤原恵美朝獦《あさかり》を禁内に召して、孝謙尼太上天皇の口勅を伝えている。翌十三日に使者を派遣してこの詔を宣している。尼太上天皇の発言権が活発化し、実質的な力を益しているといえる。

この頃から、孝謙と道鏡に対する危機感をさらに募らせた押勝は、現在保持している軍事力をさらに増強して、一気に孝謙側を打倒しようと計画を開始した。そして九月二日、押勝は都督《ととく》四畿内《しきない》三関《さんげん》近江丹波播磨等国兵事使《ひょうじし》という役職を創設してその任に就いた。軍兵を総監する都督使となったのは、兵を掌握して自衛しようとしたためであった。

なお押勝のこの都督四畿内三関近江丹波播磨等国兵事使への任命、決裁を孝謙が行ったとする説がある。この説の根拠とされている天平宝字八年（七六四）九月十八日の記事を、「時に道鏡常に禁掖に侍ひて、甚だ寵愛せらる。押勝これを患へて懐自ら安からず。乃りて高野天皇に諷して、都督使となり、兵を掌りて自ら衛る」と読むことによる。

ただし「乃りて高野天皇に諷す」は、都督使任命ではなく、前の文に続く可能性もあり、道鏡の寵愛を不安に思って、このことを諫めたともとれる。実際に押勝は九月二十日の宣命第二十八詔によれば、道鏡は先祖（物部弓削大連守屋）が大臣として仕え奉った地位と名を継ごうと思っている野心のある人であり、退けるように進言していた。その点でこの部分は孝謙によって任命が行われた確実な根拠とは必ずしもいえない。ただし人事決裁した可能性はある。

いずれにしても、押勝は都督使の地位に就き、諸国の兵士を試験する法に準拠して、畿内、三関国の伊勢・美濃・越前と近江・丹波・播磨の兵士を国ごとに二〇人、五日間ごとの交替制で都督衙《ととくが》に集め、武芸を簡閲することにした。しかしこの内容を奏聞した後に、勝手にその数を益し、これを太政官の印を用い諸国に命令を下した。しかし大外記の高丘比良麻呂《たかおかのひらまろ》が、自分に禍が及ぶのを恐れて、このことを密告した。また陰陽頭大津大浦《おおつのおおうら》も押勝から謀反の吉凶の占いを依頼されたが、押勝を裏切って密告し、また和気王《わけ》も密告した。こうして恵美押勝の乱に突入していった。

恵美押勝の乱

九月十一日、押勝の謀反を察知した孝謙は、少納言山村王《やまむら》を派遣して中宮院に保管されていた鈴印を回収しようとした。これを聞きつけた押勝は、男の訓儒麻呂《くすまろ》らに邀を飛ばし奪わさせたが、このことを物部磯浪が疾走して報告し、直ちに孝謙は授刀少尉坂上苅田《さかのうえのかりた》麻呂《まろ》、将曹牡鹿嶋足《おしかのしまたり》らに訓儒麻呂を射殺させた。これを受けて押勝は中衛将監矢田部老《やたべのおゆ》に甲を被せ騎馬で遣わし、詔使の山村王を脅かしたが、また授刀の紀船守が老も射殺し、山村王は無事鈴印を孝謙のもとに届けた。この時淳仁は中宮院に取り残されたまま動かなかった。

そして孝謙は勅を発して、押勝と子孫が兵を起こして反逆したとし、職を解き、位を剝奪し、藤原と朝臣の姓字を除き、職分功封等雑物を悉く収公させ、そして固関を命じた。その夜、押勝側は盗み取った太政官の印とともに与党を率いて宇治から近江に奔走したため、孝謙側は直ちに近江に軍を派遣した。この時、吉備真備は急遽孝謙の内裏に召されて、軍務の参謀となり、押勝側の経路を予測して、兵を分けて遮る作戦を指揮するようになっていった。

十二日に孝謙は、押勝追討の勇士を募り、また北陸道諸国が太政官印による命令を承け用いてはならないとの勅を出し、そして孝謙官軍の山背守日下部子麻呂、衛門少尉佐伯伊多智《いたち》らは田原道を取って、先に近江に至り、勢多橋《せたのはし》を焼いてしまった。押勝はこれを見て色を失い、琵琶湖西岸の高嶋郡へ向かい、前少領の角家足の宅に宿営したが、『続日本紀』の記事によれば、その夜、大きさが甕のような星が押勝の臥せていた屋の上に落ちたという。

一方伊多智らはさらに越前国に馳せ到り、越前守で押勝の男辛加知《からかち》を斬った。押勝はこれを知らずに、偽って塩焼を立てて今帝とし、息子の真光《まひかり》と朝獦《あさかり》らを皆三品の親王扱いにし、さらに精兵数十を派遣して越前の愛発《あらち》関に入らせた。しかし授刀物部広成らが拒んでこれを退けた。

押勝は進退に窮し、船に乗り琵琶湖北岸の浅井郡塩津に向かったが、忽ち逆風にあい、船が漂没しそうになったため、山道を取って、愛発に向かったが、またしても伊多智らに拒まれ、押勝は元に還り、高嶋郡三尾埼《みおさき》に至った。孝謙の官軍佐伯三野と大野真本らとの交戦が午前十一時から午後五時頃まで六時間ほど続き、官軍にも疲れが増してきた頃、藤原蔵下麻呂《くらじまろ》が兵を率いて到着して力戦した。これによって真光の率いる兵たちは撤退し、三野たちはこれに乗じて、多くの押勝軍を殺傷した。押勝が遠くから敗色を見て、船で逃亡したため、官軍の諸将らは水陸両道から攻めた。押勝は勝野の鬼《かちのおに》江《え》を戦場とし最後の防戦に臨んだが、官軍の攻撃を受けて押勝軍は壊滅し、押勝と妻子たちだけが船に乗って江に浮んでいたところを、軍士石村石楯《いわれのいわたて》が押勝を捕えて斬り、また妻子従党三四人も皆斬殺された。十八日には、押勝の首が平城京に運ばれ、実質八日間弱の戦闘で決着した。第六子の刷雄《よしお》だけが若い頃から禅行を修めたとして、其の死を免じられて隠岐国に流罪となった。

押勝は長らく母光明子と孝謙を補佐していたかにみえ、ともに橘奈良麻呂の変を共闘した中ではあったが、最後は壮絶な戦いとなった。押勝は、孝謙の力を過小評価しすぎていたのか、または孝謙の包囲網に対する最後の賭けに出ただけだったのだろうか。結果としては、授刀衛を中心とした軍事力、吉備真備の兵法の力を得て、迅速な戦闘態勢を敷いた孝謙が勝利を得た。

第七章　称徳天皇の矜持──尼天皇重祚と道鏡法王

1　称徳天皇の重祚

「出家しても政を行ふに豈障るべき物には在らず」

天平宝字八年（七六四）九月二十日、孝謙自ら、恵美押勝の乱の経緯を宣命第二十八詔のかたちで振り返った。

「さかしまで穢い奴の仲末呂は、詐《いつわ》り奸《かだ》める心を以って兵を発し、朝廷を傾け動かそうとして鈴印を奪い、また皇位を掠奪し、先に捨てきらった道祖（王）の兄塩焼（王）を皇位に定めたと云って官印を押して天下の諸国に書を散らして告げ知らせ、また『今の勅を承け用いよ、先に詐って勅と称したことを承け用いてはならい』と云って、諸人の心を惑乱し、三関に使を遣って竊に関を閉《と》じ、一つ二つの国に軍丁《いくさのよぼろ》を要求して兵を発させた。此を見るに仲末呂が心のさかしまで悪しき状を知った」。これが孝謙自身の認識した乱の経過と評価であった。

さらに称徳は仲麻呂の兄である豊成の復権を命じた。仲麻呂が自分だけ朝廷の勢力を得て、天皇大権である「賞罰の事」をもっぱら自分の欲しいままに行おうと思って、奈良麻呂の変の時に豊成を偽って讒言し、位を剝奪させていたとしている。前述したように孝謙が尼太上天皇として「賞罰の事」を掌握しようとしたことは、この仲麻呂の横暴を抑制しようとしたことの表れであった。

そして「仲末呂が、『此の禅師が昼夜朝庭を護り仕え奉っているのを見るに、先祖（物部弓削大連守屋）が大臣として仕え奉った地位と名を継ごうと思っている野心のある人である』と云って『退け賜え』と奏上したが、此の禅師の行いを見るに、至って清らかである。仏の御法を継ぎ隆《ひろ》めようと思い行っている朕を導き護ってくれている己が師を、なんでたやすく退けることができようかと思っている」と、仲麻呂の道鏡排斥の進言を振り返りつつ、称徳は道鏡を師とする考えを明らかにしている。

さらに称徳は「朕は髪をそり、仏の御袈裟を着けているが、国家の政を行わずにいることはできない。仏も経典（梵網経）に『国王が王位に坐す時は菩薩の浄戒を受けよ』と教えておられる。此によって思えば、出家しても政を行うことは決して障害となるようなことはない。だから、是をもってすれば、帝が出家している世には、出家している大臣もいるべきであると思って、（道鏡が）願っておられる位ではないが、此の道鏡禅師に大臣禅師という位をお授けすることを、みな聞きなさい」と命じた。

この宣命原文の「然るに朕は髪をそりて仏の御袈裟を服《き》て在れども」から、孝謙が出家者としての自覚のもとに、剃髪し袈裟を着けた正式の僧侶の姿をしていたことがわかる。いわば異形の女帝であった。またそれは前述したように、女身を超越した男性僧侶と同じ髪型・衣服をまとった「変成男子」した天皇であった。そして自らが出家者として即位することが道理に適っていることを、『梵網経』を引用して示し、「出家しても政を行ふに豈障るべき物には在らず」と言い切っている。これこそが、前代未聞の出家天皇として政治を行うとした宣言であり、まさに称徳による最終的な「崇仏天皇」の確立であった。

そしてさらに出家天皇を補佐するために、異例の「大臣禅師」という僧俗を混在させた職位を創出し、これに道鏡を任命した。その職分の封戸は俗人の大臣に準じて施行させた。ちなみに左右大臣の職封は二〇〇〇戸である。この大臣禅師は、その後の太政大臣禅師や法王の原型となるものであった。道鏡はこれに対し、九月二十八日に虚心に仏に仕えたいと、位を譲る表を提出したが、孝謙は「仏の教えを興隆させるには、高い位が無くては、衆生は服することはできない。僧侶を勧奨するには、顕栄でなければ、速やかに進めることは難しい。今この位を施すことは、禅師を煩わすために俗務をさせるのではない」と、その意図を示す勅を出して慰留した。

淳仁廃帝と称徳重祚

その上で、孝謙は十月九日に和気王・山村王らに兵数百を率いて中宮院を包囲させた。中宮院に取り残されていた淳仁を廃帝にするためであった。急な事態に淳仁は衣服や履物もままならない姿で、使者に促され徒歩で図書寮西北の地に引き出されていった。数人の身辺警護の者も散り去り、同行はわずかに母の当麻山背ら二、三人のみというみじめさであった。そして山村王から廃位を命じる宣命を知らされた。

称徳はこの宣命第二十九詔で、父聖武から皇位を授けられた時、「王を奴となそうが、奴を王と云おうが、汝のしようとするままにしなさい。たとえ後の帝として立てた人でも、立った後に汝のために無礼をはたらいて従わず、義理にあわないことをする人を帝の位に置くことをしてはならない。また君臣の理にかない、貞しく浄き心を以ってお仕えするものが帝でいることができるのだ」と言われたと述べている。この聖武の発言は側近の二、三の竪子らとともに聞いたと、証人がいることを明示しており、称徳が単独で聞いたことではないと強調している。前帝である称徳が自ら後継としたものを廃位するという前例のない事態に、父聖武からの言説にその根拠を求めている。その上で、宣命で淳仁の天皇としての資質や恵美押勝の乱における罪状を述べ、その処罰として「帝の位を退け親王の位を賜い、淡路国の公として退ける」とした。

淳仁と母は、平城宮東張り出し部の西南に位置する小子門を通って宮を去り、道路で馬に乗せられて淡路国へ移送されていった。帝位を剝奪し、身位を親王に戻し、淡路国の得分を保障した処分にはなっているが、実際には現地の一院に幽閉した。

この淳仁廃帝によって、孝謙が再度重祚し称徳天皇となった。ここでは重祚という宣言を示す記事はないものの、後の天平神護元年（七六五）十一月十六日の大嘗に関する記事で、「是より先、廃帝既に淡路に遷れり。天皇、重ねて万機に臨みたもふ」とある。

皇太子を定めない理由

十月十四日には、さらに当面は皇太子を定めない方針を示した。宣命第三十一詔によれば、「仕えているそれぞれの身分の人らが『国の鎮め護るには、皇太子を置き定めてこそ、心も安く穏やかである』と常に思って言うことである。然るに今の間この太子を定めずにいる理由は、人間が有能だろうと思って定めても必ずしも能くはない。天の授けがないのにその地位を得ている人は、受けても、完全にその地位にいることはできず、後には破滅する。故に、是を以って思えば、人が授けることに依って得ることはできず、力を以って競うべきものではない。なお天がゆるして授けるべき人がいるのだろうと思って定めないのである。この天津日嗣の位を朕ひとりが貪ぼって、後の後継を定めないのではない。今しばらくの間は思い見定めれば、天の授けられるところは、だんだん現われるだろうと思って、定めないのだ」と、皇太子は天が授けた人でなければ全うできないものとして、その出現までは保留するとした。

そしてさらにまた、「人々が自分のひいきにする人を立てて、自分の功績にしようと思って、君の位を謀り、密に心を通わして人を誘って勧めることをしてはならない。自分ができないことを謀略すると、祖先からの氏の門を滅ぼし、後継も断絶させることになる」と警告している。

いままで、父の遺言によって立太子した道祖王、また仲麻呂の暗黙の推挙により自ら立太子させた大炊王（淳仁）、いずれにも裏切られてきた称徳にとって、野心から立太子を狙う人物、臣下がそれぞれの思惑をもって推挙する人物ではなく、「天」が授け示す人物があらわれない限り、決断することはできなかった。

淳仁を推す勢力への警戒

翌天平宝字九年（七六五）は、正月七日に天平神護へと改元された。神護とは「神霊の国を護り、風雨の軍を助くる」によって、仲麻呂らを誅伐できたことを示している。この時期、称徳は仏を上位に、神祇を次に位置づけているが、「神護」の年号が示すように、神祇に対しての配慮も怠ってはいない。またこの改元時の叙位が、通常とは異なり、乱鎮圧という非常時に身命を惜しまずに尽力した者への特別な意義をもつことを、宣命第三十二詔によって強調している。男性への位階・勲等だけでなく、多くの女性に位階・勲等が授けられていることが注目される。称徳の朝廷における女性重用の特徴がここにもみられる。

しかし、淡路に追放した淳仁を推す勢力の動きは止まらなかった。二月十四日に、淡路国守佐伯助に対し、「風聞によると、『淡路の国に配流した罪人（淳仁）が、逃亡をしたらしい』という。もし実ならば、なぜ報告しないのか」と難じ、称徳の意によって選んで監視させたのであり、動静を必ず報告するようにと命じている。そして淳仁の復権を望む者たちが、「商人」と名乗り、交易にかこつけて、淡路国に集結していることを受けて、これを禁圧した。

淳仁廃帝以後の皇位継承の道筋がまだ十分に確定できていない中で、皇太子を立てようとする動きを抑えなければならなかった。このためさらに三月五日には、皇太子という地位が天地の置き賜う地位であること、その人が出現するまで、臣下はそれを待って今は清浄な心で仕えているようにという宣命第三十三詔を臣下に向けて再度発している。そして、「淡路にいる人を連れ戻し、さらに帝に立てて天下を治めさせようと思っている人もいるらしい。しかし其の人（淳仁）は天地が了解し許して授け賜う人ではない。何を以って知るかといえば、志は愚かで、心は善からず、天下を治めるに足りない。それだけでなく、さかしまに悪しき仲末呂と心を同じくして朝廷を動かし傾けようと謀った人である。何で此の人をまた立てようと思うだろうか。今より以後、このように思って謀略することを止めよ」と、淳仁を再度擁立しようとする動きに対し厳しく非難し、これを制している。

和気王の謀反

しかし八月一日には、和気王の謀反が発覚した。和気王は舎人親王の孫、御原王の子で、淳仁の甥にあたる。もと岡真人として臣籍に降っていたが、淳仁の即位後、舎人親王が崇道尽敬《すうどうじんきょう》皇帝の称号を追号され、これを受けて天平宝字三年（七五九）に和気王も王籍に戻っていた。天平宝字八年（七六四）の恵美押勝の乱直後には、押勝の謀反を密告した功績によって、参議従三位兵部卿にまで取り立てられ、功田五〇町を賜っていた。そして淳仁の逮捕にも派遣されており、今までは称徳に忠実な人物であり、称徳もそれに報いてきた。

それにもかかわらず、今回の嫌疑は、皇太子が定まらない状況下、和気王自身が皇位を覦《うかが》う心を抱き、紀益女《きのますめ》に幣物を送り、鬼霊を介して祈願と呪詛を頼んだというものであった。益女は、かつて孝謙太上天皇の主導によって紀寺の奴益人《ますひと》らが、奴婢から放賤従良され紀朝臣を得て名も益麻呂となった時、同じく従良とされた可能性がある人物で、また押勝の乱後には勲位も無位から従五位上、勲三等と急激に昇進した女性であった。おそらく乱において呪術力が評価された可能性があり、今回は和気王がその能力を呪詛《じゅそ》に使わせたらしい。なお益麻呂は称徳の庇護のもとで、陰陽の知識を持って重用され、陰陽員外助から陰陽頭にまで昇進していったが、称徳没後、光仁によって宝亀四年（七七三）七月十七日に庶人の後田部益人《たしりべのますひと》にされ、その他の七五人は再び紀寺の奴婢に戻されていく。

称徳の宣命第三十四詔によれば、先霊《おやのみたま》に祈願した書に「己《おのれ》の心に思い求める事を成就してくだされば、尊き霊の子孫で遠く流されているのを京都に召し上げて臣とします」と「己の怨《あだ》の男女が二人おり、此を殺し賜え」と書かれていたという。

和気王の皇位継承と一族の復権を望み、またこの仇敵の男女の死を望む文面であり、この男女は道鏡と称徳のことと解釈された。称徳の内廷に出入りしていた女性たちの中に、益女のような呪術的能力を発揮する人物が多く存在したと考えられるが、このような動き事態も、おそらく宮廷内の密告で発覚したのであろう。これにより和気王は天皇殺害を計画したとして伊豆国へ配流される途中、山背国相楽郡で絞殺され狛野《こまの》に埋められた。益女も綴喜《つづき》郡松井村で絞殺された。

なお和気王と親交があり、謀反を相談されていた粟田道麻呂《あわたのみちまろ》や大津大浦《おおつのおおうら》、石川永年らに対しては、宣命第三十五詔で、道理としては法による処罰をすべきではあるが、道鏡が彼らを教え導いて朝廷の奴として仕えさせるために自分に賜りたいと助命を願ったので、朕の師である大臣禅師の助言により、彼らの罪をゆるすとした。この例では、賞罰等に関して、称徳が大臣禅師としての道鏡と実質的な共同裁定を行う状況が進んでいることがわかる。

しかし粟田道麻呂は飛騨員外介として下向したが、もとから恨みを持っていた国守の上道斐太都《かみつみちのひだつ》によって夫婦ともに一院に幽閉されたまま死去した。石川永年も隠岐員外介となり、数年後に自死している。陰陽の知識に精通していた大津大浦は日向守に任じられたが、位封は剝奪されて、さらに二年後の神護景雲元年（七六七）九月には員外介も解任され、陰陽関係の図書も没収されたまま、称徳没後に復権するまで任地に留められた。いずれにしても、称徳はかつて反仲麻呂として、あるいはもと仲麻呂陣営だったが一度は称徳側についていた人々に裏切られることになった。

紀伊行幸と檀山陵拝礼

称徳は、十月二日になると、重大な政治的・軍事的な警戒時に行う固関《ごげん》を突然実行し、十三日から多くの官人を率いて紀伊行幸に出発した。南海道において紀伊の次の国となる淡路にいる淳仁に対し、紀伊から威圧を加え、いわば最終的な決着をつけるためであった。将軍を率いた天皇の乗り物の前後を護る騎兵は、還幸後に叙位された者だけでも、三三八人に及んだ。

行幸初日は大和の高市郡の小治田宮に入った。この宮は推古の小墾田宮との関係は不明ではあるが、発掘調査によって雷丘東方《いかずちのおかとうほう》遺跡に比定されている。去る天平宝字四年（七六〇）八月に、播磨・備前・備中・讃岐から調達した備蓄用米である糒が計三〇〇〇斛、またその年の調庸が倉に貯蔵され、淳仁が翌年正月十一日まで行幸したことがあった宮である。これらの備蓄を差し押さえる意味もあったと考えられる。称徳は翌十四日に明日《あす》（香《か》）川《がわ》を臨み、さらに十五日には曾祖父草壁皇子の陵である檀山陵《まゆみのみささぎ》に赴き、百官に対して下馬し旗幟《はた》を巻かせて敬礼させる陵墓儀礼を命じた。この檀山陵は真弓陵とも記されるが、宮内庁管理の岡宮天皇陵ではなく、高取町佐田にある八角墳の束明神《つかみょうじん》古墳の可能性が高いとされている。

大和の飛鳥地域で淳仁の影響力が残っていた可能性がある宮を押さえ、さらにおそらく甘樫《あまかし》の丘からこの地域の国見《くにみ》を行い、自らがこの地で天下を治めた推古女帝以来の系譜を継ぎ、そして草壁皇統の流れを受けていることを、政治的には臣下に再認識させることになった。飛鳥地域には天武・持統・文武などの山陵も点在しているが、あえてその中でも草壁皇子の陵を選んだのは、舎人皇統に移行していた皇統から再度、称徳が皇位を奪還したことと無関係ではなかった。

このことから称徳が終生草壁皇統意識を持ち続けたとする論は多い。実際に草壁皇統が孝謙時代の正統性を支えるものであったことは確かである。しかし人間が終生同じ意識に固執し続けると仮定して、その人物を評価することには疑問がある。その人物の経験と年齢、またまわりの環境によって、変化していくものである。

かつて母光明子から、草壁皇統を継がせるために孝謙を即位させたと言われてきた。それにもかかわらず、母は舎人皇統の格上げに加担した。結局は仲麻呂らによる藤原氏の政治的判断を優先するものであった。こうして一時的に舎人皇統に移行していた皇統から再度奪還し、草壁皇統を継承した自らの皇位ではあるが、その先に藤原氏系草壁皇統の継承者がいない称徳としては、草壁皇子に対して何らかの決意表明を報告する意図があったのかもしれない。史料的には不明であるが、この時道鏡が同行した可能性が高く、道鏡の存在を草壁墓前に報告するためでもあったと考えられる。そしてこれ以降の称徳の動きを考えると、母光明子に教導されていた藤原氏系草壁皇統に固執することから脱却し、別の歩みを模索しており、この拝礼はそのための踏ん切りをつける契機にした可能性がある。

淡路廃帝の最期

称徳は翌十六日に紀伊国伊都《いと》郡に入り、十七日は那賀《なか》郡鎌垣行宮《かまかきのかりみや》で宿泊し、さらに十八日にはおそらく名草《なくさ》郡を経由して、海部《あま》郡の玉津嶋（現・和歌浦）に至った。そして翌日に海を臨む楼で雅楽や雑伎を楽しみ、臨時の市を開いて交易を行わせている。海部郡にしばらくは滞在することを示したともいえる。この郡にある賀太駅《かだのうまや》（現・和歌山市）から西方に海路をとれば、一二キロの道のりを経て淡路国の由良駅《ゆらのうまや》（現・洲本市）に上陸することができる地点まで迫ったことを、淡路の淳仁に示すことにもなった。

この称徳の動きに対し、十月二十二日、とうとう淳仁が幽憤にたえず垣を越えて逃亡を図った。しかし兵を使った国司らに押し戻され、そして翌日に院中で没した。逃亡時の負傷が原因なのか、謀殺されたのか、自ら死したのか、その死因は不明である。二十五歳で仲麻呂の力を背景に皇太子になり、二十六歳で即位したが、政争に翻弄され、廃帝となる屈辱と激動の人生を三十三歳で閉じた。ただし長屋王や早良親王などのように、死後ほどなく非業の死とされ怨霊となったという明確な同時代史料はない。強烈な個性を持った人物というよりは、本来は穏やかな人格の人物だったのであろう。

しかしその最期を「幽憤」と『続日本紀』が叙述したように、称徳死後に皇位を継承した光仁朝になると鎮魂の対象となった。宝亀三年（七七二）八月十八日に三方《みかた》王と土師和麻呂《はじのやまとまろ》を派遣して、廃帝の改葬を行わせ、淡路国の僧六〇口を請じて設斎し行道させている。さらに宝亀九年（七七八）三月二十三日に淡路親王墓を山陵、母当麻《たいま》氏の墓を御墓と称するように昇格させている。この頃山部《やまべ》皇太子（後の桓武《かんむ》天皇）が病気がちであり、正月二十日には厭魅大逆《えんみたいぎゃく》の冤罪《えんざい》で廃后されていた井上内親王の改葬も行われており、この時期になって、淳仁も怨霊となり得る存在として鎮魂されるようになった。比定されている陵墓は三原郡（現・南あわじ市）賀集《かしお》にあり、周囲約九〇〇メートル、高さ二十数メートルの南北に細長い小丘で、水濠に囲繞《いにょう》されている。

2 僧俗による政治構想と神仏習合

弓削行宮滞在

淳仁の最期を確認した称徳は、十月二十五日に紀伊国から帰途の旅を開始した。称徳の皇位を脅かす原因となる淳仁が没したことによって、恵美押勝の乱以後の皇位問題が一時的ではあるが鎮静化した。言葉をかえれば、皇位問題を次に進める時期が来たともいえる。

和泉国を経由して河内国に入り、二十九日には弓削行宮に到着すると、その後直ちに平城宮には向かわず閏十月三日まで五日間滞在した。この地は道鏡の出身である弓削氏の本拠地であり、この行宮で称徳は五位以上に「御衣《みそ》」を賜っている。天皇が臣下や僧に御衣を賜与した例は、記録の上では天武天皇が行った三例以来である。天武天皇からの皇統の継承を再確認しつつ、新たな道鏡との共同統治体制への足掛かりを示す演出でもあったといえる。

翌日には弓削氏の氏寺である弓削寺で礼仏した。そして唐楽・高麗楽を庭で奏し、百済王《くだらのこにきし》敬福《きょうふく》らも本国の百済舞を奏した。おそらく小規模ながら東大寺大仏開眼会を思い起こすような壮麗な演出の中で、天皇が礼仏を行ったといえる。閏十月一日に、弓削寺には食封二〇〇戸、また何度も行幸経験がある智識寺には五〇戸を施入し、称徳の恩勅を受けた寺としての格を与えた。

道鏡の太政大臣禅師任命

そして翌二日、弓削行宮において、称徳は道鏡を大臣禅師から太政大臣禅師へ格上げする宣命第三十六詔を発した。

称徳は「太政官の大臣は仕えるべき適任の人がいるときは必ず官を授けるものである。朕が師である大臣禅師が朕を守り助けて下さるのをみれば、道鏡が出家と俗人の二種の人達に、その理に従って慈哀をかけ、過ちがなくお仕えさせたいと思って、語らい述べられた言葉を聞くと、この太政大臣の官を授ければ堪えられるかと思う」として、「またこの位を授けるといえば、必ず堪えられないと辞退されるだろうから、道鏡には申さずに太政大臣禅師に任じることにした」と述べている。

僧俗合体させた地位を押し上げる第二段階であり、これによって道鏡は俗人官人の最高位相当となった。道鏡に打診すれば断るだろうから、打診せずに位を授けるとしているが、実際にはこの時期、道鏡が僧と俗に対する指導的地位に意欲を見せていることがうかがえる。称徳がこの地位を「官」とも「位」とも言っており、太政大臣禅師が単なる僧職ではなく、僧俗に関わる権限を有する役職であり、僧の最上位だけではなく、俗官の最上位に位置していることを示している。

実際に太政大臣禅師となった道鏡に対して、行幸に従っていた文武百官に「拝賀」を命じた。天皇に対する「拝賀」に準ずる礼を命じたものと考えられる。拝賀を終えると、再度弓削寺に行幸し、礼仏が行われた。この時は唐・高麗の楽のほか、河内・摂津の地方舞と思われる黒山《くろやま》・企師部《きしべ》舞が舞われ、道鏡には特に綿一〇〇〇屯が施された。

三日になってようやく帰路につき大和の因幡《いなば》宮に至り、八日には平城宮に戻って再び留守官らによる道鏡への拝賀が行われた。

称徳尼天皇の二度目の大嘗祭

天平神護元年（七六五）十一月に入ると、称徳にとっては二度目となる大嘗祭が行われた。この時の大嘗宮を設営した場所が、平城宮の中央区朝堂院の朝庭であったことが、平成十六年（二〇〇四）の発掘調査から確認されている。平城宮の大嘗宮は、他の天皇の場合は東区朝堂院に設営されており、その点で今回の場所は特例中の特例とされている。これは称徳の内裏西宮が中央区第一次大極殿院跡地にあったことと関連すると考えられている。

今回の由機《ゆき》は美濃国、須伎《すき》は越前国と、いずれも三関の国から選ばれた。宣命第三十七詔を発し、これらの国が朝廷を護ったことが、多くの国の中でも神意に適い、御占にあらわれたとし、各国の守・介らに特別に叙位を行った。この中には道鏡と同じ氏族出身である越前介（実際には員外介）弓削牛養《うしかい》も含まれていた。

この時の大嘗祭神事の詳細は記録されていないが、おそらく二十二日の深夜から二十三日の明け方に行われたと考えられる。そして二十三日から三日間直会《なおらい》としての豊明節会《とよあかりのせちえ》が行われた。出家していた称徳が、天皇即位後の最大の神事である大嘗祭を行うことは、先例のないきわめて異例の出来事であった。このため称徳は宣命第三十八詔で、自ら特別な説明をする必要があった。

「今日は大新嘗の直会の豊明を行う日である。しかしこのたびのものが常とは別である理由は、朕《われ》が仏の御弟子として菩薩の戒を受戒していることである。これによって、上《かみ》つ方は三宝に供え奉り、次には天社《あまつやしろ》国社《くにつやしろ》の神等《たち》をも礼いまつり、次には供え奉る親王たち臣たち百官の人等《ども》、天下の人民たちを愍《あわれ》み慈《いつくし》みたいと念って、（皇位に）還り、また天下を治める」と述べている。そして臣下ら

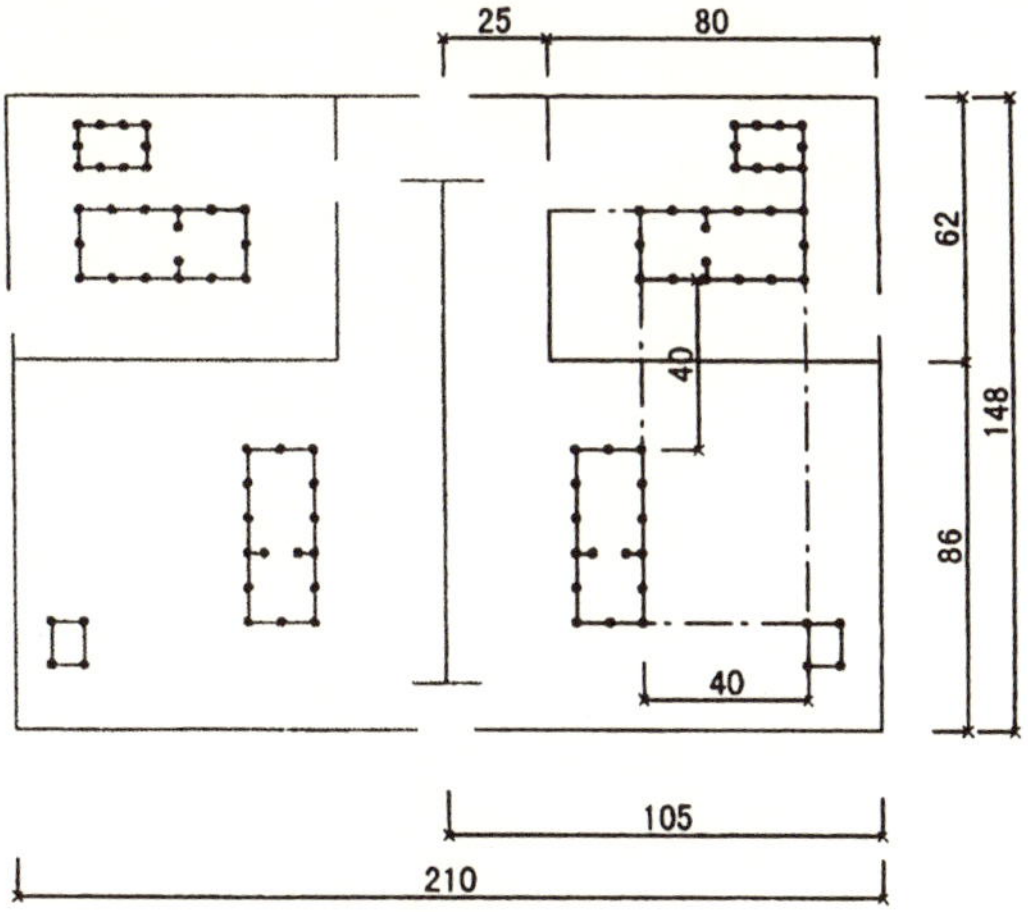

称徳天皇大嘗宮

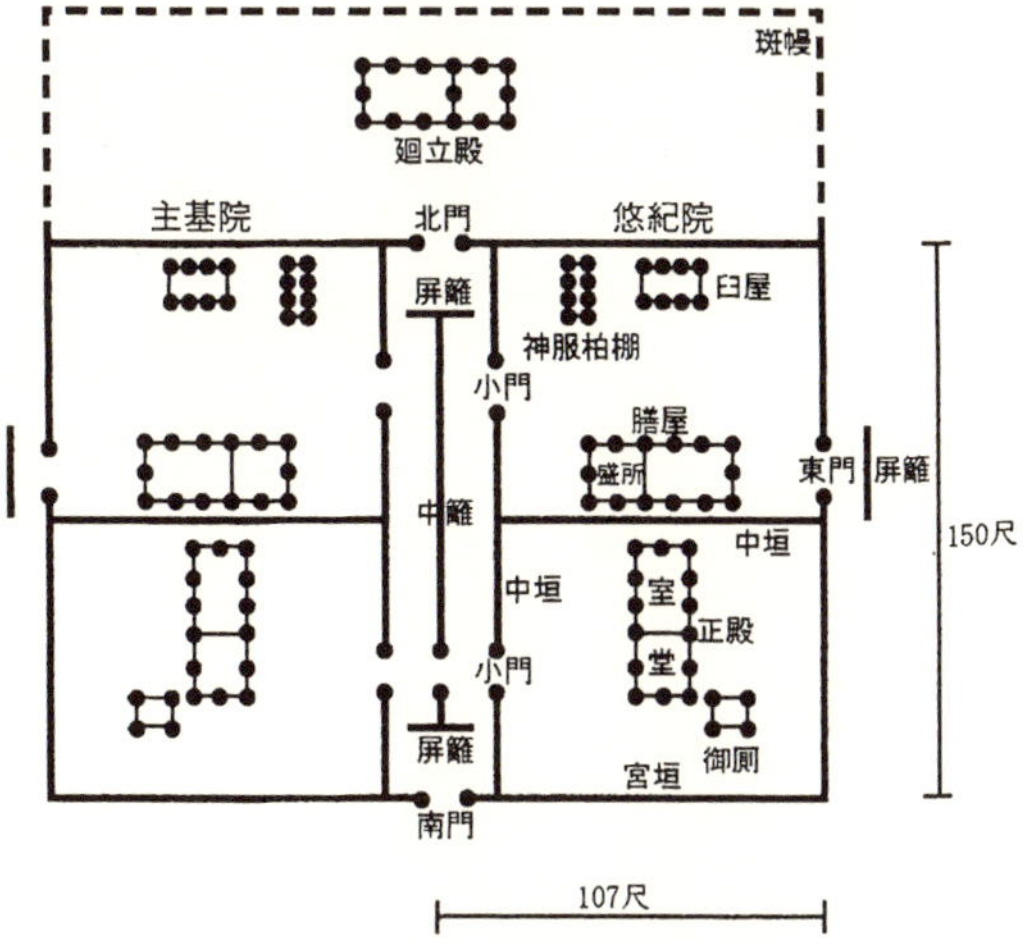

『儀式』による大嘗宮の建物配置

（上下とも，清水洋平ほか「中央区朝堂院の調査　第三六七次・三七六次調査」『奈良文化財研究所紀要』2005年，より）

が安らかに平穏に仕え、由紀須伎二国の献じた黒紀《くろき》・白紀《しろき》の御酒を赤丹《あかに》の色の頬となるまで楽しみ、常に賜う酒幣《さかまい》の物を賜って帰るようにとしている。

称徳を支えている論理は、仏を上位とし、その次は神祇、さらにその下は儒教倫理による撫民であり、後の神護景雲三年（七六九）十月一日の宣命第四十五詔で、聖武天皇からの教えとして述懐した「天下の政事は 慈《うつくしび》 を以て治めよ。復《また》上は三宝の御法を隆《さか》えしめ出家せし道人を治めまつり、次は諸の天神・地祇の祭祀を絶たず、下は天下の諸人民を慈み給へ」であった。

「本忌みしが如くは忌まずして」僧俗相交わる

称徳は宣命第三十八詔で、さらに「神等《たち》を三宝から離《さ》けて、触れない物であると、人が思っている。しかし経典を見ると、仏の御法を護り尊ぶ諸の神たちがいる。このことから、出家している人も白衣も相い雑《まじ》わって供え奉ることに、決して支障がないだろうと思うから、本来忌むようには忌まずに、この大甞を行うのだ」と述べている。

今回の大嘗祭が通常と異なるのは、自らが仏弟子として戒律を受けた身であり、まず三宝を上位に置き、次に神を敬うと述べていることである。いわば仏と神の間の序列を前提としつつ、一方で仏と神を同時に拝することを述べ、そのことの正当性を主張している。ただし宣命原文に「神等をば三宝より離けて触れぬ物そ」とあるように、本来は神が仏を忌避する、神仏の隔離の原則が存在した。この観念を乗り越える論理として、日本の神祇の神々を仏教経典にみえる護法善神に擬え、神が仏を護持する神仏習合《しんぶつしゅうごう》の論理で正当化している。これにより「本《もと》忌みしが如くは忌まずして」と前置きしたうえで、出家人も白衣の俗人も、相交わって奉仕する大嘗祭を執行することは可能であると説明した。

後世の例では悠紀《ゆき》殿など祭儀の場内部に関白《かんぱく》の座が設けられたことから、それ以前に補佐役として太政大臣が列席した可能性があるとし、この時は道鏡が太政大臣禅師として列席したのではないかと推測する説がある。また悠紀殿の儀に先立って、皇太子以下、諸親王、大臣以下が大嘗宮の南の幄下の座につき、五位以上は起立し中庭の版位《へんい》のところで跪き拍手することになっている。少なくとも、道鏡はこの大臣の筆頭としては拝礼に参列したといえる。皇太子が存在せず、親王クラスの人物はこの時点で生存している者は内親王のみであり、その点でも男性としては筆頭であったといえる。

受戒した尼天皇と太政大臣禅師が国家的神事に関与するという異例の事態のために、神事執行の責任者の神祇伯《じんぎはく》中臣清麻呂《なかとみのきよまろ》を味方につけておく必要があったと考えられる。称徳が祭の後の叙位で、清麻呂を正四位下から従三位へと特別優遇の昇進をさせたことは、このことを物語っている。

豊明節会の二日目にあたる二十四日には、宣命第三十九詔を発して、「必ず人は父がかた、母がかたの親在りて成る物に在り」と、称徳天皇自ら、父方・母方の親族である諸王や藤原朝臣らに対しても、黒紀・白紀の酒や品を賜与し、結束を促している。

神仏習合

神仏習合とは、神祇信仰と仏教の単純な混淆《こんこう》ではなく、両者が密接に関係し、時には一体化するような形態をいう。仏教が本格的に地域社会に浸透すると、在来の神祇信仰と仏教とのせめぎ合いが顕在化してくる。この過程で神仏習合が中央よりも地方で起きたとし、神仏習合を日本独自の現象とする説と、中国の『高僧伝』などに類似現象がみえるように日本独自な発想とはいえず、中国の観念を応用しながら日本の神仏関係が展開したとする説がある。中国や朝鮮半島との類似性や影響関係は重要であるが、いずれの地域でも在来信仰と外来信仰のせめぎ合いの中で習合を引き起こすといえよう。日本では八世紀から神仏習合が顕在化してくるが、この時期の神仏習合には、神身離脱系と護法善神系のタイプがあった。

まず神身離脱とは、神は迷える存在であり、仏の救済を必要とするという考え方で、神は神身を離脱し、仏弟子となることを願い、このため神社に神宮寺が併設されるようになった。これは既に八世紀前半にみられ、例えば『藤氏家伝』の「武智麻呂伝」によれば、霊亀元年（七一五）に越前の気比《けひ》の神が藤原武智麻呂の夢に現れ「吾れ宿業《しゅくごう》に因《よ》りて、神となりて固《まこと》に久し。今仏道に帰依《きえ》し、福業を修行せむと欲《おも》へど、因縁《いんねん》を得ず」と述べ、自分のために寺を造ることを懇願し、気比神宮寺《けひじんぐうじ》が造立されたという。また『日本後紀』逸文天長六年（八二九）三月乙未条によれば、養老年中（七一七〜七二三）に若狭国の比古神の「我れ神身を稟《う》けて、苦悩甚だ深し。仏法に帰依し、以て神道を免れむことを思う。期の願を果たすこと無ければ、災害を致さむのみ」という願いを受けて、山林修行者が神《しん》願寺《がんじ》を造立したとする伝承がある。疫病や天災、不作は神の苦しみが引き起こすとされ、自ら仏道修行や布施ができない神は、この苦しみから逃れるために、人の力を借り、人が神のために神宮寺《じんぐうじ》造立、神前読経《しんぜんどきょう》、書写奉納などを行うことになった。

称徳自身は、大嘗祭の翌年の天平神護二年（七六六）七月二十三日には使者を派遣して、伊勢大神の寺に丈六の仏像を造らせている。皇祖神を祀る伊勢神宮の神宮寺造営は、『太神宮諸雑記』では聖武の発願と伝えるが、称徳は実際に仏像を造立させ、神仏習合化を加速させていった。

　一方の護法善神系とは、神が仏教を守護するという考え方である。インドでも梵天《ぼんてん》・帝釈天《たいしゃくてん》・四《し》天王《てんのう》などが諸仏の眷属《けんぞく》として位置付けられており、これら外来の神が仏教の護法神として日本でも重視された。梵天は梵語ブラフマーの訳で、バラモン教の主神であった。また帝釈天はインドラ神（雷神）であったが、天衆を率いて阿修羅を征服し、常に使臣を遣わして天下の様子を知らしめ、万民の善行を喜び、悪行を懲らしめ、大威徳を有する王とされた。そして四天王は持国天《じこく》が東方、広目天《こうもく》が西方、増長天《ぞうじょう》が南方、毘沙門天《びしゃもん》が北方を守護するとされた。

　称徳はこの梵天・帝釈天・四天王を、自らを守護する諸天としていた。前述したように、橘奈良麻呂の変直後の宣命第十九詔に「護法梵王帝釈四大天王」とみえ、さらに後述する西大寺の仏像例や神護景雲三年（七六九）五月二十九日の宣命第四十三詔にも「護法善神梵王帝釈四大天王」とみえる。

　またこのようなインド天部だけでなく、日本の神が仏教を守護する神として位置付けられるようになったが、その代表が九州豊前国の宇佐八幡神であった。そしてこの神仏習合を特徴とする八幡神は、孝謙・称徳にとって重要な神となり、これが後の宇佐八幡神託事件につながっていった。

俗官体制の整備と私称聖武皇子の遠流

　二度目の大嘗祭の直後である天平神護元年（七六五）十一月二十七日に、当時の俗官筆頭であった右大臣藤原豊成が六十二歳で没し、これによって藤原氏の嫡流としての地位を保ってきた南家《なんけ》の力が衰えた。そして翌天平神護二年（七六六）正月八日、宣命第四十詔を発し、天智天皇が鎌足、不比等に賜った誄《しのびごと》の書を根拠に、北家《ほっけ》の房前第二子《ふささき》である藤原永手《ながて》を右大臣に任じた。これにより右大臣永手、大納言白壁王・真楯、中納言真備となったが、三月十二日に真楯が没し、これに替わって真備が大納言に昇った。このように称徳にとって強力なブレーンを含む、俗官体制となっていった。

称徳は、四月二十二日に、この頃念うところがあるとして、自ら三宝に帰依し行道懺悔し、さらに大赦を行った。天皇自身の仏事を伴った大赦が特徴である。称徳はこの後もしばしば「念（思）う所ある」として仏事を行い、仏の霊示を受けて自らの政治方針を決定していくようになった。

そのような中、四月二十九日に聖武天皇の皇子と自称する男子が現れた。年齢が不明であるが、聖武没後既に十年も経過していた。ただし勘問した結果詐偽とされ、この男子は遠流に処せられた。石上《いそのかみの》志斐弖《しびて》から生まれたと称したが、この女性は他に記録がない。その所生と称することで、聖武の子であると表明できたとすれば、聖武の後宮に出入りした女性であった可能性がある。ただし志斐弓の処分は記されておらず、既に没していたのかもしれない。

石上朝臣は大和国山辺郡石上郷を本貫とする物部氏の流れを汲む氏族である。特に天武朝に物部連から物部朝臣、さらに石上朝臣を賜った麻呂は、持統・文武・元明・元正朝を通じて活躍し、左大臣にまで昇り、養老元年（七一七）三月三日に没していた。また麻呂の子の乙麻呂も久米若売との奸によって一時土佐に配流されたが、その後許され、天平勝宝元年（七四九）に中納言となり、翌年九月に没した。石上朝臣出身の女性は、天平勝宝元年四月に無位から従五位下に叙せられ、天平宝字四年（七六〇）五月に従四位上になった国守《くにもり》、天平宝字七年（七六三）正月に無位から従五位下に叙位された絲手《いとて》、神護景雲元年（七六七）十月無位から従五位上に叙せられた等能古《とのこ》などがみえる。

この私称聖武皇子事件が起きた年は、乙麻呂の子宅嗣《やかつぐ》が正月に参議となっていた。その一族の奥継《おくつぎ》（息嗣）は前年の紀伊行幸の時に路次の河内守として昇叙されている。宅嗣または奥継がこの私称事件を策謀した可能性は低く、むしろそれを否定する動きを見せたのであろう。

ただし、いずれにしても、しばし鎮静化していた皇太子問題に、新たな動きが起こってきており、さらに次なる手立てが必要になってきたといえる。

3 称徳尼天皇と道鏡法王

隅寺毘沙門像からの舎利出現

天平神護二年（七六六）十月二十日、称徳は隅寺《すみでら》の毘沙門像から六月に出現していた舎利を仏からの明示として、道鏡を法王にする詔を発した。この間の経緯を伝える十月二十一日の漢文体の勅によると、称徳は「去る六月に思うことがあり、菩提心を起こして仏道に帰依した。すると霊示があったので、縄で密閉された容器の中を謙虚な心でうかがうと、舎利《しゃり》三粒が現れた。数カ月はただ感嘆してどうしたらよいかわからなかった」としている。

隅寺は隅院（角院寺）ともいい、法華寺の北東に隣接していた。光明子が不比等旧宅の仏教施設を隅院として整備したらしく、天平十年（七三八）三月二十八日に食封一〇〇戸が施入されており、その内訳は『新抄格勅符抄』によれば出雲五〇戸、播万（播磨）五〇戸であった。この年には一切経書写のために隅院に対し所蔵経典の貸し出し請求などが行われていた。なお海龍王寺《かいりゅうおうじ》の寺号は、保延六年(一一四〇)の『七大寺巡礼私記』に初めて現れる。この天平神護二年(七六六)段階では、平城宮及び法華寺に最も近接した僧寺であったといえる。

毘沙門天とは、サンスクリットのヴァイシュラヴァナ(弘く遠く名の聞こえた者)が転訛したヴァイシュラマナを写音したもので、漢訳では多聞天《たもんてん》とも訳された。ヒンドゥー教における財宝福徳を司る北方守護神のクベーラ神がもととされ、福徳富貴を授ける善神である。四天王の一つに数えられ、毘沙門天は北方を守護するとされたが、毘沙門天は単独で信仰される例もあった。

おそらくこの毘沙門像も単独で作成されたものと考えられる。宝亀十一年(七八〇)の『西大寺資財流記帳』には、四天王の彫像が薬師金堂と四王堂に、四天王画像が十一面堂に安置され、それらとは別に薬師金堂に「金銅多聞天王像」、十一面堂に「金銅毘沙門天王像」が独尊としてみえる(『寧楽遺文』三九九〜四〇三頁)。なお称徳の座右経典である『法華経』では妙音菩薩や観世音菩薩が教説のために変化《へんげ》する姿の一つに毘沙門天がみえる。十一面堂の毘沙門天王像は観世音菩薩像の次に記されていることから、この時観音の応身としての毘沙門天信仰が存在していた可能性が指摘されている。

一方『最勝王経』巻六・四天王護国品には仏の形像を画き、その仏の左辺に吉祥天女像を、右辺に「多聞天像」を画いて供養することがみえる。ただし旧訳の『金光明経』は全体的に「毘沙門天」を使用しているが、『最勝王経』では、序品以外は「多聞天」「薛室羅末拏天」と訳されており、直接四天王護国品の吉祥天と多聞天のセットを念頭に置いたものとは言い切れない。

なお王の後継者の出現という点からすると、玄奘の『大唐西域記』に「毘沙門天神」の額が割れ国王の後嗣が誕生したという瞿薩旦那《くすたーな》（コータン、于闐《うてん》）国の建国伝説がみえ、舎利信仰との関係では、『宋高僧伝』の西明寺道宣伝に、夜つまずいて倒れそうになった道宣が毘沙門天王の子の那陀《なだ》太子に助けられ、そのとき太子から仏牙《ぶつが》を授けられた話がみえる。また父聖武が書写した『雑集』の中にある唐の「鏡中釈霊実集《きょうちゅうしゃくりょうじつしゅう》」には「毘沙門天王讃」があった。これは毘沙門天が仏法護持への強い信念の力をもって、悪を伏する威徳ある神力を持ち、物の気などを追い払い、徳のある仁者を護り助けると讃えたものであり、開元六年（七一八）以前の唐における信仰を示している。

法王任命

称徳が毘沙門天の像の前にあった箱から出現した舎利の意味を考え、道鏡を法王に任ずるまでに約五カ月の時間を必要とした。単純に基真《きしん》の策略に乗せられ舎利出現を信じ込み、また道鏡に唆《そそのか》されて思いついたものではなく、幾度となく繰り返された多くの皇位継承に関わる陰惨な政治的経験を踏まえ、称徳自身が昼も夜も毎日繰り返し熟考したうえで、この舎利を政治的演出に使うことに及んだといえる。

そして十月二十日になってようやく、隅寺の毘沙門像から出現した舎利を法華寺に移して安置する儀式が行われた。法華寺は平城宮に隣接し、祖父不比等から母光明子に引き継がれた地に建立され、また称徳自身が出家した寺であり、この時期には総国分尼寺として威厳を持つ伽藍に整備されており、舎利を安置するにふさわしい場であった。法華寺までの道中、舎利の前後には、氏々から選ばれた五位以上二三人、六位以下一七七人もの人々が金銀朱紫を自由に着飾り幡や蓋を捧げ持って行列した。

その日の宣命第四十一詔で、称徳は「この上のない仏の御法《みのり》は、至誠の心を以て拝み尊び申しあげれば、必ず異《こと》に奇《あや》しい験《しるし》を現し授けてくださるものである。しかるに今示し現れなされた如来《にょらい》の尊い大御舎利《おおみしゃり》は、常に見奉《みまつ》っているものよりも御色も光り照り大そう美しい。御形も円満で別に好《こと》くおありなので、特にくすしく奇しいことを思い議《はか》ることはきわめてむずかしいほどである。是をもって心の中で昼も夜も倦《う》み怠《おこた》ることなく、謹んで礼拝しお仕え奉ってきた。これは実に仏が化《か》りの御身（化身＝舎利）となって、縁にしたがって（衆生）を（彼岸）に度《わた》しお導きくださり、時を過ぎず直ちに衆生の行いに相応して慈しみ救ってくださるということだと思った」と述べている。

これは如来の三身、すなわち化身《けしん》・応身《おうじん》・法身《ほっしん》のうち、如来が衆生のために時を待たず、時を過ぎずに、その処・時・行などに相応して、種々の身として現われることを「化身」とする『最勝王経』「分別三身品」の文章を踏まえている。ここで舎利が称徳の座右経典の『最勝王経』によって解釈されていることが注目される。称徳は舎利出現以後、数カ月の間、昼夜この舎利を拝み、そして改めて『最勝経』を熟読し、この中に新たな王権のあり方を模索していったことがわかる。そしてこれが、称徳の思い描く王権を承認する仏の奇瑞であると解釈していったといえる。

さらに称徳は宣命で「それにせよ、法を興し、隆盛させるには、人によって継ぎひろめさせるものである。これゆえ諸大法師たちを率いてその上におられる太政大臣禅師の道鏡が、理に適うように勧め行わせ教導してくださるからこそ、このような尊い験を仏が顕された」とし、この奇瑞は道鏡の行いに如来が感応したものと解釈した。そして「この尊いよろこびを称徳自身だけで嘉《め》でるのではなく、太政大臣である朕の大師に法王の位を授けることにした」とする。

宣命原文では「法を興し隆《さか》えしむるには、人に依りて継ぎひろむる物に在り」とある「法」は、「仏法」であり、これを興隆させること、そしてこれを継承させていくためには「法王」という存在が必要であると考えた。そして宣命では「法王」について、道鏡が「此の世間の位を願い求めたことはかつてなく、一途に仏道を志して菩薩の行を修め、人を済度《さいど》し導こうと心を定めておられる。しかしなお朕が敬い報い申し上げる方法として、此の位冠を授け奉りたい」と述べている。

この道鏡に与えた「法王」の意味については、これは現実を支配する王ではなく、仏法界の王とみる説、逆に「此の世間の位」に注目して、世俗を支配する王とし、また聖徳太子の如く天皇の万機《ばんき》の政を摂行する者の呼称であり、皇太子監国の地位と仏教の教主《きょうしゅ》としての天皇の地位とを兼ね備えたものとする説などが代表的である。

称徳が宣命で「此の世間の位」「此の位冠」と述べているように、俗的な性格を帯びた地位と考えていたことは明白である。「法王」は僧俗に対する権限をもつ大臣禅師・太政大臣禅師を土台とし、さらにそれを超える存在に昇格させたものであった。大臣禅師任命に対して辞表を提出した道鏡に対し、天平宝字八年（七六四）九月二十八日に出した漢文体の勅で「俗務を煩わせない」としているように、具体的な実務そのものは免除されていたが、本来はその権限を有したと考えられる。実際に太政大臣禅師の時に、百官が拝礼しており、俗官の最上位に位置する地位となっていた。今回はこれを継承して、さらにそれをも超越した地位となった。二十三日の詔で法王の月料《げつりょう》は天皇の供御《くご》に準じるとされ、天皇とほぼ同等の待遇を受けた。出家し受戒した天皇である称徳と共同で仏法を興隆し継承していく地位として構想されたことは間違いない。

なお十月二十一日には、この舎利出現を祥瑞として大赦と叙位を行った。その勅では王者の嘉瑞は麒麟《きりん》・鳳凰《ほうおう》・亀・龍・白虎《びゃっこ》の五霊と聞いており、このような欠けることがない舎利の出現は前例がないが、これを仏の感応《かんのう》として解釈した。その舎利の形状や出現の意義には「至道凝寂《しどうぎょうじゃく》」「円性湛然《えんしょうでんねん》」「孤園《こえん》」「双林《そうりん》」「西法東流《さいほうとうる》」など仏語が多用されており、仏教的な祥瑞として位置付けている。この仏教による祥瑞解釈と大赦や叙爵については、道鏡のアドバイスがあった可能性は高い。なお祥瑞の仏教的解釈はその後も行われていく。

その後、神護景雲二年（七六八）十二月四日の記事にみえるように、興福寺の僧基真が毘沙門天像を作って密かに数粒の珠子をその前に置いて仏舎利が出現したと称した詐偽であったとされていき、その時の『続日本紀』編纂者の記事に、道鏡がこの舎利を己の瑞として「天皇に諷《ほのめか》して天下に赦し、人ごとに爵を賜う」とあるが、そのことは道鏡失脚時までは露見していなかった。

法王宮職の実態

法王任命から約半年を経た神護景雲元年（七六七）三月二十日になって、ようやく法王宮職《ほうおうぐうしき》が設置され、職員が任命された。大夫は造宮卿但馬守従三位高麗福信《こまのふくしん》、亮は大外記遠江守従四位下高丘比良麻呂《たかおかのひらまろ》、大進は勅旨大丞従五位上葛井道依《ふじいのみちより》が任じられ、この他に少進一人、大属一人、少属二人の職事官で構成された。つまり規模としては、中宮職・春宮坊と同格以上のものである。いずれも兼官であるが、光明子皇后宮職でも兼官は多かったので、そのこと自体は特にこの組織に特有の性格ではない。法王宮の存在自体が確認できるのは二年後の神護景雲三年（七六九）正月七日の記事であるが、その所在地は史料的には明らかでない。また本格的な法王宮職の印が使用されるのは、神護景雲三年七月十日からである。

法王宮職は、法王の家政機関であり、この組織が太政官に替わる政務の実権を握ったわけではない。ただし道鏡印は、既に天平神護元年（七六五）から僧尼度縁《どえん》に用いられていた。仏教関係とはいえ、本来は俗官の行政組織である治部省《じぶしょう》の印が押されるべきものであった。大臣禅師の時から、このような逸脱した権限を持ち得ており、この道鏡印の効力は太政大臣禅師、法王と継承され、宝亀二年（七七一）正月四日まで継続した。

同時に宣命第四十一詔で、円興《えんこう》禅師を「法臣《ほうしん》」、基真禅師を「法参議《ほうさんぎ》」大律師《だいりっし》を任じているが、これらを「世間の位冠」としている。そして月料も法臣は大納言、法参議は参議に準ずる待遇とされた。特に基真には冠として正四位上を授け、物部浄之《もののべのきよし》（志）朝臣の姓を賜与している。この「法参議」が単なる僧の地位ではなく、俗官の参議に半僧半俗の立場で関与できるように、俗位とそれに見合う姓が与えられたといえる。基真が初めて史料にみえる天平神護二年（七六六）九月十九日には「修行《しゅぎょう》進守大禅師基真《しんしゅだいぜんじ》」として正五位上が叙位されており、法参議任命以前から既に俗位を持っていた。

僧の俗位叙位は後世「出家人叙位の事、道鏡の外無し」（『吾妻鏡』建保六年四月廿九日条）といわれたが、この僧の俗位は俗名と密接に連動していた。同時に法臣に任じられた円興は、僧位はあっても俗位の叙位はなく、また彼の俗名の言及もない。このことは僧位と俗位両方の叙位には、法名だけではなく俗名が必要であったことを予測させる。なお僧が俗位・俗官を持つ例は、唐の中宗が重用した胡僧慧範を、銀青光大夫・上庸県公に封じたことと類似する。

法王の意味

繰り返すが、この法王任命はたとえ道鏡から何らか天皇に対して強い働きかけがあったとしても、称徳自身の理解に基づく積極的な意志がないかぎり法王任命はありえなかった。そしてむしろ法王という名称にこそ、尼天皇自身が構想した仏教と天皇との関係に対する積極的な基本方針が示されていたと考えられる。あくまでも称徳主導の専制体制のもとで、称徳が構想した共同統治体制であった。

ではこの「法王」とはどのようなものとして構想されたのだろうか。

経典の「法王」の用例は、『最勝王経』にみえる「正法をもって統治する国王」、『法華経』にみえる「釈迦」・「如来」・「世間に出現する法王」・「法をもって一切衆生を教化する如来」、『大般若経』にみえる「菩薩行の最終到達者」、『華厳経』にみえる「菩薩」など多様である。大別すれば、仏法をもって統治する世俗の王と、釈迦・如来・菩薩など仏法界の王とになる。

その中でも称徳が法王という地位を構想するうえで参考にしたものは、やはり座右経典の『最勝王経』「王法正論品」の法王であったと考えられる。

「王法正論品」の中に、「若し正法の王たらば、国内に偏党なく、法王の名称有りて、普《あま》ねく三界中に聞き、三十三天衆、歓喜して是の言を作す。贍部洲《ぜんぶしゅう》法王、彼即ち是我が子なり、善をもって衆生を化し、正法国を治め、正法において勤行《ごんぎょう》せば、まさに我が宮に生ぜしめん」とみえる。

贍部洲は仏教世界の中心の須彌山《しゅみせん》よりはるか南方海中の人が住む大陸を意味し、「法王」は正法（仏法）をもって国を治める国王となっている。いわば三宝の法を興隆しさらに永伝する「崇仏君主」に並ぶ称号として構想された。

称徳の政治思想と『最勝王経』

称徳は前述したように、内親王・皇太子時代から『最勝王経』の写経事業を通して、その正統性を主張してきた。そして出家後に『最勝王経』に対する理解が進み位置づけが高まり、さらに称徳時代は、宣命や詔勅に『最勝王経』やその趣意文を引用する例が集中しており、『最勝王経』を単なる護国経典としてだけでなく、天皇自身の仏教思想・政治思想において依拠すべき存在として位置づけていった。聖武も仏教政策に関わる詔に引用例はあるが、称徳の場合は仏教関係以外、皇位継承問題に関する宣命にも引用しており、聖武以上に政治思想の依拠経典となっていた。

『最勝王経』の引用・意訳例は、天平神護元年（七六五）十一月二十三日の大嘗祭豊明節会の宣命第三十八詔「経を見まつれば仏の御法《みのり》を護《まも》りまつり尊《とうと》びまつるは諸《もろもろ》の神たちにいましけり」は「四天王護国品」の趣意文の可能性があり、天平神護二年（七六六）十月二十日の隅寺仏舎利供養時の宣命第四十一詔は前述したように「分別三身品」の意訳的表現であり、天平神護三年（神護景雲元・七六七）正月八日の吉祥天悔過法を命じた勅は「大吉祥天増長財物品」の意訳的表現、さらに後述する人々が勝手に皇位継承を願うことを諌める神護景雲三年（七六九）十月一日の宣命第四十五詔は「王法正論品」をそのまま引用し、かつ「僧慎爾耶薬叉大将品」を意訳引用している。

そしてこの宣命第四十五詔が出される少し前、不破内親王謀反事件に関連した神護景雲三年（七六九）五月二十九日の宣命第四十三詔で、称徳は自らを加護するものを「盧舎那如来《るしゃなにょらい》、最勝王経、観世音菩薩、護法善神の梵王・帝釈・四大天王の不可思議威神《ふかしぎいじん》の力、挂《か》けまくも畏《かしこ》き開闢《あめつちひら》けてより已来《このかた》御宇《あめのしたしらしめ》しし天皇の御霊《みたま》、天地《あめつち》の神たちの護り助け奉《まつ》りつる力」としており、その二番目に『最勝王経』を挙げている。このように称徳は『最勝王経』を政治思想の指針として、道鏡法王との共同統治に乗り出していった。

聖徳太子の法王

この道鏡に与えた法王は、称徳の「聖徳太子」信仰にも関係していた。前述したように立太子を模索していた頃、上宮王院の「法華経講」を母光明子とともに主催し、皇位継承者の課題を学んだ。そして「三宝之法永伝」を説いた「聖徳太子」は「僧の如」き「皇太子」であり、この人物が「法王」とも称されていたことも重要な意味を持った。法隆寺の釈迦三尊像光背銘に「法皇」「上宮法皇」、『日本書紀』に「法主王」「法大王」などの表現がみえ、『法隆寺伽藍縁起幷流記資財帳』『法隆寺東院縁起資財帳』に「法王」と記されている。

そして称徳の時代には、「聖徳太子」は「三経義疏」を作成し、推古女帝に『法華経』等を講説する僧の如き聖徳太子「法王」像が成立していた。なお「三経義疏」に関連する『維摩経』『法華経』『勝鬘経』の中の法王がいずれも法施者を表すとし、法隆寺僧が「日本の釈迦」とみなして法王と呼んだとする説もあるが、この理解がこの時期に唯一のものだったとはいえない。例えば後述するように、聖徳太子は釈迦そのものではなく、その釈迦の説法した霊鷲山《りょうじゅせん》で釈迦から『法華経』を聴いた僧の後身であり、仏法を興隆するために、日本に転生したという太子像がある以上、単純に「日本の釈迦」だけであったとはいえない。

そして称徳が理解した聖徳太子の法王は、『最勝王経』の「正法をもって統治する王」、すなわち仏法を興隆させる王としての位置づけと結びついていったと考えられる。「聖徳太子」は実際には、僧にはならなかったが、高僧の転生とされたこと、そして「僧」の如く推古女帝に経典を講説したという説が入り混じって、称徳の中で独自の「法王」イメージが形成されていった。

また父聖武が書写した『雑集』の中に、北周の趙王が作成した「道会寺碑文《どうかいじひぶん》」がみえ、そのうち銘の中で仏教を再興した皇帝を賞賛し、その聖性を強調する部分に「我が皇、宇を御し、茲《こ》の文武を超ゆ。迹《あと》を俗人に染め、心を浄土に標す。（中略）是れを人王と曰い、兼ねて法王と称す」とあることも注目される。ここでは皇帝が人王であり法王であるとし、この場合の法王は、仏法の中心となる王者を表していると考えられる。このような聖武が認識していた法王観も参考になった可能性がある。

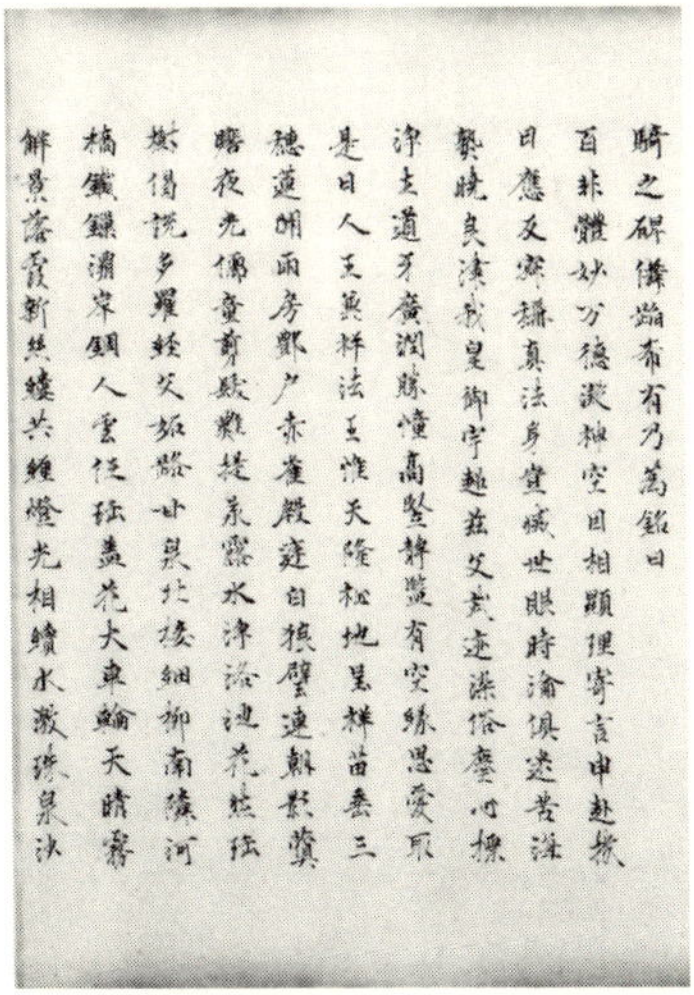

聖武天皇宸翰「雑集」の「道会寺碑文」部分（正倉院宝物）

第八章　称徳天皇の手腕——女帝としての政治

1　仏・神・儒、三教の政治

西大寺・西隆寺造営

称徳が道鏡とともに行った仏教事業の一つに西大寺《さいだいじ》・西隆寺《さいりゅうじ》の造営があった。天平宝字八年（七六四）九月十一日、恵美押勝の乱発覚の日、孝謙尼太上天皇が七尺金銅四天王像の造立とともに発願した。実際には天平神護元年（七六五）に銅造四天王像の鋳造が始められ、以後宝亀末年頃までの十数年にわたって造寺事業が継続された。創建期の主要伽藍は薬師《やくし》金堂《こんどう》・弥勒《みろく》金堂《こんどう》の二つの金堂を中心線上に配し、その左右に東西両塔・四王院・十一面堂院などを配置するものであった。その規模は宝亀十一年（七八〇）に作成された『西大寺資財流記帳《しざいるきちょう》』に詳しく記されており、建物の数は百十数字に及んでいった。寺地は平城京右京一条三・四坊で、三十一町の広大な面積を占めた。またその東側右京一条二坊には尼寺として西隆寺が造営された。父母が創建した左京の東大寺・法華寺に対して、右京に造営された大寺となった。

天平神護二年（七六六）十二月十二日に称徳が行幸しており、故鈴鹿《すずか》王の子息で真人姓の豊野出雲《とよののいずも》らに叙位が行われた。寺地となった地に故鈴鹿王旧宅があったためと考えられる。この頃には四王堂は完成していたと考えられるが、伽藍全体の造営をさらに推進するために、翌天平神護三年（神護景雲元・七六七）二月二十八日に、佐伯今毛人が造西大寺長官、大伴伯麻呂《おじまろ》が次官に任ぜられている。そして称徳は、同年三月三日に柳の新緑が糸のように垂れた路を鸞の如き車で西大寺法院に行幸し、曲水《きょくすい》の宴《えん》を催して文人の詩を楽しみ、彼らや五位以上の官人に賜物している。この時石上宅嗣が称徳の詔に応えて作成した、この宴を寿ぐ七言が『経国集《けいこくしゅう》』に残っている。また九月二日にも同寺嶋院に行幸しており、この法院と嶋院は同一のものとし、経巻や写経を行う池のある嶋（庭園）施設とみる説がある。

尼寺の西隆寺も、この年四月頃から造営が開始され、八月二十九日に伊勢老人《いせのおきな》が造西隆寺司長官、九月四日に池原永守《いけはらのながもり》が次官に任命された。彼らは修理司にも任じられ、北辺坊の造営にも関わったと考えられる。発掘調査によってこの時期の年紀を持つ貢進物付札木簡や修理司関係の知識銭付札木簡が出土している。翌神護景雲二年（七六八）五月二十八日には、没官されていた仲麻呂の越前国の地二〇〇町、御楯の地一〇〇町の旧領を施入した。

西大寺に対しては、神護景雲二年二月十八日に飛驒國造高市麻呂・橘部越麻呂を造西大寺大判官に任じて造営体制を強化した。そして薬師金堂が完成したのは翌神護景雲三年（七六九）頃と考えられ、称徳は四月二十二日に行幸し造西大寺長官らに叙位を行った。ただし称徳の生前にはもう一つの金堂である弥勒金堂（兜率天《とそつてん》堂）は完成せず、完成したのは兜率天堂造営の功により英保代《あぼのよ》作《つくり》が叙位された宝亀二年（七七一）十月二十七日頃であった。経営の財源としては、神護景雲二年閏六月七日に封一五〇戸が施入されていたが、『西大寺資財流記帳』からは、この他にも称徳が天平神護二年（七六六）、神護景雲四年（七七〇）に封戸を施入し、また多くの庄家や墾田地などを献じていたことが知られる。

　また西大寺の造営に際して、京畿内や諸国の下級官人層・郡司層からの墾田や稲などの寄進も多く、この献物に対して叙位する例もあった。例えば天平神護三年（神護景雲元・七六七）五月二十日に、左京人従八位上荒木道麻呂とその男无位忍国が、墾田一〇〇町・稲一万二五〇〇束・庄三区、また近江国人外正七位上大友人主が稲一万束・墾田一〇町を献じ、この時点で死去していた道麻呂に贈外従五位下、忍国と人主にそれぞれ外従五位下が授けられた。また六月二十二日には土佐国安芸郡の少領《しょうりょう》が稲二万束と牛六〇頭を献じて外従五位上を授かっている。このような献物叙位は、この時期には国分寺に対する寄進でも盛んに行われていた。

　『西大寺資財流記帳』によれば、西大寺には弥勒金堂・薬師金堂それぞれに安置された一切経をはじめとして、多くの経典が納入されたが、四王堂には吉備命婦《きびのみょうぶ》由利《ゆり》進納の一切経が安置された。由利は吉備真備の姉妹または娘とされ、称徳の側近として仕えた。「吉備由利願経一切経」と通称され、西大寺などに現存する散帙経には天平神護二年（七六六）十月八日の跋語があり、これによれば、こ

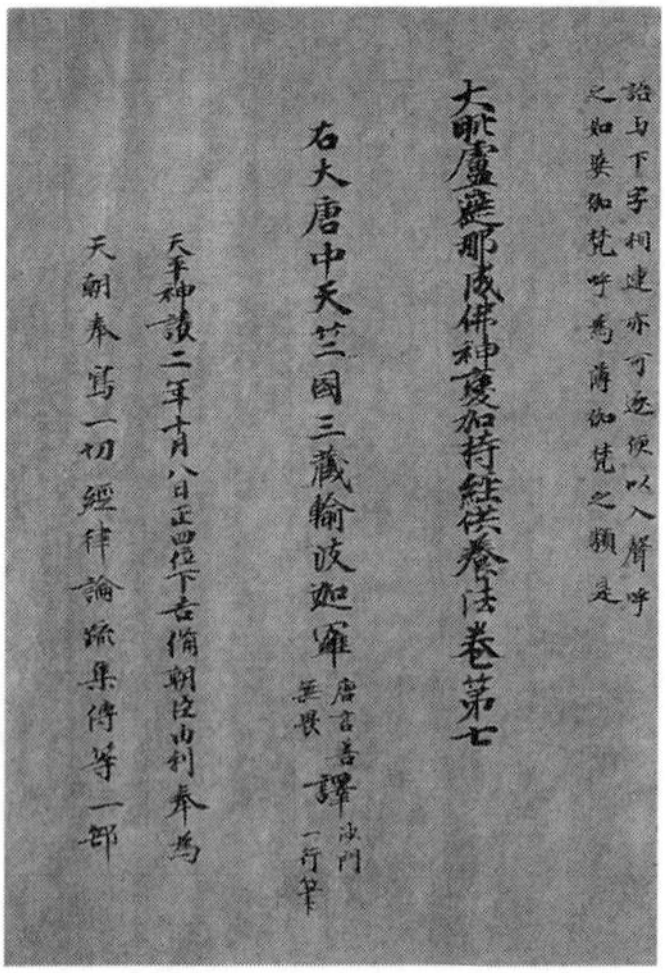

諸与下字相連亦可逐便以入聲呼
之如娑伽梵呼為薄伽梵之類是

大毘盧遮那成佛神変加持経供養法巻第七

右大唐中天竺国三蔵輸波迦羅 唐言善無畏 譯 沙門一行筆

天平神護二年十月八日正四位下吉備朝臣由利奉為
天朝奉寫一切經律論疏集傳等一部

「吉備由利願経一切経」部分（西大寺蔵）

の時由利は正四位下、「天朝の奉為」として一切経律論疏集伝等一部を書写したものであった。

百万塔の作成

称徳は、恵美押勝の乱を平定した天平宝字八年（七六四）に、三重の小塔を百万基造立することを発願していた。この小塔は木製で高各四寸五分、基径三寸五分とし、『無《む》垢《く》浄光《じょうこう》大《だい》陀羅《だら》尼経《にきょう》』（以下『無垢浄光経』）に記された陀羅尼《だらに》を納入した。この「百万塔陀羅尼」の大半が摺本によるものであるため、刊行年代の明確な印刷物として印刷技術史からも注目されてきた。

『無垢浄光経』は、城の仏塔を修理し陀羅尼を写経して中に安置供養すれば、延命し、極楽・妙喜世界・兜卒天に往生し、一切罪障が消滅し堕地獄せず常に如来に擁護されると説いており、現存する漢訳は沙門弥陀山《みだせん》が沙門法蔵《ほうぞう》らとともに武則天末年の長安四年（七〇四）に訳したものである。『無垢浄光経』の中には根本陀羅尼・相輪樘《そうりんとう》陀羅尼・修造仏塔《しゅうぞうぶっとう》陀羅尼・自心印《じしんいん》陀羅尼・大呪王《だいじゅおう》（大功徳聚《だいくどくしゅう》）陀羅尼・六度陀羅尼という六種類がみえるが、百万塔内に納入された陀羅尼は、『続日本紀』に「根《こん》本《ぽん》・慈心《じしん》・相輪《そうりん》・六度《ろくど》等陀羅尼」と表現しているように、現存例はこの四種類が確認されている。

東アジアにおける『無垢浄光経』の受容例のうち、新羅の初見例は、「皇福寺石塔金銅舎利函銘」

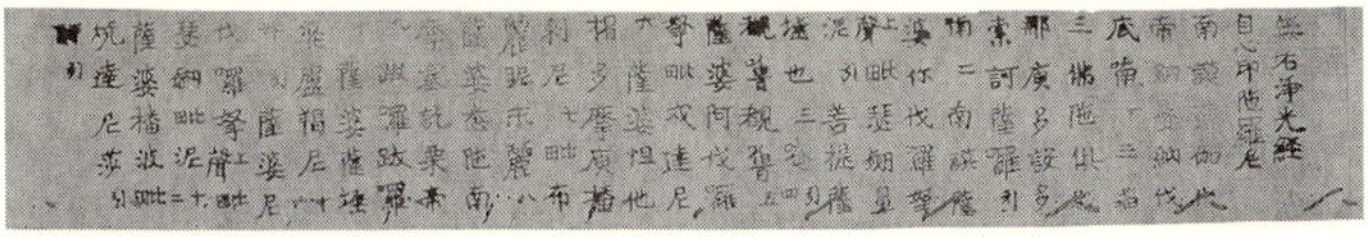

「百万塔」（左）と「無垢浄光経陀羅尼」（上）
（奈良国立博物館蔵／森村欣司撮影）

によれば、かつて神睦太后・孝照王が建立していた三層石塔を、神龍二年（七〇六・聖徳王五）に聖徳王が修造した時、『無垢浄光経』経典全文を書写し阿弥陀像とともに追加納入したものである。一方ほぼ同じ頃に、慶州羅原里五層石塔には、金銅製舎利容器の内部に「大功徳聚陀羅尼」「自心印陀羅尼」の陀羅尼部分だけが書写納入されていた。舎利容器内に金銅如来立像一軀・金銅三層小塔一基・金銅九層小塔三基の他に、木造三層小塔と木造九層小塔の破片、玉四点と舎利二〇余粒も納められていた。ただし木製小塔には陀羅尼を納入していない点で百万塔と異なる。

なお慶州の仏国寺三層石塔（釈迦塔）第二層の舎利外函内から発見されていた木版印刷の『無垢浄光経』は、従来は塔の修理記録がないとして、寺造営時の天宝元年（七四二・景徳王元）の納入とされ、百万塔に先行する印刷例とみられてきた。しかし同時に発見されていた「墨書紙片」の解読が近年の調査で進み、これが統化（和）二十五年（一〇〇七・穆宗一〇）の総持寺版本を底本とした『宝篋印陀羅尼経』の書写経典の一部と、十一世紀の文書類であったことが判明した。特に「仏国寺无垢浄光塔重修文書」から、仏国寺塔は天宝元年（七四二）頃に成立した可能性はあるが、高麗時代の太平二年（一〇二二・顕宗十三）から四年（一〇二四）に「无垢浄光塔」が重修されたこと、また「仏国寺西石塔重修形止記」から、太平十六年（一〇三六・靖宗二）の地震被害を受け、二年後に仏国寺諸施設や「西石塔」（釈迦塔）が重修されたことも判明した。さらに遺物の再調査から、新羅時代だけでなく、高麗時代、さらに朝鮮時代の物品も納入されており、重修がその後も行われていたことが明らかになった。また「无垢浄光塔」は釈迦塔ではなく東側の多宝塔の可能性も指摘されており、現存印刷本『無垢浄光経』がいつのもので、どのような経緯で『宝篋印陀羅尼経』とともに釈迦塔に納入されたか、改めて問題となっている。釈迦・多宝二塔の創建時、一塔が「无垢浄光塔」と称され、陀羅尼または経典全文が納入された可能性もあるが、現存する木版印刷『無垢浄光経』が創建当初から納入され釈迦塔に再納入したものか、高麗時代の重修時に別途調達して追加納入したものかは依然不明な点がある。創建当初とするには『無垢浄光経』が塔修理の功徳を説く経典であることが気になる点である。

日本における『無垢浄光経』の受容

日本への『無垢浄光経』の船載時期は明確ではないが、『興福寺流記』にみえる天平宝字年間の資財帳逸文の「宝字記」には、興福寺五重塔内の層別に、「水精小塔」四基と「无垢浄光陀羅尼」が安置され、水精の塔には舎利一粒が納入されていたことが記されている。形状に不明な点があるが、小塔と舎利容器と陀羅尼のセットは、新羅の慶州羅原里五層石塔と共通性がみられるが、新羅の場合は方形の舎利容器内に小塔と陀羅尼を納入しており、興福寺五重塔の陀羅尼は舎利容器としての水精塔に付属している点では若干相違する。もしこの陀羅尼が五重塔の創建時の納入であれば、陀羅尼の受容は天平二年（七三〇）まで遡ることになる。陀羅尼の将来経路としては、大宝期・養老期の遣唐使や帰国僧によるもの、また神亀期までの新羅使・遣新羅使、帰国僧によるもの、いずれの可能性も考えられる。ただしこの塔が創建当初から純粋に「無垢浄光塔」として建てられたかは不明であり、舎利容器類は、五重塔本体に納入された舎利ではなく、すなわち塔の完成時ではなく、天平宝字年間以前に仏像安置など塔内部を荘厳する、いわば「重修」に際して追加奉納した可能性も残されている。

「正倉院文書」では、天平七年（七三五）に唐から帰国した玄昉の将来本が経典全文受容の確実な例である。また天平十四年（七四二）前後から「根本陀羅尼」を誦する例があり、これが『無垢浄光経』の無量寿如来を称える「根本陀羅尼」であれば、僧尼の読誦陀羅尼として普及していた可能性があり、阿弥陀信仰との関連も注目される。新羅でも『無垢浄光経』は阿弥陀信仰と結びついていた。

一方で天平十七年（七四五）十二月五日の『無垢浄光経』間写の例から、個別経典としての受容もある程度普及しており、さらに天平勝宝六年（七五四）に宮子《みやこ》追善供養の経典写経の一つとして、「七仏神呪経」「地蔵経」とセットで書写した例があり、孝謙時代の内裏仏教における受容がみられた。また天平勝宝七歳（七五五）の内裏読一切経所の読誦例もあり、この頃宮中講師の慈訓や宮廷尼の定海の指導によって、内裏仏事の陀羅尼経典類の一つとして、『無垢浄光経』が日常的に使用されていた可能性がある。

天平宝字七年（七六三）五月十七日由義禅師（道鏡）の宣により、東大寺から内裏に請求された例があり、この時期に道鏡が『無垢浄光経』に関心をみせていた（『大日本古文書』五―四四一頁）。この請求を、仲麻呂与党の怨嗟復讐を予防する意図があったとみる説があるが、『無垢浄光経』受容そのものは道鏡の独自性とは必ずしもいえず、直接百万塔の作成と結びついているとはいえない。むしろ次第に内道場で慈訓が担っていた役割を奪取していく過程と重なっている点も注目しておきたい。前述したように慈訓に替わって道鏡が少僧都に補任されるが、この請求はその約四カ月前である。

渤海経由の唐「無垢浄光塔」情報

むしろ百万塔が恵美押勝の乱の慰霊塔として企画されたことでは、北京の法源《ほうげん》寺《じ》の憫忠台《びんちゅうだい》「無垢浄光塔」の影響も考えられる。法源寺はもと唐太宗《たいそう》が貞観十九年（六四五）に高句麗遠征兵士の追悼のために建立した寺とされ、その後上元二年（六七五）に高《こう》宗《そう》によって修建されたがいずれも完成に至らず、さらに武則天が二帝の先志を引継いで完成させ、万歳通天元年（六九六）に憫忠寺の名を賜ったと伝えられている。そして天宝十四載（七五五・天平勝宝七）十一月に安禄山《あんろくざん》が憫忠寺東南隅に塔を建立したという。現存する憫忠台「無垢浄光塔頌」石碑によれば、至徳二載（七五七・天平宝字元）に史思明《ししめい》がさらに西南隅に「無垢浄光塔」を皇帝のためとして作成したとみえる。ただし石碑の皇帝表記などで問題があり、乾元元年（七五八・天平宝字二）作成説もある。この「無垢浄光塔」は「経典全文」ではなく、「陀羅尼」部分を書写して塔内の層刹に納める点で、日本の興福寺五重塔や百万塔と類似する点も注目される。

なお「唐憫忠寺无垢浄光塔銘」から、史思明の出身地平盧《へいろ》（常州《じょうしゅう》、現在の遼寧省朝陽市）に「無垢浄光塔」の信仰が流布していたことが知られる。当時渤海《ぼっかい》は平盧を介してこの地域や中原地域の情報を得ており、渤海でも「無垢浄光塔」の信仰が受容されていた可能性がある。その点で天平宝字年間前後に、唐皇帝建立の兵士慰霊の寺であった憫忠寺の「無垢浄光塔」や平盧の「無垢浄光塔」信仰が渤海経由で日本に伝わった可能性も考えられる。

天平宝字六年（七六二）十月に遣渤海副使伊吉益麻呂《いきのますまろ》の帰国とともに来日した渤海使王新福《おうしんぷく》らは、閏十二月に入京し、翌年正月には太上皇（玄宗）・少帝（粛宗《しゅくそう》）の死去と広平王（代宗《だいそう》）の摂政、また史思明が最近はさらに勢力を拡大している状況を伝えている。この渤海使らは二月に帰国したが、その一行を送り届けた船が日本に戻る時、入唐学問僧の戒融《かいゆう》が帰国していることは注目に値する。

戒融の入唐時期は不明であるが、唐国勅使内常侍《ないじょうじ》の韓朝彩《かんちょうさい》に同行して、長安から渤海に至り、さらに日本に帰国した。帰国時は天平宝字七年（七六三）二月二十日以降で、帰国船の船師が処分を受けた十月六日以前と考えられるが、その正確な月日は不明である。なお天平宝字八年（七六四）七月十九日に、新羅使金才伯《こんさいはく》らが博多津に来日した名目は、唐使韓朝彩が渤海から新羅に赴いた時、戒融の帰国を代宗に奏するうえで、帰国の音沙汰がないので、新羅を通じて日本に照会してきたためとしており、戒融は唐の事情を日本に伝える重要な役割を担っていた人物であった。いずれにしても天平宝字八年に称徳が百万塔陀羅尼を発願した時には、確実に戒融は帰国していた。残念ながら帰国後の戒融の仏教界等おける動向は不明であるが、この当時の唐・渤海・新羅の仏教や政治状況に通じていた人物であり、唐と渤海の仏教の状況を伝える役割を果たした可能性は十分考えられる。

興福寺以外で塔と結びついた受容例としては、『延暦僧録』沙門釈浄三《じょうさん》菩薩伝の「無垢浄光塔」がある。浄三は長親王の子で、智努王から臣籍降下し文室浄三となり、後述するように称徳の意向を酌んだ吉備真備が皇位継承者候補とする人物であるが、沙門浄三として法華寺大鎮となった人物でもある。「無垢浄光塔」とともに造立された「七倶胝塔《しちぐていとう》」は、地婆訶羅訳『仏説七倶胝仏母心大准提陀羅尼経』もしくは金剛智訳『仏説七倶胝仏母准提大明陀羅尼経』に基づく造立と考えられ、この経典でも塔前の供養法がある。この経典もほぼ『無垢浄光経』と同様に宮廷で広く受容されていたものである。なお浄三は「印仏《いんぶつ》」を供養したとも記されている。印仏は必ずしも経典の印刷を指すわけではなく仏像を印にして捺したものであるが、この印刷技術の受容も、陀羅尼の印刷技術との関係で注目される。ただしこの印仏が銅版か木版か、また塔が百万塔と同じ木造小塔形式のものであったかは不明である。また残念ながら浄三による印仏や二つの塔の作成時期は不明である。このため称徳発願の百万塔と並行した時期に個人的に作成したものか、または逆に称徳の百万塔発願のモデルとなっていたのかはこの史料からは判断しがたい。

浄三の「無垢浄光塔」

いずれにしても、このような『無垢浄光経』や陀羅尼に関する様々な受容形態を土台にして、天平宝字八年（七六四）九月に、称徳によって百万塔が発願されたといえる。そして約五年半を経た、神護景雲三年（宝亀元・七七〇）四月二十六日に百万基に及ぶ小塔が完成し、諸寺に分置された。この時、称徳はこの作成に関与した官人以下仕丁までの計一五七人に爵を賜った。

諸寺に分置された百万塔は、その大半は失われ、現在は法隆寺を中心にその一部が遺存している。

法隆寺が昭和資財帳を作成することに関連して、法隆寺伝世塔について作成技法の検討が詳細に行われた。さらに塔身部にみられる年月日、工房名や工人名の墨書から、作成時期や工房組織についても詳細が明らかにされ、法隆寺伝世塔の作成時期は、天平神護三年（神護景雲元・七六七）と神護景雲二年（七六八）の二年であったことが報告されている。

御斎会と吉祥天悔過

天平神護三年（神護景雲元・七六七）の正月八日、称徳はこの日から七日間、諸国国分寺において吉祥天《きっしょうてん》悔過《けか》の法を行うことを命じ、この功徳による天下太平と五穀豊穣、兆民の快楽、すべての有情の福を願った。

吉祥天悔過とは、『最勝王経』の「大吉祥天女増長財物品」に、吉祥天の画像を用い、七日七夜、八斎戒《はっさいかい》して懺悔すれば、五穀増多がもたらされるとあり、これに基づく悔過法である。持統期末頃から諸国で正月に行われていた『金光明経』の講説・読誦を伴う斎会、聖武期及び孝謙期に散見する『最勝王経』斎会や悔過仏事を、新たに再構成したものと思われる。翌年（七六八）から『最勝王経』講説斎会と吉祥天悔過が国分寺の僧寺・尼寺で毎年行われ

「吉祥天画像」（薬師寺蔵）

るようになった。なお吉祥天画像は国分寺に安置されたが、吉祥天悔過は承和六年（八三九）からは国庁で修されるようになっていく。

神護景雲元年（七六七）八月十六日の宣命第四十二詔に「去《い》にし正月に二七《ふたなぬか》日の間、諸の大寺の大法師らを請せ奉《まつ》らへて、最勝王経を講読せしめまつり、吉祥天の悔過を仕へ奉らしむ」とあり、この時宮中でも諸寺の僧を招請して『最勝王経』講読と吉祥天悔過が行われた可能性が高い。二七日は一《ひと》七《なぬか》日の誤記と考えられ、これが毎年正月八日から十四日の七日間開催される宮中の最勝王経講斎会と吉祥天悔過併修の創始となり、後には御斎会《ごさいえ》と呼ばれるようになっていった。

正月の初めに宮中及び諸国で行われる御斎会は、二月に行われる神祇祭祀の祈年祭《としごいのまつり》に匹敵する仏教的予祝儀礼であった。史料では不明ながら、宮中の最勝王経講斎会もその前身があった可能性はあるが、この時点で、尼天皇と法王によって、改めて重要な正月国家儀礼として整備されたといえる。

なお宮中御斎会は、平安期では宮中大極殿（ときに紫宸殿）で斎を設け、本尊盧舎那仏と観音・虚空蔵の両脇侍に四天王像を安置して行われたことがわかる。御斎会で安置される盧舎那仏と観音、四天王は、称徳の宣命で常に自分を守護すると認識していた存在と共通する点で興味深い。なお道鏡が自らを毘沙門天、そして吉祥天を称徳に擬したと憶測する説もあるが、称徳自らがそのように思ったとは考えられない。

神護景雲の改元と僧の拍手

八月十六日、天平神護から神護景雲へ改元され、大赦・叙位などが行われた。父の治世の年号であった天平を冠して、天平勝宝、天平宝字、天平神護と続いてきた今までの年号から、天平を取り去り、祖父文武天皇の時の「慶雲」とも異なる「景雲」の字を用いた。ただし神護は継続させ、ここに称徳は神祇に対する政治的メッセージを込めた。逆にいえば仏教だけに限って権威を完結させることができず、神祇を無視できないことを十分認識していたといえる。

改元を命じた宣命四十二詔によれば、この「景雲」は、まず六月十六日に東南の角に雲が七色に混じり合っているのを、称徳自ら側近たちと目撃していた。さらに十七日には伊勢国司が度会郡の等由気宮（外宮）に五色の瑞雲が覆ったありさまを書き写したものを進上してきた。また七月十日に平城宮西北の角に美しい雲が起ち、また七月二十三日には東南の角から本は朱色で末が黄色になる五色の雲が出現したことを陰陽寮が報告したという。

そして十六日の宣命第四十二詔では言及されなかったが、八月八日に参河国からも「慶雲」の出現が告げられていた。この日は「慶雲」の出現を受けて、この時期の内裏正殿であった平城宮西宮の寝殿で僧六〇〇口を招請じた設斎が行われた。具体的な仏事は不明であるが、僧の人数から、六〇〇巻『大般若経』との結びつきが予想される。『続日本紀』には、この時僧たちの振る舞いが仏教者の趣を無くしており、俗人と同じように手を拍《う》って歓喜したと特筆されている。拍手《かしわで》は神を拝する時に手を打ち鳴らす神拝の作法である。また持統天皇が即位した時の儀式で公卿百官が拍手した例があり、神祇儀礼以外の諸儀式でも俗官などが行う場合があった。僧たちが単に仏教儀礼だけでなく、神祇儀礼やそれ以外の俗的儀礼にも関わる状況が生じており、僧侶たちが拍手するという異例の作法を取り入れることが進行していた。

宣命第四十二詔によれば、式部省に祥瑞に関する書物を検討させた結果、これが「景雲」であり大瑞にあたることが報告された。聖の皇《すめら》の世に徳をめでて、天地が示すもので、伊勢神宮の上に出現したことは、「大御神」が示されたことであり、「掛けまくも畏き御世御世の先の皇が御霊」が助け慈んでくださったものとした。また今年の正月に『最勝王経』を講読した大寺の大法師たち、吉祥天悔過に奉仕した諸の大法師たちが勤行を正しく行い、諸臣らが天下の政務を正しく行っていることに、三宝、諸天、天地の神たちが、ともに奇瑞の雲を示してくれたと述べている。この年は、その後九月一日にも日の上に五色の雲が出現したと伝えている。

神祇への配慮

称徳の神祇への配慮は、神への位階授与として示された。八幡大神・八幡比咩以外の神階授与の初例は天平神護二年（七六六）四月十九日の伊予国神野郡伊曽乃神《いそののかみ》、越智郡大山積神《おおやまつみのかみ》への従四位下、久米郡伊予神《いよのかみ》、野間郡野間神《のまのかみ》への従五位下の授与であった。

また神祇官や禰宜などに対する配慮としては、神護景雲二年（七六八）二月十八日に神祇伯従三位中臣清麻呂を中納言に登用し、引き続き神祇伯を任せた。そして四月二十七日には、伊勢大神宮（内宮）禰宜（義）に季禄を賜い、官位を従七位に、度会宮《わたらい》（外宮）禰宜は正八位に准じさせた。

さらに同年三月に東海道巡察使《じゅんさつし》の進言を受け、従来水旱虫霜などによって課役を減免する対象となっていなかった寺と神の封戸の百姓にも、全国的に公民なみの扱いをすることになった。寺だけでなく、神社の下で奉仕する神戸《かんべ》百姓に対しても配慮を示した。また前年四月二十一日に鹿嶋の神賤を解放して、男八〇人、女七五人を良民としていた。称徳の時代に寺賤を解放した例は多いが、これを神践にも及ぼしている例である。

この時期の称徳が仏教だけでなく、儒教にも目配りをしたことも注目される。天平神護三年（神護景雲元・七六七）二月七日、称徳自ら大学《だいがく》に赴き釈奠《せきてん》に臨んだが、それまでの天皇が自ら釈奠に出向いた例はなく、称徳の例が唯一である。称徳の師たる吉備真備が唐から将来した儀式に則って行われたとされている。

称徳の儒教政策

神護景雲二年（七六八）七月三十日には、大学助教の膳《かしわでのおおおか》大丘の進言によって、孔宣父《こうせんぷ》（孔子《こうし》）を文宣王《ぶんせんおう》と号することになったが、これは天平勝宝四年（七五二）の遣唐使に随って大丘が唐に入り、国士監で玄宗皇帝が儒教を重んじ、孔子を王と追号し、これによって国士監の両門に「文宣王廟」と題字されていたのを見聞してきたことに由来する。大丘が帰国した時期は明白ではないが、短期留学の請益生だったとすれば、天平勝宝五年（七五三）の第三船帰国時、もしくは天平勝宝六年の第二・四船帰国時、または留学生であれば天平宝字五年（七六一）の迎藤原河清使が渤海経由で帰国した時となる。帰国直後、唐の制度に敏感であった仲麻呂時代になぜか進言されていなかったが、昨年二月に称徳が自ら大学に行幸し釈奠に参加したことが契機となったと考えられる。

そして称徳は儒教道徳政策もおろそかにはしていなかった。八月の改元の折に孝子《こうし》・順孫《じゅんそん》・義《ぎ》夫《ふ》・孝婦《こうふ》・節婦《せっぷ》・力田《りきでん》に二級を賜い、その門に剁を建てて表彰し、一生の田租を免除する政策を出し、翌神護景雲二年（七六八）にはこれに呼応して、各地からの節婦・孝子の報告が盛んになった。二月には対馬嶋上県《かみあがた》郡や石見国美濃郡の節婦、備後国葦田《あしだ》郡の孝子、また五月には甲斐国八代《やつしろ》郡や信濃国更科《さらしな》郡の孝子、さらに信濃国水内《みのち》郡からは兄弟の仲が良いこと、同郡の私稲六万束を以って百姓の負債の稲を肩代わりした人物も表彰の対象として報告された。また六月の信濃国伊那《いな》郡の節婦は二十五歳で夫と死別後、守節五十余年という高齢の女性で、爵二級を賜与している。

孝子への顕彰は元明天皇の頃からみられたが、節婦への顕彰は称徳の時から始まっている点で、同じ女性天皇でも、女性への配慮の差がみられた点は興味深い。地方の撫民政策等も、天平神護二年（七六六）九月二十三日に五畿内七道の巡察使を派遣しており、地方政策への目配りも継続して行われていた。そして蝦夷政策としては、例えば陸奥国が当国の兵士を四〇〇〇人に増員し、天平宝字年間に復活していた他国鎮兵《ちんぺい》二五〇〇人を百済王敬福《くだらのこにきしきょうふく》が国守だった時代のように再度停止すること、また遠路の苦難を配慮して調庸を国に留めて十年に一度だけの京進とする特例を申請したことを許可した。

「神護景雲二年御願一切経」の供養

神護景雲二年（七六八）五月十三日に、称徳は経律論賢聖集の「一切経」供養を終えて願文を作成した。この称徳自身の願文があるいわゆる「神護景雲二年御願一切経」は、母光明子による「五月一日経」を若干とはいえ凌駕する規模の「勅定」一切経として書写されたものである。

この一切経事業は、天平宝字二年（七五八）頃から写御書所で開始されていた書写事業を引き継いだ可能性もあるが、本格的な書写・勘経《かんきょう》事業が開始されたのは、孝謙が尼となった天平宝字六年（七六二）六月三日の四日後となる七日に、道鏡が造東大寺司に一切経目録を請求した頃からであった

（『大日本古文書』五—三八・三九頁。一七七頁の図版参照）。十二月頃には、孝謙尼太上天皇の「御執経」を扱う奉写御執経所で、勘経用写本の奉請事務を行うようになった。そして恵美押勝の乱の半年前の天平宝字八年（七六四）三月四日に、少僧都の道鏡が一切経一部大小律等の経巻数、用紙や行数などを報告させていた（『大日本古文書』五—四七八頁）。恵美押勝の乱が収束して、天平神護元年（七六五）正月から本格的な一切経の書写が開始され、また三月頃から始まった勘経は、さらに三年（神護景雲元・七六七）二月頃に本格化した（『大日本古文書』十七—二三頁）。神護景雲元年（七六七）八月頃、奉写御執経所は奉写一切経司へ発展し、二十九日には若江王と秦智麻呂が次官に任命された。疏の以外の経律論賢聖集の勘経が終了したのが同年末頃で、この疏を除く「神護景雲二年御願一切経」の供養を終えたのが、翌神護景雲二年（七六八）五月で、十五日に称徳が願文を加えた。そして「神護景雲二年御願一切経」の疏についての勘経は神護景雲二年正月頃から本格化し、三年（七六九）七月頃に終了した。

「神護景雲二年御願一切経」には次のような願文が記さ

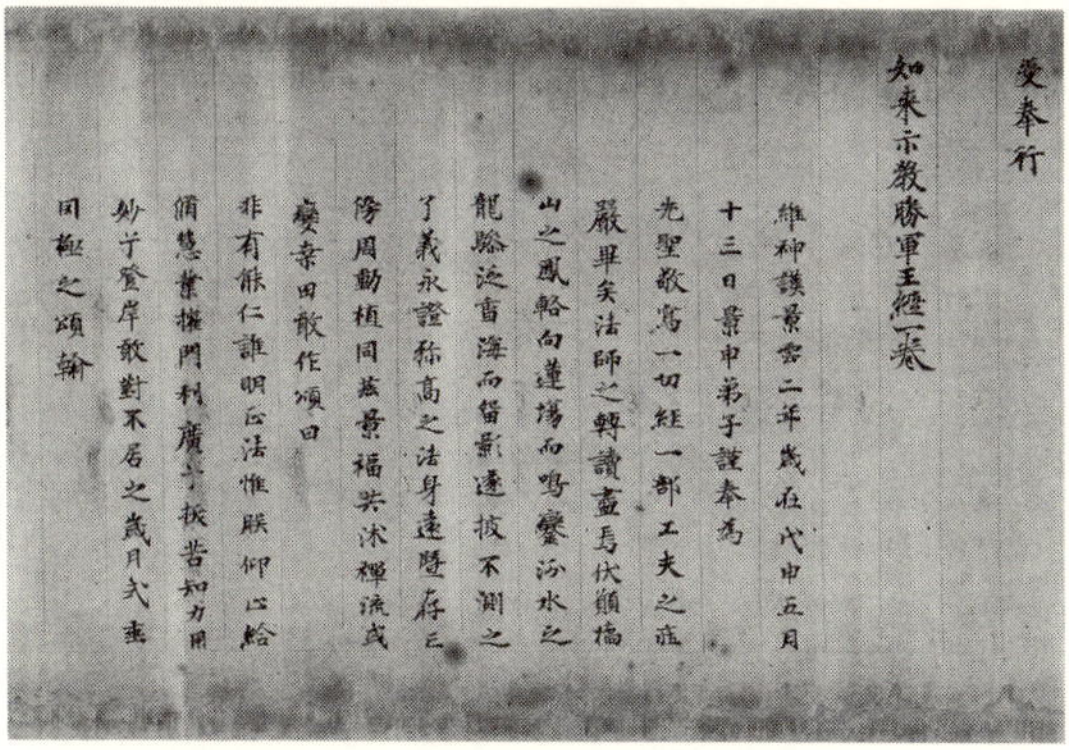
受奉行
如來示教勝軍王經一巻
維神護景雲二年歳在戊申五月
十三日景申弟子謹奉為
先聖敬寫一切經一部工夫之莊
嚴畢矣法師之轉讀盡焉伏願播
山之風船向蓮場而鳴鑾汾水之
龍駿泛香海而留影遂披不測之
了義永證稱高之法身遠暨存亡
傍周動植同蒙景福共沐禪流或
變桑田敢作頌曰
非有能仁誰明正法惟朕仰止歸
循慧業推門利廣六扶普知力用
妙于登岸敢對不居之歳月式垂
罔極之頌翰

「如来示教勝軍王経」（神護景雲二年御願経）巻尾（正倉院聖語蔵）

れた。

「維《こ》れ神護景雲二年歳は戊申に在る五月十三日景申《ひのえさる》に、弟子謹みて、先聖の奉為《おおみため》に、一切経一部を敬写し、工夫の荘厳《しょうごん》を畢《お》へ、法師の転読を尽す。伏し願ふらくは 橋山の鳳輅《ほうろ》、蓮場《れんじょう》に向ひて鑾《すず》を鳴らし、汾水《ふんすい》の竜驂《りゅうさん》、香海に泛《うか》びて影を留め、遂に不測の了義を披《ひら》き、永《とこし》へに弥高の法身を証《あらわ》し、遠く存亡に曁《およ》び、傍《ちか》く動植に周《あまね》はし、茲《こ》の景福を同じくして、共に禅流に沐さむこと、桑田の変わらむ或《あ》らむことを。

敢《かしこま》りて頌《じゅ》を作りて曰さく、

能仁《のうにん》に有るに非ざれば、誰か正法を明らかにせむ。惟れ朕《われ》仰止して、給《すみ》やかに慧業を修めむ。権門《ごんもん》の利を広くして苦を抜き、知力の用を妙にして岸に登らむ。敢りて、不居の歳月に対し、式《もっ》て罔《もう》極《きょく》の頌翰《じゅかん》を垂れむ」

称徳は自らを「弟子」と称し、「先聖の奉為」に書写した一切経一部に荘厳を施し、法師に転読し尽くさせたとしている。この「先聖」は聖武天皇と考えられ、父聖武の車駕が山陵から説法の場に鈴を鳴らして向い、また天子堯《ぎょう》が四人の賢者に会い天下のことを忘れたという汾水のほとりにいる聖武の乗り物が須弥山《しゅみせん》をとりまく浄土の内海に浮かんで、以前の姿をそのままに留めていることを願っている。そして遂にはかり知れないほど完全な教えを示し、永遠に崇高な真理を顕し、これを生者・

亡者、また動物・植物にも普く及ぼすことを願い、この幸いをともに享受できることが、桑田が海に変じるまで続くことを願っている。

そして頌では能仁（釈迦）がいなかったなら、誰が正法を明らかにできようかとし、称徳自身が仏を仰ぎみて、知恵に支えられた正しい行い、功徳を生む仏事作法である恵業を修行するとしている。そして方便による利益を広めて衆生の苦しみを除き、知恵の力の働きを妙なるものにして彼岸に登ることができることを願い、止まることのない歳月に対して、極まりなく無窮に続く頌を書き表すとしている。父聖武をいわば釈迦にも匹敵する存在にまで高め、称徳自らも「崇仏天皇」として恵業を修する自覚を表したものとなっている。

なおこの願文をもつ経典は、所々に散帙経として伝来しているが、東大寺尊勝院の経蔵である聖語蔵の経巻の中で、「神護景雲二年御願経」と分類されてきた、断簡（三五巻）を除く現存七〇五巻中、神護景雲二年の願文がある四巻以外は、称徳天皇御願経ではなく、大半を占める六三九巻分は東大寺系統の「奉写一切経所」で宝亀年間に書写された、五部一切経の一つ「今更一部一切経」であることが指摘されている。

神護景雲二年の祥瑞

昨年に引き続き、神護景雲二年（七六八）も多くの祥瑞が報告された。昨年の祥瑞が天に顕れた雲という気象現象の度重なる出現であったのに対し、この年の祥瑞の多くは水陸に現れた鳥や亀・馬などの動物の出現であった。雲は天からの、動物は地からの賜物となり、天神だけでなく地祇からもこの治世が認められていることを演出するものであった。

六月二十一日、武蔵国の橘樹《たちばな》郡の人が久良《くらき》郡で捕獲したという白雉を、武蔵国が献じてきた。群臣たちはこれを協議して、雉は良臣が一体となって忠貞の心を尽くしていることに感応したものとし、白色は聖朝が継続して現れ、その徳の光で民を照らしていることの証であると解釈した。白雉は孝徳期にも出現した祥瑞であった。なお『日本書紀』孝徳即位前紀に「仏法を尊び、神道を軽《あなず》りたまふ。（中略）人と為り、柔仁《めぐみ》ましまして儒《はかせ》を好みたまふ」とあるように、仏教と儒教を重んじた天皇として認識されていた。また「神道」は「軽」としただけであり、孝徳政権が実際には神祇祭祀を無視したわけではなかった。

今回の祥瑞を献じた武蔵国の守は二月十八日に任命されていた藤原雄田麻呂《おだまろ》（後の百川《ももかわ》）、介は四月に員外介から昇任していた弓削御浄広方《ゆげのみきよのひろかた》であった。雄田麻呂は左中弁や内匠頭なども兼務し、三月には山陽道巡察使としても活動している時であり、実質的にこの祥瑞報告に関与したのは介の広方であったと考えられる。広方は道鏡実弟の浄人の息子であり、道鏡の甥にあたる人物である。おそらくこの祥瑞献上には道鏡の親族による祥瑞演出があったと思われる。なおこの時広方は、近衛将監（神護景雲元年八月の記事では中衛将監）も兼務し、軍事的な部門にも進出していた。

この後もさらに他国から動物系の祥瑞が頻繁に報告されるようになり、七月十一日には肥後国葦北《あしきた》郡、日向国宮崎郡の赤い眼をもつ白亀、白い髪と尾をもつ青馬、八月八日には参河国から白鳥が献じられた。九月四日にはこれらの出現を受けて、白鳥は中瑞、霊亀と神馬は大瑞と認定し、献じた国郡には課役免除、献じた者には賜物した。このうち日向国から祥瑞を献じた大伴人益は、父大伴村上の反逆罪の縁坐を免じられて入京を許された。村上はもと民部少丞であった人物と考えられ、おそらく大伴古麻呂や古慈斐らと同じく橘奈良麻呂の変に関与した可能性が高く、このため日向に配されていたものと考えられる。称徳が行った橘奈良麻呂の変縁坐者入京の唯一の例である。さらに十一月二日には美作掾による白鼠出現が報告された。

2　称徳女帝と宮廷女性たち

女性の重用

称徳は宮廷政治において多くの女性たちを重用した。例えば天平神護元年（七六五）正月七日の改元時に授与した位階と勲等における男女の数では、位階の授与は男性五四名に対し女性四四名、勲等の授与は男性二八名に対し女性一五名となっている。これらは恵美押勝の乱の論功行賞でもあったが、男性と比較して人数差にそれほどの遜色はなく、また女性にも勲等を与えるなど、女帝の時代を象徴したものとなっている。

なお位階制における男女間の大きな相違点は、男性は官職と位階が連動する官位相当規定があるが、女性にはこの官位相当規定がないことである。また男性官人の位階の場合は、その上下に従って「朝庭」に列立し、天皇の前に並ぶ順番で序列化することを本質的機能としていた。これに対して、「朝庭」に列立しない宮人《くにん》の場合は位に准ずる給付の基準としての意味が大きかった。ただし位階によって、身分と特権が付与されたため、位階の高い女性と位階の低い男性とでは、男女差よりも、身分差

天平神護二年の女叙位階・勲等表

位階表

（従五位下）	桜井女王・浄原女王・高向女王・小垂水女王・高岡女王
（従四位下）	藤原朝臣乙刀自・竹宿祢乙女
（正五位上）	当麻眞人比礼・大野朝臣仲智・安倍朝臣都与利・多可連浄日・熊野直広浜・古仁虫名
（正五位下）	石川朝臣奈保
（従五位上）	錦部連河内・大神朝臣伊毛・忌部毘登隅・橘宿祢真束・県犬養大宿祢姉女
（従五位下）	葦屋村主刀自女・長谷部公眞子・壬生連子家主女・藤野別真人（広）虫女・藤原朝臣伊久治・息長眞人広庭・巨勢朝臣魚女・大宅朝臣宅女・三始朝臣奴可女・李小娘・巨勢朝臣宮人・私朝臣長女・若桜部朝臣伊毛・丈部細目・久須原部連浄日・山田御井宿祢公足・私家原・草鹿酒人宿祢水女・桑原毘登宅持・水海連浄成・許平等・賀陽臣小玉女・桑原連嶋主・田辺公吉女

勲等表

（勲二等）	池上女王
（勲三等）	紀朝臣益女
（勲四等）	竹宿祢乙女・吉備朝臣由利・稲蜂間宿祢仲村女・大野朝臣仲智・安倍朝臣都与利・藤原朝臣玄信
（勲五等）	壬生直小家主女
（勲六等）	藤野別真人広虫女・巨勢朝臣魚女・賀陽臣小玉女・桑原連嶋主・草鹿酒人宿祢水女・田辺公吉女

が優先した点は見逃せない。また男性官人が監督し女性宮人や女孺らが労働するという関係だけでなく、男女共同監督、男女共同労働も含まれていた。ただし勤務評定の権利は男性にあった。

そしてこの女性たちの中には律令制下のいわゆる新国造に任命された例も出てくる。神護景雲二年（七六八）六月六日には、後宮十二司の膳司《かしわでつかさ》の三等官である掌膳《かしわでのまつりごとひと》を現職とし、常陸国筑波《つくば》郡出身の采女《うねめ》で従五位下勲五等の壬生《みぶ》小家主、また掃司《かにもりのつかさ》の長官の尚掃《かにもりのかみ》で従五位上の美濃真（直ヵ）玉虫、また掌膳で上野国佐位《さい》郡出身の采女で外従五位下の上野佐位老刀自が、それぞれ本国の国造に任じられている。地方豪族の子女が采女として中央に出仕し、その功労から彼らの出身地を権威付けるために任命された栄誉的称号の可能性が強いとはいえ、律令制下の新国造に任じられている初例である。女性の新国造は光仁天皇の宝亀年間にもみられるが、正史にみえる初例が称徳の時期であることは、女帝が女性の役割を評価し重視したことの表れといえる。

男性名の女孺・男装の女孺

なおこの天平神護元年（七六五）正月七日の改元時に叙位された女性の名には、例えば「女王」、また「女」が付いていれば、女性名とわかるが、中には「広浜《ひろはま》」「公足《きみたり》」「真束《まつか》」「広庭《ひろにわ》」「宅持《やかもち》」「浄成《きよなり》」「嶋主《しまぬし》」など、男性名と区別が付きにくい女性名が多い。

律令制戸籍・計帳制度の導入によって、調庸などの税を納める男性、納めない女性を識別するコードとして、庶民層の女性名にはほぼ一律に甲類の「メ（売・女）」が末尾に付されるようになった。一方男性も末尾にはヒコ・ヒト・マロなどを伴うことが多かった。ただし例えば赤麻呂・赤女では、男女差が明確になるが、赤という基幹部分は男女差がないことが特徴でもある。そして律令制以前の女性名には必ずしも女・売が伴わなかった可能性が高い。また上層の女性にはヒメ（媛、比売）やイラツメ（娘・郎女）などが末尾につく場合があり、王族の場合も公的には王・女王と識別されるが、長屋王家木簡などの例から、日常的には女性にも王が使用されていたことが知られている。称徳期に男性名と同様の名をもつ宮廷女性が多いことは、律令制以前からの首長層などにおける男女差のない人名の伝統の可能性も考えられる。また表記上で「メ」が脱落した例もある。

称徳期を含む八世紀後半になると、童名と成人名の分離、中国・朝鮮半島の二字名の影響、仏教の法名の影響によって、男性名も女性名も伝統的な名が変化していく。例えば男性の「麻呂」型は衰退もしくは童名化し、漢字二字の成人名が主流となっていく。また「子」型の名は本来男女共用であった可能性もあるが、七世紀には蘇我馬子・小野妹子など、男性例が優位であった。しかし八世紀には藤原宮子・光明子など女性例がみえ始め、九世紀以降には女性出仕名の主流として確立していった。その点で男性名と同一の女性出仕名は八世紀末期の「売・女」型から「子」型へと変化していく過渡期としての特殊事情と考えることもできる。いずれにしても本来男女共用の基幹部分のみの名であり、一見中性的、または男性と共通する女性名が多く存在した。

なおこのような理解によっても、天平勝宝三年（七五一）七月七日にみえる「女孺无位刑部勝麻呂」や宝亀八年（七七七）正月二十五日の「女孺无位物部得麻呂」のように、勝麻呂や得麻呂という「麻呂」型名をもつ女孺が存在したことは、十分に解釈できない。これを勝麻呂女の「女」が脱落したとするには少し無理がある。また「麻呂」型の女性名の伝統を引く「丸」型の女性名は、摂関期や院政期にも例がある。

　すべての時代の「麻呂」「丸」型名の女性を同一の理由で解釈することは危険であるが、少なくとも年齢や婚姻関係などを別として、共通する部分は宮廷や貴族の家で、ある特定の役割、おそらく「ワラワ」として奉仕するため、特別に男性の童名を名乗り続ける女性だったことである。これは中世の牛飼童の場合、男性が成人した後も髻を結わず烏帽子を被らず、千手丸など童名を称し、職掌とその姿と名前がセットであったことと通じるものである。

　男装の女孺の代表は、東豎子《あずまわらわ》（東孺）で、史料上の初見は『延喜式』ではあるが、『江次第鈔』によると「紀朝臣季明」「河内宿禰友成」などの特定の名を踏襲して奉仕しており、『朝野群載』にはその実例がみえる。いわば男性名といえる名であり、また『延喜式』では人数は四人とあり、正月節と五月節、新嘗会に装束料として、冠・汗衫・半臂・袴という男装用と考えられる装束が支給されている。東豎子は行幸の時に姫松《ひめまつ》として馬に乗って供奉した。清少納言が『枕草子』で「えせもの」としたが、これは女性でありながら男装することをいうのではないだろうか。八世紀後半の女性出仕名の伝統をもつことから、この存在は少なくとも八世紀末頃まで遡る可能性がある。

　例えば天平宝字八年（七六四）十月三十日、恵美押勝の乱直後に、称徳が東海・東山道の国々から「騎女《きじょ》」、すなわち騎馬で奉仕する女性を貢進させている。東国の騎女と東豎子との直接的関係を示す史料はないが、東国女性が騎馬で天皇に奉仕する点で共通する。女性の乗馬は天武期に一旦は男性と同じ乗り方が指定されたが、二年後に縦乗り・横乗りは任意となったように、必ずしも男装を必要としない場合もあるが、おそらく東国騎女も東豎子と同じく袴をはき縦乗りで奉仕した可能性がある。前述したようにこの孝謙・称徳期は本来軍事的功績に対して授与される勲等を持つ宮廷女性も多い時代である。なお女性が男装し、また場合によっては軍事的に活動する例は、記紀のオキナガタラシヒメ伝説などにもみえる。

このような宮廷で奉仕する男性名の女孺・男装の女孺については、天皇に奉仕する男女の「ワラワ（竪・豎・孺）」との関係を考える必要がある。

ワラワの役割

後宮十二司は全体として隋唐制の影響を受けつつも、女性だけの官司に組み替えて編成されていた。中国の後宮は未婚女性と去勢された宦官《かんがん》だけによる奉仕を原則としたのに対し、八世紀日本の宮廷組織の特徴は、既婚女性も奉仕可能であり、宦官を取り入れなかった点にあった。成人した男性とも女性ともいえない、性差が未熟な時期である「ワラワ」という存在を使うことで、本来の性に宦官のような加工を行うのではなく、文化的に成人男性でも成人女性でもない、未分化な性をつくりその役割を担わせていたのではないか。日本は基本的には性の人工的な加工を拒否し、別な文化装置により代替させていたと考えられる。その一つが「ワラワ」として奉仕することであったと考えられる。

八世紀中頃に男性のワラワは「チイサワラワ（内豎《ないじゅ》・豎子《じゅし》）」として天皇に奉仕する場合があった。ただし実際には年少者だけでなく成人男性もおり、例えば後述する和気広虫《わけのひろむし》の夫葛木《かつらぎの》戸主《へぬし》も豎子出身である。男性組織としては令外の豎子所からさらに内豎省が称徳期に新設され、光仁朝以降に廃止や復活が繰り返されたが、その後内豎所としてまた整備されていった。一方女性のワラワは「メノワラワ（女孺《にょじゅ》・竪子）」として奉仕し、これも年少者に限られていなかった。

その点で、男女とも「ワラワ」ならば、普段性別分業の差が明確で成人では立ち入れない空間領域でも仕事を行うことが可能であったと考えられる。そしてすべての女孺が男装し男性名を名乗ったわけではないが、特定のメノワラワに、男装させ男性名を付すことで、メノワラワではなくワラワとなり、言わば宦官もしくは男性が担っていた役割をさせた場合もあったのではないかと考えられる。刑部勝麻呂などは、唐の影響が強いこの時期の特殊性として、稚児のような男性の女装、もしくは一時的な男性の「宦官化」の可能性も検討する必要はあるが、やはり男性名の女孺であったとみておきたい。

和気広虫（法均）の重用

竪子として出仕した女性の中で、最も称徳に重用されたのが、和気広虫であった。和気氏は本姓を磐梨別公《いわなしわけのきみ》といい、備前国藤野郡を本拠とし、吉備地方としては新興系の豪族であった。令制では少領以上の郡司の姉妹や女《むすめ》のうち容姿端麗な者が郡単位に貢進され、采女として宮廷に出仕していたが、広虫が文字通りの「采女」であったかは不明である。『日本後紀』延暦十八年（七九九）二月二十一日の「和気清麻呂伝」によれば、広虫は「笄《けい》年《ねん》」に葛木戸主《かつらぎのへぬし》に嫁したとある。この頃までには中央に出て「竪子」となっていた可能性が強い。この「笄年」を十五歳とし、『日本後紀』延暦十八年正月二十日条の「和気広虫伝」にある没時七十歳から逆算して天平十六年（七四四）頃と推定されている。

夫の戸主は、天平十七年（七四五）四月に宮子の中宮職の少進としてみえるのが初見で、天平勝宝元年（七四九）の紫微中台創設時には少忠となった。以後仲麻呂の下で光明子や孝謙の側近として活躍していった。ただし、紫微少忠さらに坤宮大忠《こんぐうだいちゅう》となった後も「竪子」として署名することも多かった。もと連姓で改賜姓の時点は不明であるが、天平勝宝八歳（七五六）十月の史料では宿禰になっている（『大日本古文書』四―一八七頁）。そして同年十二月には、おそらく聖武の恩勅によって京中の孤児を集め、衣糧を与えて養育させた男九人、女一人がこの時成人したので、孝謙が彼らに葛木連姓を賜い、戸主と親子の道をなさしめている。

戸主は天平宝字七年（七六三）冬頃、造石山院所関係の文書に葛木大夫とあるのを最後に史料から姿を消すが（『大日本古文書』十五―四五三頁）、それと相前後して、天平宝字六年（七六二）三月以降、「別広虫」が「竪子」または「女孺」の身分で、造石山寺院所に勅を宣伝している（『大日本古文書』十五―一六二頁・一八五頁）。この頃には保良宮行幸に従い、孝謙の側近として活動していたことがわかる。そして「清麻呂伝」では「既にして天皇落飾し、随いて出家して御弟子となる」とし、「広虫伝」では「少《わか》くして出家し尼となり、高野天皇に供奉す」とも記しているが、出家時期は、孝謙が淳仁と決裂して出家した時期と同じ、天平宝字六年六月であったと考えられる。この時広虫は孝謙より十二歳年下の三十三歳であった。

また天平宝字八年（七六四）の恵美押勝の乱で、斬刑に当る者三七五人がいたが、広虫が強く諫めたことを天皇が受け入れ、死罪を減じて流罪や徒罪にしたという。また乱後、民が飢饉や疫病に苦しんだ時、捨て子をする者が多かったが、人を遣わして収容し養ったという。そして八三人の孤児を養子とし、この時は彼らに葛木首の姓を賜った。これらは桓武朝以降の和気氏顕彰記事であり、多少の誇張があるとはいえ、ともに尼となり、仏教的な慈悲に基づいた救済活動を行う広虫を孝謙が信頼していた可能性は高い。

弟清麻呂の出世　そして前述した天平神護元年（七六五）正月に広虫は従七位下から従五位下に昇り、また勲六等を叙された。この時、弟で従六位上の清麻呂にも勲六等が叙された。これが清麻呂の初見である。改姓の時期は不明であるが、この時点では別氏ではなく、「藤野別真人」姓が既に賜与されており、これが弟にも連動しており、さらに称徳の広虫に対する重用が強まったといえる。さらに同年三月十三日には、広虫と右兵衛少尉従六位上の清麻呂ら計三人がともに「吉備藤野和気真人」を賜姓された。ただしこの記事では広虫は正六位下と記されている。また在地の同族藤野郡大領の子麻呂ら一二人は藤野別公から吉備藤野別宿禰に、近衛従八位下薗守《そのもり》ら九人は別公から吉備石成別宿禰に改姓された。天平神護二年（七六六）十一月五日には清麻呂は従五位下まで昇叙された。「清麻呂伝」ではこの頃近衛将監となり特に賜封五〇戸を賜ったとする。この位階の封戸賜与は破格の待遇であった。なお『宇佐託宣集』では美濃大掾も兼務したともいう。

ただしこの時期広虫が既に出家しているにもかかわらず、位階や勲等を与えられている点が注目される。男性は実際に世俗との関わりがあるか否かに関係なく、出家すると公的には法名を主として把握されることを基本としていた。しかし宮人は出家しても、公的には法名で把握をされず、俗名または命婦名で把握され続け、俗位の特権も保持した例があった。前例に粟国造若子《あわのくにのみやつこわくご》（板野命婦《いたののみょうぶ》）や、称徳祖母の三千代などがいた。

ただしこのような度縁申請をしない尼のあり方が、宮廷で活動する尼に共通する原則ではなかった。得度申請を経て正式得度出家をした尼の場合は、法名把握が原則であり、「正倉院文書」に散見する法華寺や坂田寺など寺に籍を置く尼たちは、法名で把握され、僧尼名籍という僧尼の公的把握の台帳に登録されていた。そしてこの尼たちも命婦など宮人出身の尼と同様にしばしば光明子や孝謙、さらに称徳の宮廷で活動していた。

広虫は、欠年の文書に「別尼公」とみえ、俗姓と尼を合わせた呼ばれ方をしていた。この文書は孝謙尼太上天皇の写経機関、奉写御執経所に関わる天平宝字七年（七六三）十一月六日の記事の可能性があり（『大日本古文書』十六―四二二頁）、おそらく天平神護元年（七六五）の三月頃までは俗名把握の出家であった可能性がある。しかし重祚直前に髪を剃り、袈裟を着けた僧形となっていることを表明した称徳が、さらに翌年の大嘗祭では、仏の御弟子として菩薩戒を受けたこととの自覚を高めたことに連動して、ほどなく広虫も法名の「法均」として把握される正式の尼になったと考えられる。

そして神護景雲三年（七六九）五月二十八日に清麻呂が「輔治能真人《ふじののまひと》」と改姓された時は、それまで常に弟と連動して改姓されていた広虫のことは記されていない。大尼法均と正式に法名把握されていたためと考えられる。なおこの時は吉備藤野宿禰の一二人が輔治能宿禰、吉備石成別宿禰の九人が石成宿禰に改姓された。

このように法均の親族や同族が優遇されたのは、人となりは貞順で節操にかけるところが無かったと評される法均を、称徳が腹心の尼として寵愛したことの証でもあった。称徳は僧だけでなく尼も、官人と宮人とともに、自らの治世を支える重要な存在とした。そしてその官人に道鏡などの親族だけでなく、法均など側近尼の親族を重用していくことが、称徳の目指した僧俗による治世であった。

尼位と大尼

「清麻呂伝」に時期は不明ながら法均に「進守大夫尼位」が授けられたことがみえる。この尼位は、天平神護元年（七六五）以降に特徴的な、「進守」を持つ僧位と共通している。例えば天平神護二年（七六六）に法臣となった円興は、僧綱の役職は大僧都、僧位は第一修行進守大禅師、法参議の基真は、僧綱の役職は大律師、僧位は修行進守大禅師であった。

中国には僧位を与える慣習はほとんどなく、僧位は官人の官位に対応した日本独自の制度である。天武期頃から師位、その後に半位・複位などもみえ、僧尼ともに叙された可能性がある。ただし天平宝字四年（七六〇）七月二十三日に、大法師位を筆頭とし、その下に伝灯・修行・誦持のそれぞれに法師位・満位・住位・入位が置かれる大規模な改正があった。ただし中国では男性だけでなく女性も「大徳」「法師」「禅師」と称されたが、日本ではこれらは基本的に男性の尊称や地位として使用され、原則として尼には用いられなかった。このことから法師位は尼に与えるものでなかった。これに対し、法均の進守大夫尼位は、尼のために造られた特別の尼位として注目される。

また「清麻呂伝」には「委《ゆだ》ぬるに腹心を以てし、四位封並びに位禄位田を賜ふ」とみえるが、この中で四位封を賜与されたのは、神護景雲二年（七六八）十月三十日であり、「大尼法均」として従四位相当の封戸であった。この時には法均よりも上位の大尼法戒《ほうかい》もおり、従三位相当の封戸を賜与されている。なお位田の賜与時期は不明であるが、四位の位禄は当時の法制ではあり得ず、賜与されていない可能性もあるが、逆にきわめて特例の賜与であったとも考えられる。

「大尼」は、尼公や尼師のように法名の下にはつかず、法名の上に冠することが特徴で、尼の特別な地位であった。この他にも「正倉院文書」に大尼延証《えんしょう》、大尼法力《ほうりき》などがみえ、また天平宝字四年（七六〇）八月二十二日に、新京の諸大小寺及び僧綱、大尼、諸神主、百官主典以上に新銭を賜与した例があり、大尼は僧綱と並び称されている。

僧綱は僧と尼を全体的に統轄する機関であるが、男性のみで構成された。尼による尼の統制機関は、中国南朝の宋や新羅では一時的に存在していたが、日本では取り入れられなかった。中国で尼綱制度が実質的には衰退し、名誉的な称号だけとなっていた時期の制度が影響を与えた可能性もあるが、多くの尼が孝謙・称徳の側近として活躍したことを背景にして、この時期に尼だけを対象とした独自の「大尼」という地位が存在したことは特筆すべきことである。

孝謙尼太上天皇の時代から、内裏仏事が多く行われたが、その中には尼が中心となって企画された仏事も多くあった。例えば、天平宝字八年（七六四）十二月暮に証演尼師の指導により行われた転読仏事は、大規模に数種類の仏名経《ぶつみょうきょう》を転読し、経典に記された様々な仏に帰依するものであり、後の仏名会《ぶつみょうえ》の前身となる仏事としても注目される（『大日本古文書』十六―四五三・四五四頁）。この時の仏事は多数の死者や罪人が出た恵美押勝の乱収束後の年末の悔過として行われたと考えられるが、その後も同様の多仏信仰による仏事は継続されたと考えられる。

なお称徳天皇時代の内道場仏事の一つである観虚空蔵菩薩会《かんこくうぞうぼさつえ》は、尼の企画したものかは不明であるが、これも多仏信仰に基づく礼懺仏事であった。『経国集』巻十にみえる淡海三船作の五言詩に「於内道場　観虚空蔵菩薩会一首　高野天皇在祚　淡三船」とみえ、これは「観虚空蔵菩薩経」（一巻　曇摩蜜多訳　五世紀中頃）に基づく仏事と考えられる。この経は罪咎を除く目的で懺悔を行い三十五仏名を称えることを説くもので、中国でも礼懺の一つとして行われていた。

第九章　称徳天皇の夢思——出家者皇位継承の模索

1　尼天皇・法王体制の完成と綻び

称徳が僧である道鏡を重用したことを背景に、俗人である道鏡実弟の弓削浄人《きよひと》は、兄の地位上昇に連動するように、世俗の政治力を付与されていった。

道鏡実弟の昇進

浄人は恵美押勝の乱の少し前、天平宝字八年（七六四）七月六日に授刀少志従八位上とみえるのが初見で、この時弓削連から弓削宿禰姓を賜与され、押勝の乱勃発時の九月十一日に従五位下となり、弓削御浄朝臣の姓を賜与された。そして乱後の十月二十日に衛門督従四位下とみえ、上総守の兼官が命じられ、翌天平神護元年（七六五）正月七日に勲三等、同年二月二日には従四位上となっていった。

さらに従三位となった時期は不明であるが、道鏡が法王となった十月二十日には、参議従三位から正三位中納言となって、公卿の仲間入りを果たしていた。これにより中納言となった浄人を通じて、道鏡の意向を太政官政治に反映できることになった。また神護景雲元年（七六七）七月十日に内竪省が創設されると、中納言・衛門督・上総守のまま、この長官も兼任した。内竪省は、竪子を統轄するために置かれた竪子所が、天平宝字七年（七六三）以降に内竪所に改称され、さらにこの時省へ昇格したものである。前述したように内竪（竪子）は、天皇に近侍して勅命を宣伝し、また雑務に当たった。浄人が衛門督でもあったように、内竪省の職員に衛府との兼任者が多く、実質的に天皇護衛の軍事力に結び付いていた。

そして神護景雲二年（七六八）二月十八日になると、浄人の地位は大納言にまで昇った。浄人はこの大納言となった頃から『続日本紀』に清人と表記されるようになる。内竪卿・衛門督・上総守の兼務を続け、十一月十三日には大納言・衛門督に加え大宰帥となり、さらに十一月二十九日に検校兵庫将軍も兼務となった。大宰帥となったことによって、西海道への影響力を益し、後に宇佐八幡神託に関与した大宰主神の中臣習宜《なかとみのすげの》阿曾麻呂《あそまろ》との連絡網ができていった。

なお清人以外の弓削御浄朝臣姓の男性では、神護景雲元年七月十日の時点で、秋麻呂が従五位下左少弁、また従五位下の塩麻呂が神護景雲二年二月十八日に左兵衛督になっている。二月十九日には浄方が無位から従五位下を授けられており、また清人の息子の一人である広方はこの年の四月に前述のように武蔵介近衛監を兼ねていた。

またこの時点の弓削御浄朝臣姓の女性では、もと宿禰姓で天平宝字八年（七六四）に無位から従五位下になっていた乙美努久売《おとみのくめ》、神護景雲元年十月十八日に無位から従五位下となっていた美夜治《みやじと》と等能治《のじ》などがいた。後宮の役割は不明であるが、五位として命婦クラスの地位を得ていった。

法王道鏡の世俗への政治力は、このように道鏡が最も影響力を及ぼすことができる親族の地位を上昇させていくことで補強されていった。この流れのなかで、逆に法王道鏡の片腕の一人であった法参議の基真が、神護景雲二年（七六八）十二月四日、突然飛騨国に追放された。最も大きな理由は師主である法臣の円興を凌辱したこととされた。

法参議基真の追放

基真は近江国出身、俗姓はもと物部氏、山階寺（興福寺）の僧で、円興の弟子でもあった。前述したように、道鏡法王任命に伴い、法参議となっており、かつ僧侶である一方で物部浄志朝臣の姓を賜与され、正四位上の位階を与えられ、さらに随身の兵八人を賜り、いわば俗人としての武力も持っていた。この地位を背景に、基真は「左道」を学び、童子を呪縛して人の陰事を教説し、彼に不興を買った者に対しては、たとえ大夫に列していても、法律を顧みない処罰を下したという。そして道で会うものは彼を虎のように恐れて逃げたとまで記されている。呪術的な力を駆使しつつ世俗政治に対して影響力を及ぼそうとした基真の野心が、道鏡や弓削清人にとっては、次第に危険なものになっていったと考えられる。

なおこの基真左遷記事では、さらに二年前の隅寺舎利出現は、基真が毘沙門天像を作って密かに数粒の珠子をその前に置いて仏舎利が出現したと称した詐偽であったと記している。そしてこの舎利は「道鏡が時に人を眩惑して己の瑞としようとした」ものであったと、道鏡の策謀を示唆する記事となっている。もしこの基真左遷時にこの点も露見していれば、道鏡の法王としての権威にも傷がついたことになる。ただしこの一連の記事は、通常の記録的な記事ではなく、『続日本紀』編纂者が後の道鏡の末路を前提にして作文した記事である。基真の舎利工作そのものの露見は、むしろ道鏡失脚後に公にされた可能性があり、この時点の左遷はあくまでも基真個人の俗的な野心を粛清しつつ、道鏡の権威を維持するために、円興との対立を全面に出したものであったと考えられる。基真（信）の親族は、道鏡失脚直後の宝亀元年（七七〇）九月十二日に、近江国人従八位下の伊賀麻呂ら三人が物部宿禰姓を元の物部に戻されており、それまでは基真個人だけに処罰が及んでいたことを示している。

法臣円興と親族

円興は『七大寺年表』所引の『僧綱補任』によれば、元興寺僧で、三論宗、道鏡弟子とみえる。賀茂朝臣の出身であり、中でも大和国葛上郡《かずらきのかみ》の葛城山中腹（奈良県御所市鴨神付近）を本拠とする一族であった。恵美押勝の乱収束直後の天平宝字八年（七六四）十一月七日に、高鴨神《たかかものかみ》を土佐国から大和国葛上郡に復祠することを願い出て許されている。円興と弟田守《たもり》によれば、二人に高鴨神が「もと葛城山に祀られていた神であったが、老人の姿で現れ、狩りにきた雄略天皇と獲物を争い、天皇の怒りを買って土佐に放逐されていた」と託宣したという。記紀にみえる葛城一言主神《かずらぎのひとことぬしのかみ》の伝承と類似する点もあるが、この託宣を受けて、称徳は田守を土佐に派遣して神を元に還座させている。『新抄格勅符抄』によれば、天平神護元年・二年（七六五・七六六）に計五二戸の神戸が宛てられている。

この高鴨神の復祠は、道鏡の仲介が予想されている。道鏡との結びつきは、道鏡の葛木（城）山での修行と関係するとみられている。いずれにしても託宣を受ける神仏習合的な僧侶であった。法臣となっていたが、基真のように俗位を授からず、本人には俗的な野心はなかった。

ただしこの基真追放事件の直前から円興の親族の優遇が目立っている。十一月二十六日には円興の兄弟三人である従五位上の諸雄《もろお》、従五位下の田守と萱草《かやくさ》が、賀茂朝臣から高賀茂朝臣に改姓されている。諸雄は天平神護元年閏十月七日から正史にみえ始め、神護景雲二年（七六八）十月二十日には従五位下から従五位上となっている。『尊卑分脈』によれば、聖武母宮子の母、聖武の外祖母となる賀茂比売と兄弟となっているが、これは事実とは考えられていない。さらにこの事件後の神護景雲三年（七六九）五月十三日に、円興との系譜は不明であるが、葛上郡人である清浜も賀茂朝臣姓から高鴨朝臣姓となっている。

しかしこの円興や親族は、それ以上は道鏡との関係をエスカレートさせなかった。例えば高鴨神が道鏡の皇位継承を示唆するような託宣をしなかったように、道鏡を支援する政治的な動きはみえない。称徳も高鴨神の還座までは支援をしたが、それ以上は曾て天皇との対立伝承をもっている神に託すことはできなかった。道鏡失脚後も円興の親族に大きな処罰はなく、また円興も法臣は削除されたが、『僧綱補任』によれば、天平神護二年（七六六）以来の大僧都の地位に大きな変動はなかった。なお『続日本紀』によれば、宝亀九年（七七八）正月十七日に大法師円興を少僧都とする任官記事が残っているが、『僧綱補任』ではこの年に職を去ったかとし、この年以後は見えないと注記している。

尼天皇と法王の正月行事

神護景雲三年（七六九）正月は、元旦に雨が降ったことで、朝賀の儀式は二日に大極殿で行われた。この年の朝賀には、特に陸奥国の蝦夷を参加させ、この地域の文配を確認することとなった。また位階は七位であるが、本来従五位下に相当する勳六等以上をもち、現在職事官に任じられている者は、七位に許された礼服の色を着て六位の上に列立させ、また六位の諸王の中で纁色《そびいろ》を着る四世王・五世王はその次に列立させた。勳等による実質的な地位と本来の位階に基づく身分の関係を、色彩的な差を交えつつ整理し、勳等をもつ者を際立てさせる制度となった。この時期の勳等の多くは恵美押勝の乱や蝦夷政策の勳功として与えられたものであり、称徳に対する忠誠者・功労者を重視した列立となった。

さらに三日になると、西宮前殿に道鏡が居り、これに対して大臣以下が拝賀した。この時の列立も昨日と同様であったと考えられる。この西宮前殿は天平神護元年（七六五）正月一日の朝賀が行われ、また前年の神護景雲二年（七六八）十一月の新嘗祭で豊明節会を行った場でもあり、大極殿もしくは紫宸殿に相当する天皇出御の殿舎で、南には百官が居並ぶ広大な朝庭が存在したと推定されている。この西宮前殿に対し西宮寝殿は内裏部分に相当し、称徳の日常空間であった。これらの所在地が称徳期の西宮第一次大極殿地区第Ⅱ期遺構であったとする説が有力である。

そしてこの西宮前殿で道鏡は自ら壽詞《よごと》を告げた。壽詞はことほぎ祝う詞《ことば》であり、この場合は天皇の治世の長久・繁栄を祝う詞である。この祝辞は道鏡が称徳に奉ったものではなく、道鏡自らの繁栄を告げたとする解釈もある。しかし壽詞は通常臣下など他者から奉られてこそ意味のあるものであり、道鏡が称徳を無視した自分だけの壽詞を自分に対して告げたとは考えられず、称徳尼天皇と道鏡法王による治世への寿詞を道鏡自らが告げたと考えられる。

七日には、称徳が法王宮に行幸し、五位以上との宴が行われた。七日の宴は後の白馬節会《あおうまのせちえ》の宴に相当するものであり、前年は内裏で行っていたが、今回はそれを法王宮で行っている。白馬節会は天皇が内裏の紫宸殿または宮内の豊楽院に出御し、群臣に賜宴し、左右馬寮《めりょう》の牽く青馬（白馬）を御覧になる行事である。青馬は白または葦毛《あしげ》の馬で、この日に青馬を見れば、その年の邪気を避けられるという中国の風習を継受したとされる。『万葉集』巻二〇の四四九六の歌に、大伴家持の「水鳥の鴨羽の色の青馬を今日見る人は限りなしといふ」があり、天平宝字二年（七五八）でも行われていた。

この日、道鏡が五位以上には人ごとに摺衣《すりごろも》を一領、蝦夷には緋袍《ひのほう》を人ごとに一領を与えたとある。また左右大臣には綿が各一〇〇〇屯、大納言以下にもそれぞれの職に応じて賜った。史料には「与」と「賜」の書分けがあり、綿は称徳からの賜与と考えられる。摺衣は、山藍《やまあい》や鴨跖草《つきくさ》などの染め草の汁ですりつけ、草木・花鳥など種々の模様を染め出した衣で、日にちは違うが、天平十二年（七四〇）正月十六日や十五年（七四三）の正月十一日に、聖武天皇が五位以上に賜与した例がある。道鏡の法王が天皇に並ぶ存在としての威儀を示したといえる。

翌日の八日は御斎会の日であり、称徳が東内に出御して吉祥天悔過を行った。この法会が開始された一昨年、及び昨年の開催場所は不明であるが、今回の東内は平城宮の東張り出し部の東院地区に造営された宮殿施設であった。また十七日にも称徳は東院に出御して、少納言・侍従・中務少輔以上の侍臣と宴を楽しんでいる。また朝堂では文武百官の主典以上と蝦夷に饗している。

東院では二年前の天平神護三年（神護景雲元・七六七）正月十八日に諸王の年老者へ叙位し、二月十

東院庭園復元模型（奈良文化財研究所提供）

四日にも称徳が出向き、ここで出雲国造《いずもこくぞう》の神壽事《かんよごと》も行われた。そして四月十四日には東院の玉殿が完成していた。この玉殿は琉璃と称される緑釉の瓦を葺き、柱や壁には水草の文様を画いたもので、人々から「玉宮《たまのみや》」と呼ばれたという。なおこの平城宮東張出し部の南東隅から大きな庭園の遺跡が発見されている。この東院庭園は東西八〇メートル×南北一〇〇メートルの敷地の中央に複雑な形の汀線をもつ洲浜敷の池を設け、その周囲にはいくつもの建物を配していたことが明らかにされている。

この一連の正月行事からも、神護景雲三年（七六九）に、称徳尼天皇と道鏡法王の共同統治体制は、ほぼ完成したといってよい。この時期がいわば称徳尼天皇と道鏡法王の絶頂期であった。

左右大臣の厚遇

称徳はこの体制を維持し、これを支える太政官体制を維持するために左右大臣の厚遇も怠らなかった。二月に入ると、三日に左大臣永手の邸宅に、二十四日に右大臣吉備真備の邸宅に称徳が行幸し、それぞれ永手に従一位、真備に正二位を授与し、さらに各の妻または縁者に叙位を行い、また五月十八日には左右大臣に各稲一〇万束を賜与した。

ただし称徳の乳母のうち、最後まで生き延びていた竹乙女が二月十五日に没した。幼少から称徳を見守ってきた年上の側近女性たちはほとんどこの世を去った。

二月十六日、称徳は特別に神服《かんみそ》を天下諸社に頒布した。その神服は男女各一具のセットであることが特記されており、伊勢大神宮と月次祭《つきなみのまつり》に官幣の対象となる社にはこの他に馬形と鞍も奉られた。平安期の祈年祭《としごいのまつり》は二月四日に行われたが、今回の頒布は祈年祭に関連したものと考えられる。そしてこの神服は、『延喜式』祈年祭の祝詞に「神漏伎命《かむろきのみこと》・神漏弥命《かむろみのみこと》」とみえる男女一対の皇祖神を想定した神服と考えられる。これを頒布することでこの皇祖神たちを強調するものであり、うがった見方をすれば、男女一対の統治体制の守護を祈願する意図があったとも考えられる。

ただしこの年も飢饉が多く、必ずしも人心が安定していたわけではなかった。三月二十八日、称徳はまた「思う所有るに縁《よ》りて」という理由から、天下大赦を行った。この共同統治体制を維持していくためにも、政情の安定を図ろうとしたためといえる。

不破内親王・氷上志計志麻呂の謀反

しかしまたしても、称徳に対する謀反が称徳の血縁者から起こった。神護景雲三年（七六九）五月二十五日、称徳は異母妹不破内親王を平城京から追放した。漢文体の詔によれば、不破内親王は「先朝」が勅で親王の名を削っていたとする。前述したように、不破は天平十四年（七四二）の夫塩焼王伊豆配流事件に伴って、聖武から内親王の称号を一時的に剝奪されていたと考えられる。不破を首謀者とする阿倍皇太子に対する呪詛事件であった可能性を指摘する説もある。

そして詔は続けて「しかし積み重なる悪事は止まず、重ねて不敬を行った、その罪は八虐にあたるが、思うところがあり、特にその罪を許す」としている。そして「厨真人厨女《くりやのまひとくりやめ》」と貶姓し、京中に在住することを禁じた。ただし真人の姓がある点では一定の地位を確保されていた。

また不破と塩焼王の間に生まれた氷上志計志麻呂《ひかみのしけしまろ》は、父を処分した恵美押勝の乱の時にともに処罰されるべきところを、母の地位から縁坐を免れていた。しかし今回は母の悪行が明らかになったとして、土佐国流罪に処した。

志計志麻呂は、父方からは天武天皇―新田部親王―塩焼王となり、血筋からは天武三世王であったが、母方からは聖武天皇―不破内親王となり、県犬養系ではあるが草壁皇統の血筋を受けた二世王の位置にいた。この処分は、実質的には志計志麻呂を皇位継承候補者から排除することになった。なお志計志麻呂は真人の姓を剝奪され、志計志も穢れを意味する語で蔑称であった。このことから実は後に「氷上真人川継《かわつぐ》」とみえる人物と同一人物であると推測する説があり、その可能性は高い。

県犬養姉女らの厭魅呪詛

そしてこの事件の首謀者は県犬養姉女《あがたいぬかいのあねめ》とされた。同月二十九日の宣命第四十三詔によれば、犬部姉女《いぬべのあねめ》が反逆の心を抱いて首謀者となり、忍坂《おしさか》女王と石田《いわた》女王らを率いて、厨真人厨女（不破内親王）の元に密かに往き、謀議したとする。

県犬養姉女は不破の母方氏族出身の女性であったが、称徳期には大宿禰の姓を賜与され、称徳が自らの内裏に奉仕させ重用してきた女性であった。この事件当時の女官としての役職は不明であるが、位階は従五位上となっていた。この姉女を称徳は「犬部姉女」と姓を蔑称して怒りを露わにしている。

ただし共謀者とされた忍坂女王・石田女王に対しては、宣命では蔑称が具体的に示されていない。

このように称徳が処分者に蔑称を与え、感情のはけ口を名に込める例は、橘奈良麻呂の変の時からみられたが、この時期はさらに名や字に対する思いが強くなっていた頃であった。例えば神護景雲二年（七六八）五月三日の勅で名に対する思いを示し、勝手に国主・国継を名にし、また真人・朝臣などを字《あざな》とすること、さらに仏菩薩や聖賢の号を用いることを禁止していた。

二人の女王はともに系譜は不明であるが、磐（石）田女王は文室長谷《ぶんやのはせ》の妻であった可能性がある。女王没後、長谷はその男宮守ら四名とともに、延暦十七年（七九八）八月二十六日に女王所有の阿弥陀・観音・勢至の図仏像、一切経、水田六〇町を東大寺阿弥陀別院に施入している（『東南院文書』三―四一・四二頁）。なお長谷は『日本後紀』によれば、延暦二十四年（八〇五）十二月十四日に従五位下で周防守に任命されている。文室真人は、天武皇子長親王の系統であり、文室浄三など称徳に重用された人物も輩出している。

この他この時に処罰されたのは、宝亀年間の復権状況から、高市親王の娘の河内女王や錦部河内売などがいた可能性があり、またこれら宮廷に出仕した女性たち以外では、その親族の可能性がある安倍弥夫人《みふと》や県犬養内麻呂など、男性もいたとされている。

宣命第四十三詔によれば、犬部姉女らは、朝庭を傾け、国家を乱すという謀反を企て、氷上塩焼の児である志計志麻呂を天日嗣としようとして、称徳の髪を盗み出し、きたない佐保川から拾ってきた髑髏に入れて大宮の内に持ちこみ、厭魅呪詛を三度も行ったという。

しかしこのような不気味な企みを発覚させ称徳の危機を救ったのは、称徳を加護する「盧舎那如来、最勝王経、観世音菩薩、護法善神の梵王・帝釈・四大天王の不可思議威神の力、挂《かけ》けまくも畏《かしこ》き開闢《あめつちひら》けてより已来《このかた》御宇しし天皇御霊、天地の神たちの護り助け奉りつる力」であったと述べている。

僧尼は、半月ごとに戒本を誦し、互いに自己反省し、罪過を懺悔する布薩《ふさつ》を行い、戒律遵守を確認することを日常的に繰り返した。布薩は鑑真が伝えたとされているが、これに先立ち温室《うんしつ》で身を清め剃髪などを行った。その時の髪を入手したか、または最初の出家時の長い髪を保存していたものを盗んだ可能性もあるが、この呪詛が発覚したのは、丹比乙女《たじひのおとめ》の密告によってであった。この宿禰姓の女性の詳細は不明であるが、姉女たちとともに称徳の後宮に出仕していたと考えられる。

称徳は、この謀反が法によれば死刑に相当する罪であり、道理としては法に従って処分すべきではあるが、慈悲をもって一等を減じ、元の姓を替えて、遠流の罪とするとした。ただし姉女らの配流先は明記されていない。また七月十日に厨女（不破内親王）に封四〇戸と田一〇町を賜与している。京外追放したとはいえ、生活の資を保障したのは、異母妹ながら父聖武の血を引き、また不破の同母姉である井上内親王に対する配慮からであろう。

井上内親王の立場

井上内親王は神亀四年（七二七）九月三日に十一歳で伊勢斎宮となったが、三十一歳の天平十九年（七四七）正月二十日には無位から二品となっていた。その後しばらく正史には登場しなかったが、この厭魅呪詛事件の前年の神護景雲二年（七六八）十月三十日には、大宰綿《わた》一万屯を賜与されていた。この量は二十四日に新羅交易品の購入代用に左右大臣に賜与された二万屯に次ぐ多さで、大納言の白壁王や弓削御浄清人と同じであった。この当時井上は五十一歳で、大納言白壁王《しらかべ》（後の光仁天皇）と婚姻関係にあり、既に聖武孫、志計志麻呂とは従兄弟になる他戸王《おさべ》も生まれていたと考えられる。しかし志貴皇子の第六子、天智天皇の孫であった白壁王が、この時期多くの政争に巻き込まれないように慎重に対応し、酒に耽《ふけ》るふりをして表立った動きをしなかったこともあり、今回の不破内親王の事件の影響は井上には及ばなかった。

ただし称徳没後の宝亀二年（七七一）八月八日に、この厭魅事件は丹比乙女の誣告であったとして、姉女らの名誉回復がなされ、乙女は外従五位下の位記を破棄されていく。そして九月十八日には姉女は本姓県犬養宿禰に戻され、宝亀三年（七七二）正月十日には無位から従五位下に叙せられていく。同年十一月三十日にはこの事件に縁坐していた安倍弥夫人も免罪復位する。ただし称徳没後、光仁による称徳側人脈の粛清とその反動としての名誉回復の一環であり、乙女の誣告であったか、その真偽は不明としかいえない。

さらに不破も同年十二月二日に内親王に戻り、翌宝亀四年（七七三）正月一日には四品に復し、五月十二日には三品となる。これは当時光仁天皇皇后の井上内親王と同母妹であったことによる。また天応元年（七八一）二月に石田女王は無位から従五位下、九月に忍坂女王が従五位下に復位していく。

しかし後に井上内親王自身が光仁に対する厭魅事件によって廃后され、他戸親王とともに没していった。そして志計志麻呂の可能性が強い氷上川継は、宝亀十年（七七九）正月二十五日に無位から従五位下に叙されていたが、延暦元年（七八二）閏正月十日に桓武天皇に対する謀反事件を起こすことになる。川継は十四日に逮捕され、死罪にあたるところを罪一等減ぜられ、藤原浜成の娘で妻である法壱《ほういち》とともに伊豆国三島に流され、母不破内親王もその娘たちとともに淡路国に配された。この人々も皇位継承をめぐる争いに翻弄された生涯であった。

2　称徳の皇位観

「三宝之法永伝」する崇仏君主の継承

このような皇位継承に絡む謀反事件の再発を受けて、改めて次期皇位継承者問題の解決が急務となっていった。ここで、称徳が多くの皇位継承に関わる経験の中で考え続け進化させてきた、称徳が理想とした統治者像を、今一度ふり返ってみたい。

称徳は阿倍内親王時代、父聖武と母光明子の期待を背負った異例の女性皇太子への道を歩み出すにあたって、皇太子という存在は、「草壁皇統」という天智・天武合体皇統の血筋を藤原氏系によって伝えるという課題を持つと同時に、「皇太子」であった「聖徳太子」から発し、推古・舒明・斉明・天智・天武・〈草壁〉・持統・文武・聖武に継承された「三宝之法永伝」という皇位継承者の課題を引き継ぐことを学びとった。聖徳太子ゆかりの上宮王院「法華経講」を主催したことにより、推古女帝の前で僧の如く『法華経』や『勝蔓経』を講じた「聖徳太子」を理想とすることにもなった。

そして皇太子時代には、吉備真備から習った『礼記』をはじめとする儒書とともに、立太子と即位に向けて書写が繰り返された『最勝王経』を中心に、多くの経典を政治思想書としても学び、また父聖武が実践した「崇仏天皇」の姿を見ながら、独自の女性「崇仏天皇」を目指して成長していった。父聖武の崇仏は、梁の武帝など中国の皇帝菩薩・崇仏君主像に範をとりつつも、天智・天武・持統などの崇仏に学んだものでもあった。まさに「天智・天武合体皇統」の課題を引き継いだものであった。

天智・天武・持統と父聖武の崇仏

鑑真弟子の唐僧思託《したく》が編纂した『延暦僧録』「近江天皇菩薩天智天皇伝」では、天智を天皇菩薩として扱っており、天智が崇福寺《すうふくじ》を建立し、弥勒を本尊とする金堂や仏塔などを造り、また灯槞《とうろう》一柱をたて、その中に天皇が指一本を截って入れる発願をし、指の上を灯して仏塔と仏像を供養し、また千仏如来の供養を誓願したとしている。このような『法華経』捨身信仰、弥勒信仰、千仏如来信仰がみられる天智指燃捨身伝承は、聖武の頃には成立していたと考えられる。

天武は律令国家体制の受容とともに、神祇祭祀を基盤とした天下唯一の統治者たる現人神《あらひとがみ》として君臨する天皇としてだけでなく、自ら出家経験を持つ天皇として、対外関係をも見据えて一切経を網羅具備し、これを含む三宝に帰依することで補完する信仰体制を構築した。このことは八世紀以降の国家と仏教、天皇と仏教の関係に大きな影響を与えていた。そして天武が金輪聖王《こんりんじょうおう》を超えた弥勒菩薩と同等の存在であると位置付けるような天皇菩薩像が『長谷寺《はせでら》銅板《どうばん》法華《ほっけ》説相《せっそう》図銘《ずめい》』にみえる。金輪聖王とは四天下を統一して、仏から正法を以って世を治めることを委ねられた伝持者としての王、すなわち転輪聖王の中でも最高の王をいう。

持統は天武の追善に無遮《むしゃ》大会を行い、天武の御服を袈裟にして僧に奉施するなどして、天武を金輪

「長谷寺銅板法華説相図銘」（長谷寺蔵）

聖王から、死後菩薩に並びうる存在に昇格させた。そしてこれはまた持統自身が夫から継承した「崇仏天皇」であることを示すことでもあった。

いずれにしても、八世紀初頭までに、現人神という神祇信仰に基づく血統の正統性による君主像の構築だけでなく、天智、天武を「崇仏天皇」として位置付け、さらに死後は菩薩として位置付けていく原型が形成されていた。

聖武は、積極的に一切経書写事業を推進して、天武から発する天皇による一切経網羅具備の課題を継承し、また恭仁京遷都直前の天平十二年（七四〇）に崇福寺に行幸し、天智の指燃捨身伝承を知り、これとほぼ同時期に開始された『華厳経』講説や智識寺盧舎那仏の影響を受け、盧舎那仏への信仰を強くし、また『最勝王経』の自写などを通じて経典理解を深めていった。

そして天平十三年（七四一）に国分寺造営を誓願し、天平十五年（七四三）正月、金光明寺で『金光明経』を読経させるために衆僧を請じた時の詞で、自らを「弟子」と称した。聖武はこの時の詔で「弟子宿殖《しゅくしょく》に階縁《かいえん》して、宝命《ほうみょう》を嗣《つ》ぎ膺《う》けたり。正法《しょうほう》を宣揚《せんよう》し蒸民《しょうみん》を導御《どうご》せむと思ふ」と、前々からの縁にすがって皇位を継いだとし、仏法を宣揚して民を導きたいと述べており、このような「崇仏天皇」の自覚を示した。さらに天平二十一年（七四九）四月には「三宝の奴と仕へ奉る天皇」と称するに至り、同年の天平感宝元年閏五月には「太上天皇沙弥勝満」として、『華厳経』を中心とする一切経の転読講説体制を命じた。また天平勝宝六年（七五四）四月には光明子・孝謙とともに鑑真から菩薩戒を受戒した。

このように、聖武が現人神でありながら、一時的にせよ「三宝の奴」として仏に布施する捨身を行い、また三宝を上位、神祇を次位とし、さらに「太上天皇沙弥」となったことは、神が神の罪業や神威の衰えを恐れ神身離脱し仏への帰依を願う「神仏習合」思想を、ある意味で実践したといえる。

「天」の授け賜う人

称徳は父から学んだ「三宝之法永伝」する天皇、「正法」である仏法をもって国を治める王を、自覚的に実践していった。例えば天平宝字八年（七六四）九月の大臣禅師任命時の宣命第二十八詔に「仏の御法《みのり》を継ぎ隆《ひろ》めむと念《おもお》行しまし朕《われ》」と述べたことは、出家も遂げ「三宝之法永伝」を実行していた称徳の矜持を示すものであった。この「崇仏天皇」である称徳が、自分自身の後継者として皇太子または皇位継承者の資格をどのように認定しようとしていたのか。

前述したように称徳は、天平宝字八年十月の淳仁廃位の宣命第二十九詔にみえる「聖武遺詔」で「王を奴と成すとも、奴を王と云ふとも、汝の為むまにまに」と、皇位継承者決定の全権を父から付託されたと認識していた。さらにこの前提として「天」による認定が必要であると考えており、これは後述する神護景雲三年（七六九）十月一日の宇佐八幡事件直後の宣命第四十五詔で、称徳が回顧した「聖武勅語」に「天の授けて給はぬ人に授けては保つことも得ず、亦変へりて身も滅びぬる物そ」とみえる。この「天」をどのように認識していたかが問題である。

振り返ってみると、孝謙天皇時代の天平勝宝九歳（天平宝字元・七五七）四月四日に、「聖武遺詔」によって皇太子となった道祖王を廃太子し、仲麻呂が事実上推していた大炊王を立太子させようとした時、自らが三宝と神明《しんめい》に祈願して皇太子の廃立の是非を問うた。このように称徳が常に問題の解決に対する答えを「天」の啓示に求め、これを得るために自ら宗教的実践を行ってきたことは重要である。この時の祈願に対しては、天下太平の文字出現という祥瑞を得たとし、これを「上天《しょうてん》の祐《たす》ける所、神明の標《あらわ》す所」と解釈した。この「上天」と「神明」は、「仏法僧の宝、先《ま》づ国家の大平を記し、天地《あめつち》の諸神《かみがみ》、預《あらかじ》め宗社の永固《えいこ》を示す」とあることから、三宝と天地諸神、すなわち仏教と神祇であり、父から引き継いだ神仏習合理解であった。

さらに天平神護元年（七六五）三月の皇太子保留の宣命第三十三詔では「此（太子）の位は、天地の置き賜ひ授け賜ふ位に在り。故、是を以て、朕も天地の明らけき奇しき徴の授け賜ふ人は出でなむと念ひて在り」、そして神護景雲三年（七六九）十月の宣命第四十五詔に「諸聖・天神・地祇の御霊の免し給はず授け給はぬ物に在れば」とみえるように、称徳は皇位継承者を、宣命第三十三詔では「天地」の授与する地位、宣命第四十五詔では「諸聖・天神・地祇の御霊」の授与する地位としていた。そして「諸聖」には梵天など天部の諸神、神護景雲三年五月の不破内親王謀反事件の宣命第四十三詔の「盧舎那如来、最勝王経、観世音菩薩、護法善神の梵王・帝釈・四大天王」が含まれていた。

称徳による仏と神の優先順

このように称徳にとっての「天」「天地」とは、仏教と神祇の両者であったが、その優先順位は父聖武の影響もあり、仏先神後となっていった。

聖武は、前述したように天平六年（七三四）聖武発願一切経願文で「経史の中、釈教を最上とす」と記し、仏法を最も優れたものと認識していた。そして天平二十一年（天平勝宝元・七四九）四月の盧舎那仏に塗布する黄金の産出を喜ぶ宣命第十三詔に「種々《くさぐさ》の法の中には、仏の大御言《おおみこと》し国家護るがたには勝《すぐ》れたり」とした。また「食国《おすくに》天下の諸国に最勝王経を坐《いま》せ、盧舎那仏化《つく》り奉《まつ》るとして、天《あめ》に坐《ま》す神・地《くに》に坐す祇《かみ》を祈禱《いの》り奉り」とし、さらに「三宝の勝れて神《あや》しき大御言の験《しるし》を蒙り、天に坐す神・地に坐す神の相うづなひ奉りさきはへ奉り、また天皇《すめら》が御霊《みたま》たちの恵《うつくし》び賜ひ撫《な》で賜ふ事に依りて顕し示し給ふ物に在るらしと念《おもお》し召せば（後略）」とも述べていた。ここでも「種々の法」の中で仏法を最も優れたものと認識しており、また盧舎那仏に奉る黄金を祈る順番も『最勝王経』が先で天神地祇《あまつかみくにつかみ》が後の順位になっていた。そして神護景雲三年（七六九）十月の宣命第四十五詔の「聖武勅語」に「天下《あめのした》の政事《まつりごと》は慈《うつくしび》を以て治めよ。復上《かみ》は三宝の御法を隆《さか》えしめ出家《いえで》せし道人《ひと》を治めまつり、次は諸の天神・地祇の祭祀《まつり》を絶たず、下《しも》は天下の諸人民を愍《あわれ》み給へ」と、仏教を上、神祇をその次、そしてこの例では、儒教的仁政を下と位置付け、これらを総合する政治思想を示していた。

称徳も父聖武の仏・神・儒の三教における優先順位の影響を受けたが、称徳の場合は仏先神後の順番になるうえで、少し変遷があった。

天平宝字元年（七五七）四月の大炊王立太子に関する勅で「躬《み》自《みずか》ら三宝に乞ひ、神明に禱《いの》りて、政

孝謙・称徳を加護する神仏等の順番の変化

第十九詔（天平宝字元年（七五七）七月）	第四十三詔（神護景雲三年（七六九）五月）
1天地の神の慈び賜ひ護り賜ふ	1盧舎那如来
2開闢已来御宇天皇の大御霊	2最勝王経
3盧舎那如来	3観世音菩薩
4観世音菩薩	4護法善神の梵王・帝釈・四大天王の不可思議威神の力
5護法の梵王・帝釈・四大天王の不可思議威神の力	5開闢已来御宇天皇の御霊
	6天地の神たちが護り助け奉りつる力

の善悪《よしあし》、徴験《しるし》を示さむことを願ふ」と仏先神後の例もあったが、同年七月の橘奈良麻呂の変直後の宣命第十九詔では「天地の神の慈《うつくし》び賜ひ護り賜ひ、挂けまくも畏き開闢けてより已来御宇しし天皇が大御霊（中略）、盧舎那如来、観世音菩薩、護法の梵王・帝釈・四大天王の不可思議威神の力」とあるように、自らを加護するものはまだ神先仏後であった。

しかし出家し尼天皇となった称徳天皇時代には、加護する神仏の順番が、仏先神後へと明確に変化していたことが注目される。神護景雲三年（七六九）五月の不破内親王謀反事件の宣命第四十三詔で、自らを加護するものとして「盧舎那如来、最勝王経、観世音菩薩、護法善神の梵王・帝釈・四大天王の不可思議威神の力、挂けまくも畏き開闢けてより已来御宇しし天皇の御霊、天地の神たちの護り助け奉りつる力」とし、仏菩薩と新たに取り込んだ『最勝王経』を神祇よりも上位に位置づけている。

そして神護景雲三年十月の宣命第四十五詔に、前述の「聖武勅語」を引用し、仏教を上、神祇をその次、そして儒教的仁政を下と位置付けつつ、これらを総合する政治思想を聖武から受け継いだという称徳の認識を示した。ただしその内容が極めて具体的であることが称徳の独自性ともなっている。

以上から、称徳が期待した自分の後継者は、「三宝之法永伝」を課題とし、『最勝王経』にみえる正法をもって統治する国王を理想とし、それは「天」から授けられ、「諸聖天神地祇御霊」の意に適う者だったといえる。そしてこの称徳の皇位天授説は中国の天命思想というよりも、インドの王権神授説を説く『最勝王経』に影響を受けたものであった。

『最勝王経』の国王と転生

『最勝王経』「王法正論品」にみえる国王論では、人間界に居るものをなぜ天と名づけ、いかなる因縁によって天子と称し、人間世に生まれて、なぜただ一人、人主となれるのか、天界においてなぜさらに天王となれるのかという、四天王の問いの中に、梵天が答えた次の部分が注目されている。

「由先善業力、生天得作王、若在於人中、統領為人王、諸天共加護、然後入母胎、既至母胎中、諸天復守護、雖生在人世、尊勝故名天、由諸天護持、亦得名天子（先の善業の力に由って、天に生れて王と作るを得たり、若し人中に在っては、統領して人王となる、諸天共に加護して、然して後に母胎に入り、既に母胎の中に至れば、諸天復守護す、人世に生在すと雖も、尊勝の故に天と名づく、諸天の護持するに由って、亦天子と名づくを得）」

王位獲得のための条件とは、「前世の積善」と「諸天の加護」の二つといえる。そしてこれは転生の論理を前提としていた。

曇無讖《どんむしん》訳『金光明経』にはない「先」「母」に注目し、この義浄《ぎじょう》訳『最勝王経』が国王の祖父―父―子の三代の王への口承として設定されている点から、「母胎」を国王の妻の母胎と限定し、転生による王国の交代を否定し、王位の直系世襲を正統化する、既存王国を擁護する政治論となっているとみる説もある。しかしこの経典の論理を素直に考えれば、前世に積善し諸天の加護を受けた者がこの世に転生して国王となることが可能であり、この条件を満たさない人物は、たとえ王統に生まれても王位獲得者たりえないと解釈できる。

称徳が『最勝王経』のこの部分を読み、「三宝之法永伝」を課題とする皇位継承者の使命を、「天」の授けた者、すなわち前世の積善や天の加護を受けて転生した人物に託すべきであると考えたと推定したい。そして藤原氏系の天智・天武合体草壁皇統を血筋として引き継ぐ者がいない現実の中で、次第に天の加護を受けた人物、さらに出家者による継承を模索し始めた可能性が高い。

称徳自らが祈願し、その時に「舎利出現」という奇瑞があった。道鏡が共同統治を託すべき人物であるか否かを判断するために、数カ月の逡巡を経て、称徳は仏が道鏡を法王とすることを認定したと、その時点では判断した。これによって尼天皇と僧法王の共同統治体制を現実化していった。

太子転生説の受容

しかし皇統の出身でない僧をさらに天皇として即位させることを支配層内部で承認させる場合に、最大の障害は、称徳自身の立太子や即位の前提であり、称徳も本来は固執していた皇統による皇位継承の論理であった。称徳自身が『最勝王経』にみえる転生の論理を認めるためには、この皇統意識を克服する必要があった。その時に、重要な役割を担ったのが、皇統出身でこの時期には「法王」とも称されていた「聖徳太子」が、実は聖人もしくは中国高僧の生まれかわりであるという太子転生説であったと考えられる。この神護景雲年間には「聖徳太子」は六世紀の南北朝時代の中国高僧で、天台智顗の師だった南岳慧思《なんがくえし》の転生であるとする「聖徳太子慧思後身説」が確実に成立していた。

「聖徳太子」に直接限定されていないものの、慧思が「倭州の天皇」に聖化したという伝承は、それ以前から日本でも知られていた。広島本上宮太子伝の中にみえる『大唐国衡州《こうしゅう》衡山道場釈思禅師七代記』には、慧思が倭国の王家に転生したことが記され、また開元六年（七一八）に杭州《こうしゅう》の銭唐館《せんとうかん》で書写した碑下題「倭州の天皇、彼の聖化する所なり（後略）」が記録されている（『寧楽遺文』八九四頁）。この年は道慈や遣唐使が日本へ帰国した養老二年（七一八）と同年であり、この頃には「聖徳太子」に限定した存在かは不明にしても、慧思が倭国の王家に転生したという説が日本に知られていた可能性は高い。一方この二年後に成立した『日本書紀』推古紀に、太子を「聖人」の転生とする見方もみえていた。

法華三昧《ほっけざんまい》を大悟したとされる高僧としての慧思の存在は、天平期に慶俊が慧思の著作を研究していたように、華厳教義を学ぶ僧たちの中では知られていた。また前述したように、この時期には唐僧道璿によって洛陽の尼寺の法華三昧の情報ももたらされていた可能性があり、称徳も皇太子時代にこの法華三昧の依拠経典の一つである『普賢菩薩行法経』の書写を行わせ、この点に一定の関心を持っていた可能性がある。

さらに『唐大和上東征伝』には、天宝元年（天平十四・七四二）に栄叡《ようえい》が鑑真に来日を懇願した時、聖徳太子は二百年後に日本に聖教を興すと言ったと伝えると、鑑真は「昔聞くに、南岳の思禅師は遷化の後、生を倭国の王子に託して仏法を興隆し、衆生を済度《さいど》せりと」と語ったとされ、鑑真の慧思信仰が日本に渡るうえでの原動力の一つとなったとされている。そして天平勝宝六年（七五四）の鑑真や弟子思託らの来日後になると、日本における慧思信仰は、さらに天台教義との関係を強調したものとなっていった。そして鑑真から受戒した称徳は、この慧思信仰と聖徳太子信仰を背景にした、高僧の倭国王子・倭州天皇転生説から大きな影響を受けたといえる。

繰り返すが称徳の「法王」観の中には、『最勝王経』にみえる「正法により統治する王」としての「法王」像と、皇位継承者の課題である「三宝之法永伝」の始祖的地位にいる「僧の如」き「皇太子」であった聖徳太子「法王」像が重要な意味を持っていた。この日本の皇族聖徳太子も、実は中国高僧の転生であったとすれば、皇統を転生の論理で相対化できることになる。太子法王は高僧（転生）法王であり、聖（転生）法王でもある。そして、舎利の出現という形で如来が承認した高僧法王道鏡を、聖徳太子と同様に聖の転生と考えれば、「法王」としては同等の資格者といえる。もちろん聖徳太子は出家者ではなく、称徳の思いは現実からは乖離し、ある意味で飛躍した独自の「信心」ともいえるものではあるが、このような「信心」が人を現実的に動かす力を持つことがある。

聖徳太子関係寺院への行幸

道鏡を法王に任命した翌年となる天平神護三年（神護景雲元・七六七）二月から三月にかけて、称徳は東大寺・山階寺（興福寺）・元興寺・西大寺法院・大安寺・薬師寺など主要な大寺への行幸を重ねた。そして賜物、奴婢解放、爵位授与も行った。もちろんこれら寺院行幸は、百万塔作成と密接な関係もあったと考えられる。

さらに三月二十日に法王宮職が成立すると、四月以降から飽浪宮《あくなみ》・法隆寺《ほうりゅうじ》・四天王寺《してんのうじ》など、盛んに聖徳太子ゆかりの地や寺院へ行幸し、奴婢を解放して爵位授与するほか、寺院への封戸の施入などを開始している。飽浪宮は『大安寺縁起幷流記資財帳』にみえる飽浪葦墻《あくなみあしがき》宮と同じ地に造営された宮と考えられ、富雄川《とみおがわ》のほとりにあり、西岸の上宮遺跡《かみやいせき》（奈良県生駒郡斑鳩町法隆寺南）の掘立柱建物群はこの宮跡の可能性が高いと指摘されている。

聖徳太子関連寺院行幸表

法隆寺	天平神護三年（七六七）四月二十六日	奴婢二七人への爵位授与
飽浪宮	天平神護三年（七六七）四月二十六日	行幸
	神護景雲三年（七六九）十月十五日	行幸
四天王寺	神護景雲元年（七六七）十月二十五日	家人奴婢三二人への爵位授与
	神護景雲元年（七六七）十一月十一日	播磨国の墾田二五五町の代施入
	神護景雲三年（七六九）七月二十二日	周防国戸五〇烟の施入
	神護景雲三年（七六九）十月二十九日	奴婢一二人に爵位授与

この法隆寺と飽浪宮という太子ゆかりの場所へ行幸した時、淡海三船が作った「南嶽に禅影を留む、東州に応身を現ず」から始まる五言詩「扈従聖徳宮寺」一首が『経国集』巻十に残っている。ここには南岳慧思の東州転生がとりあげられており、この頃には、『伝述一心戒文《でんじゅついっしんかいもん》』に引用されたこの五言の詩序から、太子が小野妹子を隋に派遣して慧思の『法華経』を持ち帰らせたとする、いわゆる「南岳取経説」も成立していることがわかる。三船はこの五言詩の最後に「方《まさ》に知りぬ聖と聖と、玄徳《げんとく》永《とこしえ》に相隣《ならぶ》ることを」と記している。

道鏡法王像の限界

ただしこの太子慧思後身説という太子信仰の力を借りて、道鏡法王と太子法王とのイメージの融合をはかり、さらに道鏡法王の皇位継承に対して了解と支持を得るには多くの限界があった。

一つは道鏡の出自である弓削氏は仲麻呂が批判したように、太子の宿敵である物部守屋の子孫と考えられていた。前述したように称徳は、道鏡が「三宝之法永伝」する天皇の導きの師であることを強調することによって反論していた。しかし太子信仰との関係において、この点は道鏡には不利な問題であった。なお『公卿補任』に道鏡は天智の孫、施基《しき》王子（志貴皇子）の子とする皇胤説もあるが、当然付会である。

そして大安寺系の太子観や太子慧思後身説を受け入れていた人々も反道鏡の方向に動いていった。当時の太子信仰を持つ著名な僧として、例えば大安寺では戒明《かいみょう》や敬明、また東大寺では明一《みょういつ》などがいた。戒明や敬明は慶俊との交友があったと考えられるが、慶俊はこの時期は僧綱を更迭され現実には道鏡との対立が進行していた。

また淡海三船は、もと天智系皇親の御船王で、天平年間には大安寺にいた唐僧道璿の弟子僧であった経歴を持ち、天平勝宝年中に還俗し、天平勝宝三年（七五一）正月に淡海真人姓を賜った。天平勝宝八歳（七五六）内豎の時、朝廷誹謗の罪で禁固となったが、天平宝字八年（七六四）の恵美押勝の乱で功績をあげ、正五位上勲五等を得ていた。その後は称徳の内道場仏事「観虚空蔵菩薩会」に参加し漢詩を作成するなど、侍従として仏教的活動に深く係わっていた。淡海三船は『唐大和上東征伝』を編纂したように、鑑真やその弟子との関係も深く、太子中国高僧転生説を受け入れ、また出家した称徳天皇による統治を支えていた。しかし前述の慧思後身に関する漢詩を作った三カ月後の天平神護三年（神護景雲元・七六七）六月五日に、下野国司の不正自体は前年に大赦されていたにもかかわらず、前介《さきのすけ》弓削薩摩に対する検察処分が厳しかったことを理由に、突然三船の方が懲罰を受けて東山道巡察使を解任された。さらに神護景雲元年八月二十九日、大伴家持とともに大宰少弐《しょうに》に任じられ、称徳没後の宝亀二年（七七一）七月までその任に置かれていた。

尼天皇と僧法王という出家者による仏法を興隆する統治体制、「三宝之法」を永伝する法王観や太子慧思後身説を理解し、出家者が皇位を継承することに、一定の理解を持ったとしても、それを現実の弓削氏出身の道鏡と結び付けて支持することが難しかったと考えられる。

3　宇佐八幡神託事件

事件を語るもの

このような中で称徳は、法王道鏡にさらなる権威を付与する「天」からの認定を模索していった。神護景雲年間の様々な祥瑞によって、既に天神地祇から一定程度、称徳・道鏡の共同統治の正統性は認定されていたが、より具体的な「開闢已来御宇天皇の御霊」や「天地の神たちが護り助け奉りつる力」からの認定が期待された。

神護景雲三年（七六九）五月十六日に伊勢国から白鳩が献じられた。これは皇祖神を祀る伊勢神宮が所在する国からの祥瑞ではあったが、ただし中瑞に留まるものであった。不破内親王謀反事件の直後、六月十九日に神祇伯の中臣清麻呂に対し、大中臣朝臣の賜姓を行ったのは、神祇への期待と体制固めからであったと考えられる。

皇位継承に関しては、皇祖神からの承認を得ることが望ましいが、伊勢大神宮の大神から得ることは容易ではなく、この状況で期待されたのが、仏法を守護する神である宇佐八幡の大神であった。なお『日本書紀』巻一には、天照大神の生んだ三女神が宗像三神として降臨したとする神話の異伝に、三女神が「宇佐嶋」に降臨したとする第三の一書がみえ、宇佐ではこれが比売神と結びついていた。

宇佐八幡神託事件の経緯は、『続日本紀』神護景雲三年（七六九）九月二十五日の(1)称徳の宣命第四十四詔、(2)事件経緯の記事（以下「経緯編纂記事」）、(3)『続日本紀』宝亀三年（七七二）四月七日の

「道鏡伝」、(4)『日本後紀』逸文（『類聚国史』）天長元年（八二四）九月二十七日の高雄寺に関する清麻呂の男和気真綱《まつな》・仲世《なかよ》等の言上記事（以下「真綱等言上」、『類聚三代格』同日官符あり）、(5)『日本後紀』延暦十八年（七九九）二月二十日の「和気清麻呂伝」（以下「清麻呂伝」）にみえる。しかしそれぞれの史料批判が必要である。(2)(3)は道鏡失脚後、『続日本紀』編纂者が延暦年間に作文した説明記事であり、(4)(5)は同じく道鏡失脚後に和気氏から語られた内容をもとにしている。また(2)と(5)は類似表現が多く、同じ史料をもとにした兄弟関係にあると考えられる。これら事件を道鏡が企んだ覬覦《きゆ》事件として語る記事が必ずしも真相を正確に伝えているとは限らない。それに対して、(1)は当時の生々しい称徳の反応が示されている。まずはこの史料からみておきたい。

清麻呂・法均尼の追放

神護景雲三年（七六九）九月二十五日に、称徳は宣命第四十四詔を発した。最初に、臣下というものは、君主に随って浄く貞かに明き心を以って君を助け護り、君主に対しては無礼な面もちが無く、陰で謗るような言葉も無く、悪事を企てて偽りへつらい曲った心が無く仕えるべきものであるとしたうえで、次のように述べた。重要な部分を称徳の宣命原文のままにあげる。

然《しか》る物《もの》を、従五位下因幡国員外介輔治能真人清麿、其が姉法均と甚《いと》大きに悪《あ》しく奸《かだ》める忌語《いみこと》を作りて、朕《われ》に対《むか》ひて法均い物奏《ものもう》せり。此を見るに面《おもて》の色形《いろかたち》口に云ふ言《こと》、猶明らかに己《おの》が作りて云ふ言を、大神《おおかみ》の御命《おおみこと》と借りて言ふと知らしめしぬ。問ひ求むるに、朕が念《おもお》して在るが如く、大神の御命には在《あ》らずと聞《きこ》し行《め》し定めつ。故《かれ》、是を以て、法のまにま退《しりぞ》け給ふ。

これによれば、清麻呂は姉法均と、きわめて悪く邪《よこしま》な偽りの話を作り、称徳に対して法均がその偽りを奏上したが、その様子を見ると顔色や表情、また言葉も、明らかに自分で作ったことを、八幡大神のお言葉に託《かこつ》けて言ったことが知られた。そこで問い詰めたところ、称徳が思っていたように、大神のお言葉ではないと判断できたため、法にしたがって退けるとした。

そして称徳は一息入れてから、さらに次のように述べた。

此の事は人の奏《もう》して在るにも在らず。唯言甚《ただこといたく》理《ことわり》に在らず逆《さかしま》に云へり。面《おも》へりも无礼《いやなく》して、己が事を納れ用《い》ゐよと念ひて在り。是れ天地《あめつち》の逆と云ふに此より増れるは无《な》し。然れば此《こ》は諸聖《しょしょう》等《たち》・天神《あまつかみ》・地祇《くにつかみ》の現《あらわ》し給ひ悟《さと》し給ふにこそ在れ、誰《たれ》か敢《あ》へて朕に奏し給はむ。猶人は奏さずて在れども、心の中悪《うちあ》しく垢《きたな》く濁《にご》りて在る人は、必ず天地現し示し給ひつる物そ。是を以て、人々己が心を明らかに清く貞《さだ》かに謹みて奉侍《つかえまつ》れ。

すなわち、このことは、人が偽りだと奏上したからでなく、ただその言葉が道理にあわず、逆のことを言っているからであるとしている。そして面持も無礼で、法均が自分の言ったことを聞き入れて用いよと思っているものであり、このような天地が逆さまになることほどひどいものはない。これは諸聖等・天神・地祇が現し諭されることであり、誰があえて朕に奏上することがあろうか、人は奏上せずとも、心の中が悪しく穢れて濁っている人は、必ず天地が示されるものであるとし、人々には、自分の心を明るく清らかに貞しくして、謹んで仕えよと命じている。

そしてさらに一息入れ、清麻呂と共謀した者の存在を知ってはいるが、君主は慈悲の心で天下の政を行うものであるから、慈しみ憐れんで免じることにするが、ただしこのことに重く関わった人は法に従って処分するとした。そしてこのことを悟って、先に清麻呂らと同心して一、二つほどのことを共謀した者は、改心して明らかに貞しい心を以って仕えるようにと命じた。

また更に、清麻呂らはよく仕える臣下と思っていたからこそ、姓を賜与して取り立ててきたが、今は「穢き奴」として退けると述べ、賜与した姓を取って「別部《わけべ》」、名も「穢麻呂《きたなまろ》」とし、法均の名も「広虫売《ひろむしめ》」とした。なお「経緯編纂記事」・「清麻呂伝」では、別部穢麻呂は大隅へ、法均は還俗させられて備後に配流されたとする。ただし「清麻呂伝」では法均の名が「宣命第四十四詔」と違い、宣命後の流罪地決定時にさらに変更されたものか、「狭虫《さむし》」に貶《おと》されている。

そして最後に、明基は広虫売と身体は別であるが、心は一つであると知ったので、その名も取り同じく退けると述べた。明基も法均と同様に称徳の側近として仕えた尼であった可能性がある。

五回にわたって、一息ずつ入れながら述べられた称徳の宣命が、繰り返し込み上げてくる腹心たちに裏切られた怒りの強さと口惜しさ、またもたらされた託宣に対する失望観を彷彿とさせる。

この宣命第四十四詔を虚心に読んでわかることは、称徳が法均から大神の言葉として聞いた内容が、称徳の思っていた内容と逆であり、その内容は清麻呂と法均が偽りの話を作って、大神の託宣としたこと、これを追及したところ、大神の託宣でなかったことを判断できたとしていることである。そしてこれは誰かが密告したことによってわかったことではなく、称徳が道理に合わないことでわかったとしている。ことさらこのように言った背景に道鏡の進言があることは確かである。ただし、法均が「大神の託宣」として進言した内容は明らかにされないままであり、これが当時、公表された公式見解であった。

またこれには共謀した者のうち少しばかり関与した者は見逃したが、重く関わった明基は法均と同じく罰したことは明らかである。なお「清麻呂伝」では、清麻呂は道鏡の師であった路豊永に相談し、道鏡即位に反対する意見を聞いたことになっているが、豊永に処分が及んだ形跡はない。

清麻呂は、「宣命第四十四詔」に従五位下因幡国員外介とあり、この任官は宣命の一カ月程前の八月十九日になされていた。従五位下は前述したように天平神護二年（七六六）からであり、その時の近衛将監は従六位上相当、美濃大掾は正七位下相当であった。因幡介は従六位上相当であり、その点では差異はほとんどないが、員外である点で降格人事であった。「経緯編纂記事」では「道鏡大きに怒りて、清麻呂が本官を解きて、出して因幡員外介とす」と、道鏡による降格としているが、「清麻呂伝」では「天皇誅するに忍ばず、因幡員外介とす」と称徳の判断であったとしている。この時点では位階と輔治能真人の姓の変更はなく、比較的穏便な処分であった。この人事は称徳自身が天皇として行ったものと考えられる。

しかし清麻呂の降格処分後も、姉の法均尼が清麻呂のもたらした託宣の信憑性を称徳に進言し続けていたと考えられ、これに対する称徳の最終的結論が九月二十五日の流罪処分であった。この一カ月の間の称徳と尼法均の確執が、その宣命に滲み出たといえる。

大神の御命

では、称徳を激怒させた八幡「大神の御命」すなわち託宣は何であったのか。

道鏡が皇位を狙ったとすること自体が『続日本紀』編纂における虚構であり、おそらく王の誰かを皇太子に就けよとする託宣を伝えたとし、また最初の託宣は由義宮造営に関するものとする説もある。しかし残された史料を総合的に考えるとやはり、道鏡の皇位継承に関連するものと考えられ、「経緯編纂記事」にみえる「我が国家《くに》開闢《ひら》けてより以来《このかた》、君臣定まりぬ。臣を以て君とすることは、未《いま》だ有《あ》らず。天《あめ》の日嗣《ひつぎ》は必ず皇緒《こうしょ》を立てよ。无道《むどう》の人は早《すみやか》に掃《はら》ひ除《のぞ》くべし」を骨子とするものであった。

この清麻呂が受けた宇佐八幡大神の託宣はどのような手順で確かめられたのか。

ほとんどの史料は、最初に大宰主神《だざいのかんずかさ》の習宜阿曾麻呂《すげのあそまろ》が道鏡に媚《こ》び、矯《いつわ》りの「八幡神の教」を道鏡に告げたとする。「経緯編纂記事」「清麻呂伝」はその内容を「道鏡を皇位に即《つ》かしめば、天下太平ならむ」とし、道鏡がこれを聞いて、深く喜び自負したとする。阿曾麻呂は中臣習宜朝臣姓であり、天平神護二年（七六六）六月一日に正六位上から従五位下へ昇り、神護景雲元年（七六七）九月四日に豊前介となり、この時点では大宰主神となっていた。

称徳の草壁皇統意識の強さから、称徳にはもとから道鏡に皇位を授ける意思はなく、阿曾麻呂によって奏上された道鏡即位を促す託宣は、称徳にとっては晴天の霹靂であり、その真意を糺すために、清麻呂を派遣したとする説がある。

しかし阿曾麻呂が道鏡に告げた「八幡神の教」がさらに太政官等を経て、天皇へと公式に奏上されたかは自明ではなく、その可能性も少ない。弓削清人が大宰帥となったことによって、阿曾麻呂との連絡網ができていった可能性はあり、内々にそのような託宣が出ることは大宰主神経由で洩らされていたかもしれないが、そのことは道鏡と大宰帥清人などごく少数に限られていたと考えられる。称徳没後に道鏡を謀反人として追放した神護景雲四年（宝亀元・七七〇）八月二十一日の白壁皇太子令旨の「道鏡法師、窃《ひそか》に舐粳《しこう》の心を挟みて日を為すこと久《ひさ》し、陵土《りょうど》未だ乾かぬに、奸謀発覚《かんぼうあらわ》れぬ」という表現は、それまで伏されていた宇佐八幡事件が、この時点ですべて道鏡とその親族や阿曾麻呂の企みであるとする見解が提示されたことを表している。それまではこの点は公にはなっていなかったと考えられる。

称徳の首謀説、道鏡自身が首謀し八幡神職団と共謀したとする説、八幡神職団が首謀したとする説、道鏡よりも弟弓削浄人が首謀し阿曾麻呂と共謀したとする説、阿曾麻呂が藤原氏と共謀して道鏡を陥れようと策謀したとする説、また道鏡と称徳天皇が一体で共謀したとする説、その他多くの説がある。しかし称徳天皇が主体的に動かなければ、どのように共謀しようと道鏡即位に漕ぎ着ける可能性はない。称徳の意向にそって宇佐八幡の女禰宜が動き、それに呼応した大宰府の動きがあった可能性がある。そして道鏡自身もそれを知り即位を期待したと考えられる。

称徳の夢告と女禰宜の託宣

宣命にみえる八幡「大神の御命」を受ける清麻呂の宇佐派遣は、称徳自身が神からの夢告を受けたことを直接の動機としている。称徳は新しい方向に舵を取ろうとするとき、「天」から示された奇瑞等を指針にする傾向が強く、また自ら仏道修行などを行って神仏からの霊示を受けることもあった。不破内親王事件を受けて、さらに草壁皇統の血筋の論理と決別していた可能性のある称徳は、より切実に皇位継承者は仏聖の容認する者、さらにそれを神が保証する者と考えた。そのことを確かめ、また実行していく方法を模索したうえで、まず神からの「夢告」を理由に清麻呂を派遣することを選択したといえる。

「経緯編纂記事」によれば、称徳の夢に八幡神の使が現われ、使は尼法均の派遣を請うたが、称徳は床下に清麻呂を召し、代わりに神命を聴くために派遣したとする。「清麻呂伝」では法均は軟弱で遠路に堪えがたいので代理を派遣すると、称徳が神の使に理由を答えたと付け加えている。

前述したように宇佐八幡神は、天平勝宝元年（七四九）十一月に天神地祇を率いて大仏造営を守護する神として入京が行われ、十二月には禰宜大神社女《おおがのもりめ》が尼の姿で紫輿に乗り東大寺を拝した。この時、即位後間もなかった孝謙は天皇として父母とともに東大寺に行幸し、その姿を間近に見ていた。ただしこの後大神社女と大神田（多）麻呂は、天平勝宝六年（七五四）年に行信とともに厭魅事件によって左遷させられ、翌天平勝宝七歳（七五五）三月には八幡大神が一四〇〇戸の封戸と一四〇町の賜田を返上する託宣を行った。聖武の逝去直前の天平勝宝八歳（七五六）四月二十九日、八幡大神宮へ奉幣した例もあったが、この後押勝が実権を掌握している間は、八幡神の目立った動きが見られなくなっていた。なお十四世紀初頭成立の『八幡宇佐宮御託宣集』によれば、大神氏の厭魅事件に関係して、八幡神が伊予国宇和嶺に十数年遷座していたという伝承がある。その間宇佐には比売神が残り、女禰宜は大神氏ではなく辛島《からしま》氏の女禰宜が中心になったが、ほとんど託宣を行っていなかったとされる。しかしその後天平神護元年（七六五）になると、八幡神が宇和から大尾山に帰座したと伝えている。

実際『続日本紀』によれば、恵美押勝の乱直後の天平宝字八年（七六四）九月二十九日、八幡大神に戸二五烟を充てさせている。さらに称徳は天平神護二年（七六六）四月十一日、八幡比咩神の神願によるとして、封戸六〇〇戸を奉じている。また十月二日に大神田麻呂が復権し、さらに神護景雲元年（七六七）九月十八日には、神宮と寺の封戸を使役し、四年計画で八幡比売神宮寺が建立されていった。すなわち称徳の時代に、かつての孝謙天皇時代と同様に、天皇と八幡神や比売神との関係が復活しており、今回の託宣はこの神宮寺建立が最終段階に入った時期であることが注目される。

この時期は『八幡宇佐宮御託宣集』によれば、女禰宜の辛島与曾売《からしまのよそめ》が託宣した時代であり、今回の託宣は与曾売が行った可能性が強い。女性天皇である称徳と女禰宜の強い結び付きのもとで、称徳の意向を酌んだ託宣を伝えるために、女禰宜が尼の法均の派遣を依頼し、これを称徳は「夢」に見た神のお告げとして語り、法均と密接に結びついている弟の清麻呂を派遣したといえる。実際には大宰主神を通じて内密に連絡されていた可能性があり、それが道鏡にも洩らされていたと考えられる。

「真綱等言上」では、皇位継承問題について神霊による戦いが行われており、大神は自らの神威の当たり難いことを嘆き、仏力の加護を望んで、称徳に夢告したとあり、事件後に合理化した説明がされている部分がある。ただし一方で称徳は清麻呂を呼び、「面《まのあたり》に御夢の事を宣す。仍《よ》りて天位を道鏡に譲る事を以て、大神に言さしむ」と、譲位を神に言上することまで伝えたことになっている。おそらく、称徳自身が皇位を道鏡に譲るうえでの最終判断を八幡神の託宣に委ね、公式に清麻呂がこのお墨付きの託宣を受けてくることを期待して指示したと考えられる。

清麻呂の出発の時期は、通説では不破内親王配流直後の五月二十八日に輔治能真人の賜姓が行われた頃と推測されている。六月二十六日に備前国藤野郡の別部とその同族氏族が石生別公《いわなす》へ改姓され、同月二十九日の藤野郡を和気郡に改めている時期も派遣時期と考えられる。「経緯編纂記事」は道鏡が、出発に臨んで「大神、使を請ふ所以《ゆえ》は、蓋《けだ》し我が即位の事を告げむが為《ため》ならむ。因《よ》て重《おも》く募《つの》るに官爵を以てせむ」と伝えたことになっている。ただし「輔治能真人」という統治を助ける能力を込めた字を使用した賜姓は、称徳のセンスが反映されており、称徳自身が清麻呂に期待したことを表している。ちなみに『八幡宇佐宮御託宣集』では、清麻呂が託宣を受けたのは七月十一日と伝えている。

「清麻呂伝」では宇佐での最初の託宣は「云々」とのみ記している。これが道鏡を皇位に即かせれば天下太平であるという内容であったと考えられる。しかし清麻呂は「今、大神の教うる所は、是れ国家の大事なり。託宣信じ難し。願わくは、神異を示されむことを」と奏上すると、神が忽然と姿を現し、その長さは三丈ばかりで色は満月のようであり、清麻呂は失神して仰ぎみることができなかったという。最終的には称徳が思い描いた、きわめて革命的といえる道鏡即位だけは、王権秩序維持のために何としても阻止しなければという思いを抱き、清麻呂が自ら霊示を受けたとした託宣は、「清麻呂伝」の表現によれば「天《あめ》の日嗣《ひつぎ》は必ず皇緒《こうしょ》に続く」であった。

宣命四十五詔の意味するもの

この事件によって称徳は、尼として最も近しい腹心であった法均や明基を内道場から放逐することになり、女性出家者としても孤独な天皇となった。日々ともに仏事に励んでいた二人を怒りにまかせて実際に放逐した後、想像以上の喪失感、虚脱感に見舞われたと考えられる。そしてこのことは、改めて清麻呂がもたらした託宣、「我が国家開闢けてより以来、君臣定まりぬ。臣を以て君とすることは、未だ有らず。天の日嗣は必ず皇緒を立てよ。无道の人は早に掃ひ除くべし」を何度も反芻することにもなった。そしてこれが称徳に大きな変化を与え、数日間、過去の記憶を辿り、逡巡を繰り返すなかで、深く尊び拝み読誦している『最勝王経』を読み替えし、あるべき皇位継承を再考した。

法均たちを追放して六日後、十月一日に称徳は「元正の後の御命」や「聖武勅語」を示しつつ、皇位に関する極めて長い宣命第四十五詔を発した。

最初に挙げた「元正の後の御命」の内容は、第四章の元正逝去に関連して前述したように、元正が臣下らに対して、聖武天皇と阿倍皇太子への忠誠を求め、また元正の教命に従わず、王たちが得ることができない皇位を狙い、臣下が勝手にそれぞれの王と結びついて謀りごとをすれば、元正が死後も天皇霊として「天翔」して、これを見つけて退けるという教命であった。

そして次の「聖武勅語」は四項からなり、最初は、第五章の孝謙即位に関連してふれたが、臣下に対して、聖武と同等の忠誠を光明子にも行うことを命じ、阿倍皇太子こそ唯一の聖武の子であり、皇位を継承すべき存在として譲位することを明らかにしたことを挙げている。

二項目の称徳に対する勅語は、本章の父聖武の仏先神後で既にふれたが、天下の政事を慈悲を以って治めること、上は仏教を興隆させて出家者を治め、次は天神地祇の祭祀を絶えさせず、下は天下の諸人民を憐れむようにと教えたとする。おそらくこれも孝謙即位時の教えであったと考えられる。

三項目の称徳に対する勅語は、第五章の道祖王廃太子や、本章の「天」の授け賜う人でもふれたように、帝位は天の授けていない人に授けても保つことが出来ず、かえって身も亡びるものであり、聖武が立てた人（道祖王）でも、汝（孝謙）がよくない人物と判断した場合は、改めて立太子させることは思い通りにしてよいと教えたとする。これは聖武の遺勅であったといえる。

最後の四項目の勅語は東人《あずまひと》に太刀を授けて侍らせることは、汝（孝謙）の身辺近くの護衛をさせるためである。この東人は常に、「額には箭は立つとも背には箭は立たじ」と言って君主を一心に護るものであり、この心を知って汝（孝謙）は東人を使いなさいと教えられたとする。そして称徳はこの聖武の教えを忘れなかったとし、このように称徳が信頼していることを悟って、諸《もろもろ》の東国の人どもは謹んで仕えよとした。自らの護衛体制を再確認せざるを得ない、ある種の危機観を抱いたのかもしれない。

皇位を願う心を諌める

そして元正と聖武の御命を称徳が頂に受け賜り、昼も夜も思っていたことではあるが、理由なく人に聞かせることはなかった。しかしやはり諸人に聞かせたいと思って召したので、聞くようにと命じ、その上で、称徳は諸聖・天神・地祇の御霊が免さない者が皇位を願う心を諫める、次のような言葉を発した。

夫《そ》れ君の位は願ひ求むるを以て得る事は甚難《いとかた》しと云ふ言《こと》をば皆知りて在れども、先の人は謀《はかりこと》をぢなし、我は能《よ》くつよく謀りて必ず得てむと念《おも》ひて種々に願ひ禱《いの》れども、猶《なお》諸聖・天神・地祇の御霊の免《ゆる》し給はず授け給はぬ物に在れば、自然《おのずから》に人も申し顕し、己《おの》が口を以ても云ひつ、変へりて身を滅し災を蒙《かがふ》りて終《つい》に罪を己も他も同じく致しつ。茲《これ》に因りて、天地を恨《うら》み君臣《きみおみ》をも怨《うら》みぬ。猶《なお》心を改めて直《なお》く浄く在らば、天地も憎みたまはず君も捨て給はずして福を蒙り身も安《やす》けむ。生きては官位《つかさくらい》を賜はり昌《さか》え、死にては善き名を遠き世に流し伝へてむ。是の故に先の賢しき人云ひて在《あ》らく、「体は灰と共に地に埋《うづま》りぬれど、名は烟《けぶり》と共に天に昇る」と云へり。また云はく、「過《あやまち》を知りては必ず改《あらた》めよ。能《よ》きを得ては忘るな」といふ。然る物を口に我は浄しと云て心に穢《きたな》きをば天の覆《おお》はず地《つち》の載せぬ所と成りぬ。此を持《たも》ついは称《たたえ》を致し、捨つるは謗《そしり》を招きつ。深く朕《わ》が尊び拝《おろが》み読誦《どくじゅ》し奉《まつ》る最勝王経の王法正論品《おうぼうしょうろんぼん》に命《の》りたまはく、「若造善悪業、令於現在中、諸天共護持、示其善悪報。国人造悪業、王者不禁制、此非順正理、治擯当如法」と命りたまひて在り。是を以て汝等を教え導く。今世《このよ》には世間の栄福を蒙り忠《ただ》しく浄き名を顕し、後世《のちのよ》には人天《にんでん》の勝楽《しょうらく》を受けて終《つい》に仏と成れと念してなも諸に是の事を教へ給ふ。

君の位は願い求めても得ることは甚だ難しいことは、皆知っているであろう。しかし先人は謀が稚拙であったが、我こそは上手に謀をして必ず得ようと種々に願い禱っても、諸聖・天神・地祇の御霊が免さず授けないものであり、自然に人も自分も公言してしまい、かえって身を滅ぼし災を蒙り、遂には自分も他人も同じく罪を犯し、これによって天地を恨み、君も臣下も怨むことになる。なお改心して直く浄くあれば、天地も憎まれず、君も見捨てず福を蒙り身も安泰となる。生きている時は官位を賜って昌え、死んでは善き名を遠い世に流し伝えることになる。昔の賢人が「体は灰と共に地に埋もれても、名は烟と共に天に昇る」と言い、また『千字文』では「過ちであることを知ったならば、必ず改めよ。善いことを知ったなら忘れるな」とも言っている。しかし口では自分は浄いと言いながら、心が穢れていれば、その人は天地に守られないことになる。このことを保ち守る者は誉れを得るが、このことを捨てる者は人の誹謗を招くことになると述べた。

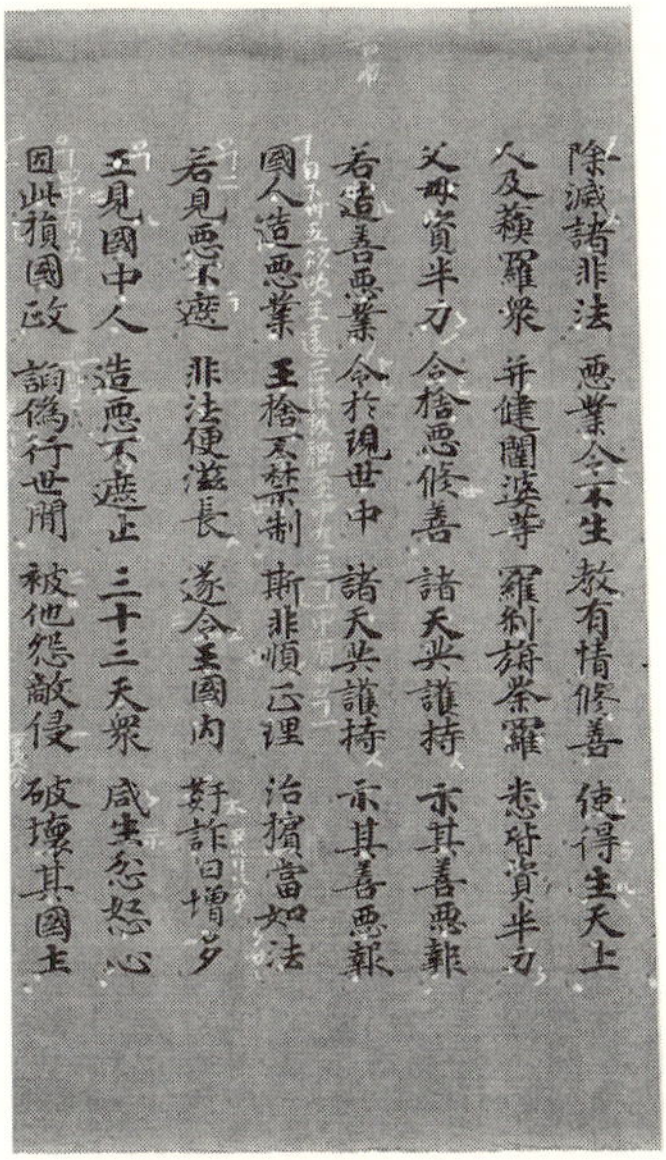
除滅諸非法　悪業令不生　教有情修善　使得生天上
人及蘇羅衆　并健闥婆等　羅刹旃荼羅　悉皆資半力
父母資半力　令捨悪修善　諸天共護持　示其善悪報
若造善悪業　令於現世中　諸天共護持　示其善悪報
國人造悪業　王捨不禁制　斯非順正理　治擯當如法
若見悪不遮　非法便滋長　遂令王國内　姦詐日増多
王見國中人　造悪不遮止　三十三天衆　咸生忿怒心
因此損國政　諂偽行世間　被他怨敵侵　破壊其國土

「金光明最勝王経」（国宝）の「王法正論品」部分（西大寺蔵）

そして称徳が深く尊んで拝み読誦している『最勝王経』の「王法正論品」は「若し善悪の業を造らば、現在の中に諸天と共に護持して、其の善悪の報を示さしめむ。国人の悪業を造るを王者禁制せざるは、此れ正理に順ぜず。治擯《じひん》せむこと当《まさ》に法の如くすべし」と命じており、これを以って汝らを教え導くとし、さらに今世には世間の栄福を蒙って忠義の名を顕し、後世には人天の勝楽を受けて終に仏と成れと念じて、これらのことを教えるのであると続けている。

王者が諸天とともに護持し善悪に対する報いを示し、国人の悪業を王が禁制し法によって処罰するという『最勝王経』の「王法正論品」をあえて原文のままに引用したことは、これを訓読ではなく、音読させた可能性がある。その上で「後世には人天の勝楽を受けて終に仏と成れ」も、『最勝王経』の「僧慎爾耶薬叉大将品《そうしんじややくしゃたいしょうぼん》」を意訳したものであった。これは僧たちに理解させる意図があったと考えられる。経文に示されたあるべき王や来世への思いを、自戒とともに、真摯に受け止めなければならないと思ったのは、称徳自身であり、また最も伝えたかったのは、一時期即位の期待を持たせてしまった共同統治者の法王道鏡であった可能性が強い。

そして最後に汝らの心を整え直し、朕の教えを違わずに束ねる象徴として、五位以上に「恕」の字を金泥で書いた紫の綾の帯を賜うとした。如は女巫が祈りしてエクスタシーの状態となり、神意をうかがい、はかる意があり、神意をはかるように他人の意を忖度し、これを顧みることを恕という。ただし才伎と献物叙位者は除いたが、藤原氏には成人になっていない者にも皆賜ったことは、藤原氏への特別な配慮を必要としていたためと考えられる。『千字文』を引用したのは、未成年の人々にも理解させる配慮があったといえる。

通説的には、宇佐八幡神託事件直後にも、諸王や臣下などが、称徳の後の皇位を狙う動きがあったことを背景にして出された宣命といわれている。このような動きを牽制する意図も十分含んでいたと考えられる。しかし一方でこの宣命は称徳が道鏡との共同統治は続ける意思を示しつつも、道鏡を皇位に即けることだけは、諸聖・天神・地祇の御霊がお免しにならず、お授けにならぬので、自ら断念するに至ったことを、間接的な表現ながらも示していると考えられる。これ以降、称徳は道鏡の皇位継承を推進することはなく、『日本紀略』宝亀元年（七七〇）八月四日の記事に引用された「百川伝」が伝える称徳の意向を反映し吉備真備が推挙した候補者でも道鏡は除外されていた。

第十章　女性天皇の終焉──晩年の祈りと「負の記憶」

1　称徳天皇の晩年

由義宮行幸

神護景雲三年（七六九）十月十五日になると、称徳は河内の由義《ゆぎ》宮に行幸する路次の途中、再び聖徳太子ゆかりの地である飽浪《あくなみ》宮に立ち寄った。宇佐八幡神託事件後の称徳は、二年前の四月に法隆寺参詣のために、この宮を訪れた時とはやや異なる複雑な思いで、この宮に滞在したのかもしれない。ただし皇位継承者が「三宝之法永伝」を課題とするという思いだけは、また新たにしたと考えられる。

そして二日後、称徳は由義宮に到着した。当面皇位継承問題は保留したうえで、道鏡との共同統治体制は継続することを示すために、かつて淳仁の最期を引き出した紀伊行幸の帰途の途中に立ち寄った弓削行宮を、本格的な宮に造り替え、さらにこの宮を中心に陪都《ばいと》として「西京《にしのきょう》」とするためであった。その範囲は弓削氏出身の道鏡の本貫と考えられる河内国若江《わかえ》郡のみでなく、大県《おおあがた》郡・安宿《あすかべ》郡・高安《たかやす》郡に及ぶ広範囲に構想された。

十九日に宮がある河内国の国守に式家《しきけ》宇合《うまかい》第八子の藤原雄田麻呂《おだまろ》（のち百川）が任じられた。左中弁・右兵衛督・内匠頭でもあった雄田麻呂は、この時期称徳と道鏡に信任されていたと考えられる。そして龍華寺《りゅうげじ》において、市を設けて交易を行わせた。京には市が不可欠な存在であり、西京のためのいわば模擬市であったが、寺の西の川上に河内国内の市人らを駆り出して、五位以上の官人らに好みの私物を持ち寄らせて交易させ、称徳はこれを遊覧して楽しんだ。そして龍華寺には難波宮の綿二万屯と塩三〇石を施入し、従った仕丁や仕女、また僧都以下にも綿を賜った。その後西京に実際の市の整備も計画されていたらしく、翌年三月十日には西市員外令史らを仮に会賀《えが》市司《いちのつかさ》に任じていった。この龍華寺は若江郡にあった寺であり、候補地として八尾市安中町・陽光園の大門付近で、安中廃寺をこれに比定する説がある。鎌倉時代の史料に「河内国末寺竜花寺、字弓削寺」とあることから、弓削寺と同一とする説がある。飛鳥寺を法興寺とも称するように、法名を冠した寺名とも考えられる。

称徳は二十九日には智識寺の今良二人と四天王寺の奴婢一二人にそれぞれ爵位三級を賜与し、そして三十日には、詔によって由義宮を正式に西京とした。これによって河内国は京職に准じて河内職となり、関連国郡には田租免除や曲赦、また国郡司軍毅には叙爵が行われた。

この時道鏡弟の清人は正三位から従二位に昇り、これによって同じ大納言ながら正三位の白壁王を抜くことになった。また清人の息子広方は正五位下となり、もう一人の息子の広津は無位から従五位下に直叙され、弓削御浄朝臣姓の親族では秋麻呂と塩麻呂は従五位上、また女性では美努久売《みのくめ》と乙美《おとみ》努久売《のくめ》が正五位下となった。この他弓削宿祢姓の東女《あずまめ》も従五位下となった。

弓削氏関係者以外では、同日に河内大夫となった雄田麻呂（百川）や河内亮の紀広庭、河内大進になった法王宮大進の河内三立麻呂《みたてまろ》、河内少進の高安伊可麻呂、また河内国志紀郡を本貫とする葛井道依を含め数名が昇叙された。この時雄田麻呂の室藤原諸姉も叙位された。諸姉は式家宇合第二子の宿奈麻呂（良継）の娘であり、雄田麻呂との間に後に桓武夫人となった旅子を儲けている。旅子は天平宝字三年（七五九）生まれであり、称徳期に諸姉と雄田麻呂が婚姻関係にあったことは確かである。

この時点では、称徳は道鏡との共同統治体制は維持していくつもりであり、その体制維持の一環として、西京の準備と道鏡親族に対する重用が継続され、また雄田麻呂やその室を側近として配した。ただし結果的には道鏡一族にとって最後の叙位になった。

最後の新嘗豊明節会

そして十一月九日、一カ月弱の由義宮滞在を終えて、称徳は新嘗祭を控えた平城宮に帰った。新嘗祭の前日にあたる二十六日には、称徳は大極殿に出向き、大隅・薩摩の隼人の風俗歌舞を謁見し、この日のために遠くから上京した大隅・薩摩の豪族に叙位し、また隼人らに賜物を行っている。

今年の新嘗はおそらく二十七日の深夜から二十八日の明け方に行われたと考えられる。二十八日は直会《なおらい》としての豊明節会が行われた。称徳はこの日の宣命第四十六詔で、今日が新嘗の直会の日であり、昨日の冬至の日に天から雨が降って地を潤し、万物も萌え初めたこと、また伊予国から白鹿が祥瑞として献じられたこと、この三つの「善事」が同じ時に集まったことは、稀有のことと喜びを表した。この白鹿は伊予国守の高円広世が献じてきたものであったが、上瑞に留まり、この祥瑞と新嘗と冬至の日が重なったこと、降雨をかき集めても、下火になりつつあった道鏡との共治体制を寿ぐには、いささか迫力に欠けるものであった。冬至の宴は、例えば神亀二年（七二五）十一月十日に聖武が行った例があり、珍しい物品や贄の貢進もされ、この時は唐から到来した甘子が献じられたように、寿ぐ日であったが、最高の慶事である冬至と朔日が重なる朔旦冬至《さくたんとうじ》にははるかに及ばなかった。『続日本紀』には五位以上に宴を賜ったとだけ記し、大嘗祭のように僧俗交わった宴になったかは明らかではない。この日に法臣円興の兄弟の高賀茂諸雄が員外少納言に任じられ、その点ではまだ、道鏡法王を支える人事が補強されていた。

西大寺東塔心礎破却の祟り

年が明け神護景雲四年（宝亀元・七七〇）になると、正月十二日に西京由義宮造営が本格化し、土地確保が進められ、大県郡・安宿郡・高安郡の百姓の宅で由義宮の領域に入るものに、宅地供出の対価を支払った。また以前から進んでいた平城京の西大寺造営では、この頃既に鑑真弟子の思託が東西塔のための八角塔様《ためし》を作成し、実際に礎石工事の準備が進められていた（『延暦僧録』思託伝）。

しかし二月二十三日に東塔の心礎を破却する事態に陥った。東塔の礎石は、東大寺の東、飯盛山の石を切り出し、これを初めは数千人で引いて運ぶことになっていたが、その大きさは方一丈、厚さ九尺とあり、一辺が約三メートル五センチ、厚みが約二メートル七五センチもあった。しかし運搬が滞り、日に数歩しか進まず、また時には石が鳴ったともいう。人夫を増員して九日目にやっと到着し、そこで刻みを入れて基礎とするところまで漕ぎ着けた。しかし巫覡《ふげき》たちが、石の祟りと取沙汰するようになったことから、柴を積み上げて石を焼き、酒を三〇余斛も灌いで、細かい破片にして道路に破棄したという。一斛は一〇〇升であり、令制の大枡一升は現在の約四合で、三〇余斛は二・一六トンになり、大量の酒を灌いだことになる。

西大寺東塔跡（奈良市西大寺芝町・西大寺境内）

尼天皇称徳と僧法王道鏡による仏教を重んじた共同統治を象徴する西大寺造営に対し、様々な抵抗が発生していたことが背景にあったといえる。しかし、この数カ月後に称徳が重病となったことから、この石の祟りを祓うための破却が、逆に破却された石の祟りを呼び起こしたと占われ、その時は破片を拾い直して、浄地に置き、人馬に踏まれないようにしたという。この時の占いは神祇官の亀卜によったと考えられている。そして西大寺内の東南隅にも数十片の破石が残された。

なお昭和三十一年（一九五六）の東塔跡の発掘調査によって、八角七重塔の基礎工事跡が発見されている。

いずれにしてもこのような祟り言説の横行は、巫覡集団によって広まっていったと考えられる。吉備真備撰と伝えられる

『私教類聚』第三十一では、真の巫覡は官が認知して神験も明らかであるが、詐の巫は用いてはならないと諫めている（『政事要略』第七十、逸文）。祟りや呪詛への警戒は以後も続き、光仁天皇末年の宝亀十一年（七八〇）十二月十四日には民間巫覡の活動に煽動されることを禁断し、大同二年（八〇七）九月二十八日には巫覡の行為を禁断していく（『類聚三代格』）。

なおその後『日本霊異記』下巻三十六縁によれば、永手によって四角五重塔に縮小され、永手がその仏罰によって地獄の責め苦を受けたとされている。このことから塔の規模が縮小された時期は永手が没する宝亀二年（七七一）二月以前ではあるが、称徳在世中とは考えられない。また西塔は宝亀三年（七七二）四月に落雷した時、卜によれば近江国滋賀郡小野社の木を採取して塔を造立した祟りとされた。同七年（七七六）七月にも落雷し、西大寺の塔に関しては多くの困難が続いた。

最後の由義宮歌垣

ただし二月頃はまだ称徳の体調に異変はなく、二月二十七日に改めて由義宮に行幸した。そして滞在中に様々な催しが繰り広げられた。例えば百官・文人と大学生らが参加し詩を作った三月三日の曲水の宴は、博多川《はかたがわ》で行われた。この川は旧大和川の長瀬川か石川下流とされており、安宿郡には伯太彦《はかたひこ》神社、伯太姫《はかたひめ》神社があった。

もっとも華やかであったのは、三月二十八日に行われた歌垣《うたがき》であった。葛井《ふじい》・船《ふね》・津《つ》・文《ふみ》・武生《たけふ》・蔵《くら》の六氏の男女二三〇人が、青摺《あおずり》の細布衣《たえのころも》を着て、紅《くれない》の長紐《ながひも》を垂れ、男女が互いに並んで列になって徐々に進んで歌った。口々に、

「少女《おとめ》らに　男立ち添ひ　踏み平《な》らす　西の都は　万世《よろずよ》の宮」

「淵《ふち》も瀬《せ》も　清く爽《さや》けし　博多川　千歳《ちとせ》を待ちて　澄める川かも」


などと歌い、歌の曲ごとに袂を挙げて節とした。そしてこの他に四首の古詩も歌われたという。

この六氏は由義宮周辺の地に蟠踞し、王仁を祖、または王辰爾《おうしんに》を共通の祖とする渡来系の氏族らであり、新しい西京の土地を寿ぎ、地鎮を行う儀礼的な歌垣であった。称徳はこの歌垣の中に、五位以上の官人や内舎人ら、さらに女孺に加わるように命じており、この儀礼を官人にも行わせることによって、さらに西京の寿ぎを盛り上げさせている。そして歌垣の後には、雄田麻呂（百川）などが、古来の倭舞《やまとまい》を舞い、この日の儀礼が終わった。

このあと、四月に入り、造由義大宮司の人事を行い、陪従の官人や十二大寺の僧・沙弥に賜物をし、由義寺の塔造営に関与した諸司や工人、また歌垣を奉仕した氏族の長老らに叙位を行った。しかし尼天皇と僧法王の共同統治の象徴である、新たな仏都西京の耀きは、称徳の急激な体調の変化とともに急速に色あせていった。

称徳の不予

四月六日に称徳は由義宮から平城京に帰ったが、滞在中から称徳は体に不調を来たしたらしい。四月二十六日、発願から六年の歳月を費やした悲願の百万塔が完成し、諸寺に頒布し、また作成関係者に叙位が行われたが、その頃にはかなり病状が進行していた可能性がある。

平城に帰還後から百余日は自ら政治を見ることができなくなったという。そして群臣らで謁見できる者はなく、典蔵《くらのすけ》であった従三位吉備由利《ゆり》のみが寝室に出入りできたという。真備の妹か娘の可能性があるこの人物を通じてのみ、称徳は自らの意思を伝えていた。

『日本紀略』宝亀元年（七七〇）八月四日の記事に引用された「百川伝」では、三月十五日から発病し朝《まとりごと》を見ないことが百余日となったとしている。百余日を称徳が没するまでとして、文字通りに逆算すると、五月初めからほぼそのような事態が生じていたといえる。その間の五月十一日に祥瑞に関する勅を出しているが、その内容には仏教的な内容が希薄になっている。この勅自体必ずしも称徳自らの宣命をもとにしたのではなく、側近らの作文によったと考えられる。そしてこの勅は祥瑞の扱いについて臣下に諮問し、これに左大臣藤原永手と右大臣吉備真備が奏言する形式で行われ、大宰府からの白雀を中瑞扱いとする提言に対して、称徳が「可《よ》し」と最終判断を下している。おそらくこの時期には称徳自身では細かい指示の宣命を出す体調ではなくなってきていたと考えられる。

さらに六月朔日に大赦の詔が出ているが、これは称徳の病気平癒を前提とした大赦であったと考えられる。この大赦の対象の中で、「前後の逆党に縁坐した人々」については所司に検討を委ねている。七月二十三日に検討結果が出て、天平勝宝九歳（天平宝字元・七五七）の橘奈良麻呂ら併せて縁坐した者すべて四四三人のうち、二六二人は罪が軽いとして免じるように進言し、これを称徳が承認している。ただし称徳は彼らの本貫編付は可としたが、本人らの入京は最後まで認めなかった。

そしてとうとう六月十日には、称徳の不予が公となり、左大臣永手に近衛・外衛・左右兵衛の事、右大臣真備に中衛・左右衛士の事を分知させることになった。天皇の身辺を警護する軍事統率権を委譲しなければならないほどに、病状が悪化していった。

称徳の病状

称徳の病状は、正史では不明であるが、「百川伝」には次のような記事がある。

天皇は道鏡法師を愛して天下を失うことになった。道鏡は帝の心を快くしようとして、由義宮において「雑物」を以って進めた。これが抜けなくなり、ここにおいて天皇は「白頽《はくたい》」となったが、医薬の効き目はなかった。或る尼一人がやってきて、「梓《あずさ》の木に金筋を作り、油を塗って挟み出せば、則ちお命は全快するであろう」といったが、百川は窃かにそれをそのまま退けた。

これによれば「雑物」が膣内に残り、「白頽」すなわち白帯下《はくたいげ》の症状になったとある。おそらく称徳が現実に何らかの婦人科系疾患を患っていた可能性は高いと考えられる。婦人科系疾患では、細菌等の炎症により、病的な白い帯下《おりもの》が出る場合がある。正常な人の消化管や膣にも発育しているカンジダという真菌による粘膜カンジダ症の中には、妊婦や糖尿病患者の外陰部や膣に湿疹様皮疹、びらん、まれに潰瘍をつくる外陰膣炎などがある。これは性交経験の有無によらず、抵抗力の低下によって起き、またこのカンジダは、白血病や癌などの重篤疾患の末期、全身の諸臓器に広がって病気を起こすといわれている。

称徳の婦人科系疾患の事実をもとに、「百川伝」ではその原因を道鏡の進めた「雑物」としているが、この真偽は不明である。そしてこれが後に『古事談』巻一ではさらに女帝広陰説という悪意に満ちた言説のもと、「雑物」が「薯蕷《しょよ》（ヤマノイモ）」として伝承されていく。

「百川伝」では尼が婦人科系疾患の治療に精通しており、梓木《しぼく》を用いた方法を提案している。日本古代の梓（アズサ）はキササゲ、アカメガシワなどの諸説があり一定しないが、正倉院の梓弓《あずさゆみ》の顕微鏡的調査結果も踏まえ、カバノキ科のヨグソミネバリ（ミズメ）説が現在の定説になっており、これにはサルチル酸メチルが多く含まれている。女医博士や女医ではなく、看病禅尼と思われる女性ではあったが、単なる呪術的な治療法ではない、それなりの医療が提案された可能性もある。なお『古事談』では、百済国医師で小手の尼が、手に油を塗って取ろうとしたと、かなり作為のある伝承になっている。ただしそれにもかかわらず、これらの伝承では百川が治療阻止したことになっている。これによって称徳の死期が早まったことになる。暗殺説もあるが、明らかではない。

なおこの時期群臣で謁見できる者はおらず、典蔵の吉備由利のみが関与したとされる内裏内寝殿のことを、この「百川伝」は百川自身があたかも目撃したかの如く記している。なぜ百川はこのことを知り得たのか、また治療法を提案した尼を遂却できたのか不審な点もあるが、百川の妻である藤原諸姉を通して、病状が百川にも伝わっていた可能性はある。諸姉は前述したように前年の由義宮行幸の時、道鏡の親族女性たちと一緒に叙位の対象となり、無位から従五位下になっていた。延暦五年（七八六）の没時記事では尚縫《ぬいひとのかみ》とあり、称徳の時にも内命婦《ないみょうぶ》として後宮に出仕していた可能性は高い。

最後の祈願と西大寺薬院

七月に入り、十五日に漢文体の勅が出ている。これが称徳最後の勅になるが、疫病と災いを『大般若経』転読と辛・肉・酒を禁じることで鎮めることを願っている。この勅では、既に殺生禁断の令や大赦を行ってきているにもかかわらず、疫病や変異が続いているが、唯、仏が世間に顕れて覚りを開き遺された教えに、自分の行いが感応することがあれば、苦しみから必ず脱することができるだろう、そして災いも除かれるだろう。ゆえに仏の覚りを仰ぎ、「祲霧《しんむ》」すなわち妖しい気を払うことにしたいとして、謹んで京内の諸寺に十七日から七日間、僧侶を請じて『大般若経』を転読させること、また全国的にも仏教が禁じている五辛と肉・酒を断って諸国の寺で読ませ、国司・国師はその経巻数や僧尼数を報告するようにとしている。

「祲霧」を払うとあるが、西大寺の石の祟りもその一つでもあったかもしれない。またこの年、天皇の病気だけでなく、六月には疫病が流行し、疫神を京師四隅と畿内十堺で祭っていた。最後の望みを仏事に託したものであったといえる。

なお従来の施薬院の研究では注目されていなかったが、『西大寺資財流記帳』「官符図書第五」によれば、神護景雲四年（七七〇）に称徳天皇の勅書と願文が出されて、「薬院」の施薬料のための封戸と備前国の水田が施入されていたことがわかる。内印がない点がやや問題ではあるが、何らかの薬院の活動を想定できる。母とともに興福寺や皇后宮職の施薬院にも関与していた称徳が、この時期自身の拠り所とした西大寺に、薬院施設を造ろうとした可能性は高いといえよう。ただし『西大寺資財流記帳』では、西大寺の寺域内に薬院施設の存在を確認できない。神護景雲四年のいつ頃に、この薬院関係の施入がされたかは不明である。ただし、同年の二月二十三日に前述した西大寺東塔の心礎を破却する事件が起きており、また六月・七月に疫病が流行し、さらに八月には称徳天皇自身が崩じている。このため薬院の設立が発願されても、これらの混乱の中で施設の整備が頓挫した可能性も考えられる。

八月一日になると、伊勢大神宮に藤原継縄《つぐただ》と大中臣宿《すくな》麻呂《まろ》を派遣し、幣帛と赤毛の馬二疋を献し、また伊勢諸人《もろひと》と佐伯老《おゆ》を若狭彦神と八幡神に派遣し、鹿毛《かげ》の馬を各一疋献じた。二日には中臣葛野《なかとみのかどのの》飯麻呂《いいまろ》を越前の気比《けひ》神と能登の気多《けた》神に派遣して幣帛を献じた。また伊刀《いと》王を摂津の住吉《すみのえ》神の教えを受けに派遣している。称徳の病気平癒を祈願し、また何らかの住吉神の託宣を受けにいった可能性がある。住吉神の託宣がどのようなものであったかはきわめて興味深いが、残念ながらその内容は明らかにされていない。

今回の幣帛の対象になった神は、八幡神はもとより、養老年間に神宮寺《じんぐうじ》が造営されたことがほぼ確実な気比神や若狭彦神、称徳期に神宮寺として逢鹿瀬寺《おうかせでら》が造立された伊勢大神宮、この他気多神の神宮寺も斉衡二年（八五五）には確認でき、この寺には養老年間の泰澄《たいちょう》伝説がある。また住吉神の神宮寺は、天平宝字二年（七五八）創建説があるなど、この時期神宮寺が設置されていた可能性が高い。いずれもが神仏習合化し神宮寺を持つ神々であったことが特徴である。

称徳の最期と「遺宣」

しかし様々な病への対応策も虚しく、称徳は遂に八月四日に五十三歳の生涯を閉じた。平成二十三年（二〇一一）の発掘で、平城宮東方官衙地区から、「天皇崩給」という木簡が発見されたが、裏に「年八月」とあり、同じ遺構から「宝亀」年号の木簡も見つかっている。称徳が没したのは、神護景雲四年（七七〇）八月四日であり、この年はその後改元して宝亀元年になる。すなわちこの木簡が称徳天皇の崩御を記したものであることは確かである。

即座に次期皇位継承者についての協議が禁中で行われた。左大臣の藤原永手、右大臣の吉備真備、参議は兵部卿の藤原宿奈麻呂、民部卿の藤原縄麻呂、式部卿の石上宅嗣、近衛大将の藤原蔵下麻呂《くらじまろ》らが出席した。策定した結果、実際に実行されたのは、白壁王を皇太子とするものであった。大納言としては白壁王より上位となっていた道鏡弟清人は既にこの協議から外されていたらしい。

『続日本紀』では、次のような称徳の「遺宣」を永手が受けたと述べている。

　今詔りたまはく、事卒然《にわか》に有るに依りて、諸臣等《おみたち》議《はか》りて、白壁王は諸王《おおきみたち》の中に年歯《よわい》も長《このかみ》なり。また、先の帝の功《みいさお》も在る故《ゆえ》に、太子と定めて、奏《もう》せるまにまに宣《のり》り給ふと、勅りたまはくと宣る。

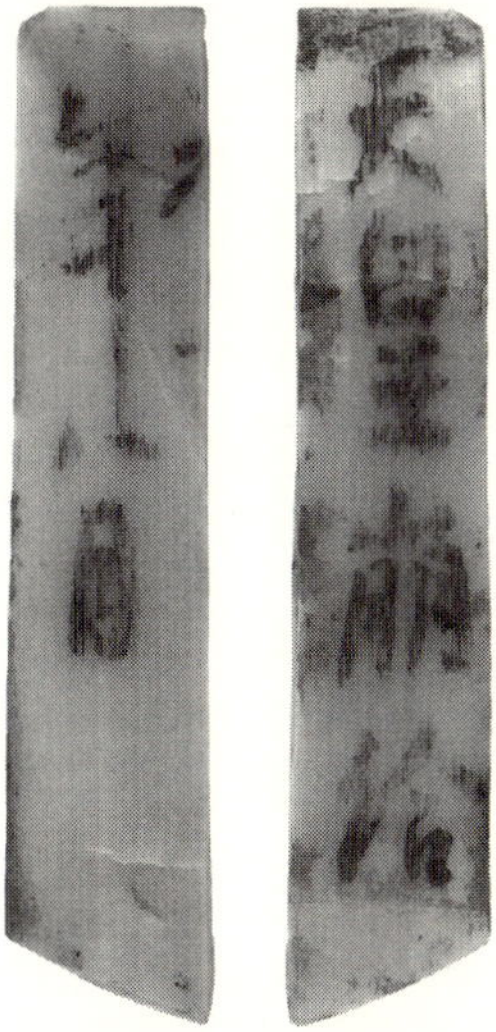
「天皇崩給」木簡
（奈良文化財研究所提供）

しかしこの協議の議論について、『日本紀略』「百川伝」は次のような内容を伝えている。これによると、右大臣真備らの提案は、長親王の子である御史大夫従二位文室浄三を皇太子とするものであった。しかし百川や左大臣永手、宿奈麻呂（後の良継）らは、浄三には子が一三人もおり、浄三の後の問題があると異論を出した。しかし真備らはこれを聞き入れず、浄三を冊立したが、浄三自身が辞退した。そこでさらに浄三の弟で参議従三位文室大市《おおち》を冊立したが、これもまた辞退した。一方百川は永手・良継と策を定め、偽の宣命を作って、白壁王を皇太子に冊立した。この時真備は舌を巻き如何ともなすことができなかったという。

この「百川伝」は正史の記事に記されている称徳の「遺宣」が、実は偽の遺言であったことの事情を伝えており、浄三を皇太子とする案こそ、本来の称徳の意向であったと考えられる。吉備真備が一貫して称徳のブレーンとして活動し、また称徳の病床に唯一近侍した吉備由利の存在から考えて、吉備真備の推挙した候補者が称徳の本来の意向であった可能性はきわめて高い。

出家経験者の皇位継承

浄三はもと智努王、その弟も大市王といい、天武皇子の長親王の子であり、天武系皇族であったが、草壁皇統ではない。白壁王は天智皇子の志貴皇子の子である。ただし井上内親王との婚姻関係があり、その間に他戸王と酒人女王がおり、その系統からいえば次世代の皇位に県犬養氏所生の草壁皇統をつなぐ人物である。称徳が草壁皇統意識を強く持ち、他戸王の皇位継承を構想し、道鏡をその「中継ぎ」に考えていたとする説がある。白壁王―他戸王が永手らの構想であったことは確かであるが、しかし前述してきたように、称徳はこの時期には草壁皇統を相対化し、むしろ「三宝之法永伝」を使命とする、出家者や菩薩戒を受けた人物の皇位継承を望んでいたと考えられる。道鏡は皇位をつぐ血統でなく、神祇からの承認もなされなかったため最終的に除外したが、それに次ぐ条件として出家者や出家経験者である皇族は強く望むところであった。

浄三は鑑真から菩薩戒を受戒して弟子となっており、この頃は東大寺大鎮・法華寺大鎮・浄土院別当を兼務していた。鑑真弟子の唐僧思託撰『延暦僧録』巻二の天皇・皇后・皇族伝に名を連ねているが、「沙門浄三菩薩文室浄三伝」と「菩薩」称号を帯び、かつ「沙門」と記されている。教義にも通じ、『六門陀羅尼経』を講じ、前述したように「無垢浄光塔」も作成していた。

またその弟大市（邑珍）は天平勝宝以後宗族枝族で辜《つみ》に陥る者が多く、自らは髪を削って沙門となり、身を全うせんと図ったとある。これは出家したことによって罪に関わるような行為や言動から遠ざかることが可能であり、罪に落とされる隙をあたえないという道徳的な保身ができていたことにもなる。本来出家することは、皇位継承への野心を放棄する行為として行う場合もあったが、称徳・道鏡体制の中では、むしろ出家していたことが逆に積極的に評価されるものとなっていたといえる。

称徳天皇高野陵（奈良市山陵町）

称徳の葬儀と高野陵

称徳の崩御を受けて、その日に固関が行われ、さら山陵造営に関する葬儀は文室大市、高麗福信、藤原宿奈麻呂・魚名《うおな》・楓麻呂《かえでまろ》・家依《いえより》らを御装束司、石川豊成らを作山陵司、石川豊人らを作路司、佐太味村らを養役夫司に任じ、さらに左右京・四畿内・伊賀・近江・丹波・播磨・紀伊の役夫六三〇〇人を徴発して準備が始まった。

山陵は大和国添下《そうのしも》郡佐貴《さき》郷の高野山陵とされた。現在は奈

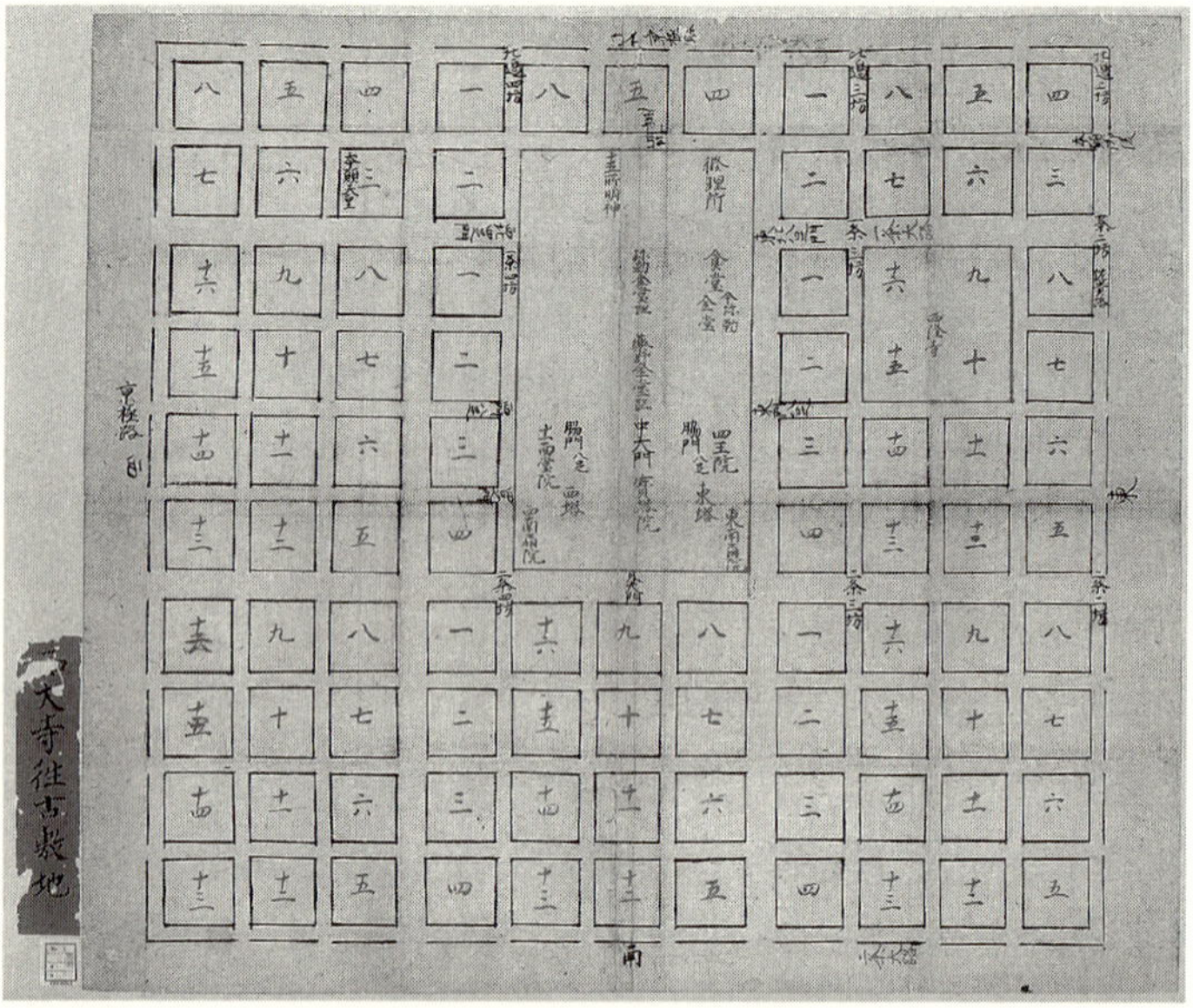

「西大寺往古敷地図」（東京大学文学部蔵）

良市山陵町に西向きの佐紀高塚古墳があり、宮内庁ではこれを「称徳天皇高野陵」に比定している。全長一二七メートル、後円部径八四メートル、前方部幅七〇メートル、後円部は前方部より四・六メートル高く築かれている。地形的制約のためか、後の改造のためか、後円部が不整円形、前方部も北西に張出していびつな形をとる。墳丘に埴輪が使われ、鍵穴型（前方後円型）の周濠をもつ古墳である。成務《せいむ》天皇「狭城盾列池後陵《さきのたたなみのいけじりのみささぎ》」や垂仁《すいにん》天皇皇后日葉酢媛命《ひばすひめのみこと》「狭木之寺間陵《さきのてらまのみささぎ》」が隣接している。このように佐紀高塚古墳は古墳前期後半築造の前方後円墳であり年代が合わず、これを本来の高野山陵とすることはできない。西大寺の鎌倉時代の古絵図「西大寺往古敷地図」（東京大学文学部蔵）には右京北辺坊二坊三・四坪に「本願御陵」と記入があり、また近世の古地図にも小山を「本願称徳天皇御廟」と記したものもあり、これらから治定されているに過ぎない。

高野陵の地の一部は高市親王の子故鈴鹿王の旧宅であり、これを山陵とするためという理由で、造営開始後の八月九日に、鈴鹿王の息子たちである豊野出雲《とよののいずも》・奄智《えんち》・五十戸《いそへ》の三人に叙位が行われている。かつて西大寺造営が始まったばかりの天平神護二年（七六六）末、称徳が西大寺地に行幸した時も出雲らに叙位が行われていた。この点から山陵は西大寺にきわめて隣接していたと考えられる。『西大寺資財流記帳』にみえる西大寺地四至の「西限京極路除山陵八町」の山陵八町が称徳天皇の山陵の一部である可能性は高い。

『延喜式』では「高野陵平城宮御宇天皇、在大和国添下郡、兆域東西五町、南北三町、守戸五烟」とあり、東西五町、南北三町の兆域とされている。『本朝皇胤紹運録』には「称徳天皇、神護景雲四八四崩、五十三、葬大和国高野陵、西大寺北也」とあり、西大寺の北となっている。これらを総合し『西大寺資財流記帳』の西大寺地右京一条三坊・四坊に隣接し、西京極路に接する右京一条四坊とその北辺に存在し、鎌倉時代の古地図「西大寺領之図」（東京大学文学部蔵）や正和五年（一三一六）の「西大寺与秋篠寺堺相論絵図」（西大寺蔵）にみえる「本願天皇御山荘跡」がそれにあたるとする説が、近年出されており、この説の可能性は十分考えられる。なお弘安三年（一二八〇）「西大寺敷地図」（東京大学文学部蔵）には「本願御所跡」とある。

山陵造営と並行して、まず八月六日に天下挙哀《こあい》し、服喪は一年と定め、特に近江から兵二〇〇騎を

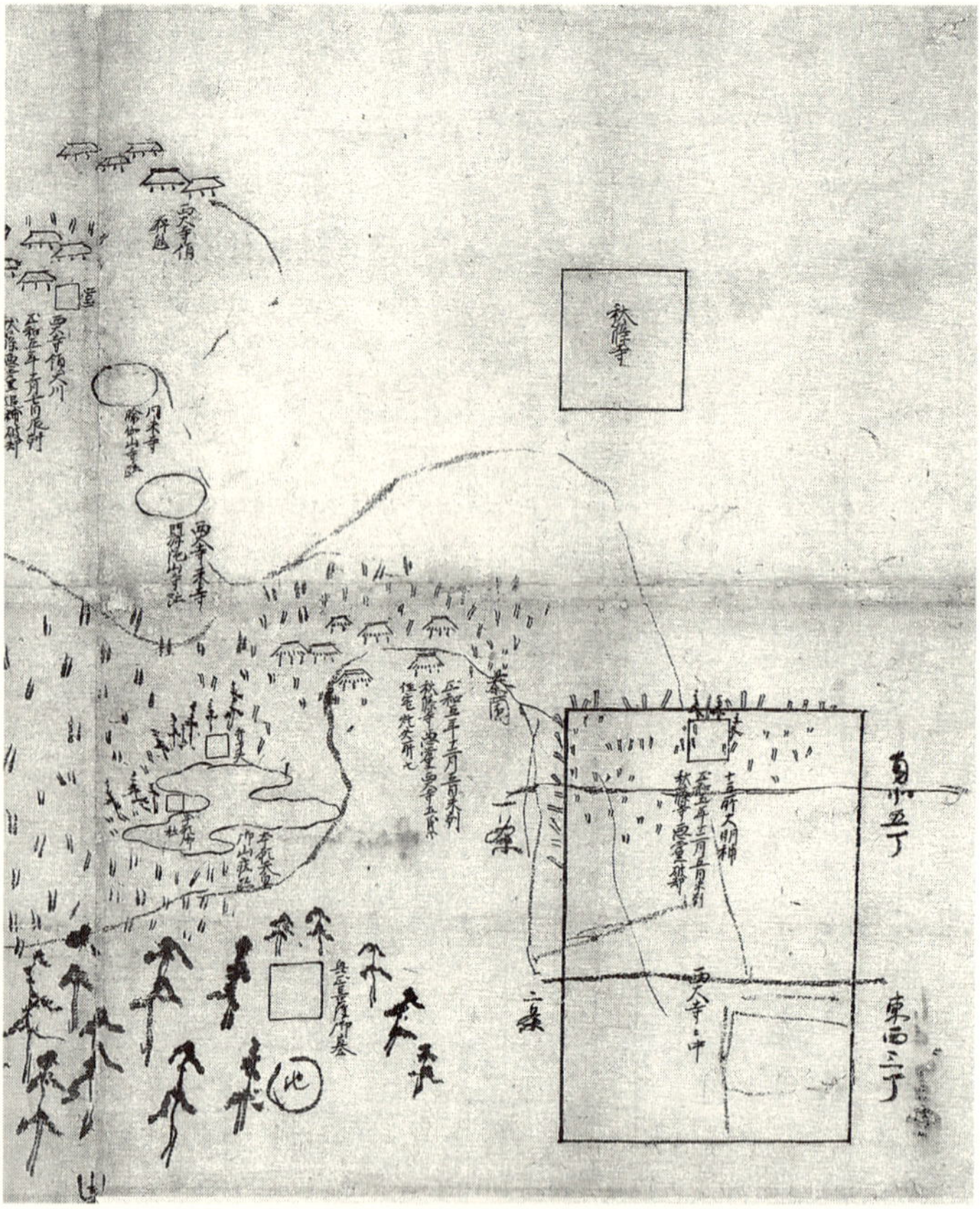

「西大寺与秋篠寺堺相論絵図」部分（西大寺蔵）

差発して、朝廷警護に当たらせた。その騎兵司には藤原宿麻呂（良継）が当たっており、これは白壁皇太子警護を目的としたものと考えられる。称徳の供養仏事は八日を初七日にあて、東大寺・西大寺で誦経を行い、十六日の二七日は薬師寺で誦経が行われた。

そして十七日に山陵での喪葬が行われたが、白壁皇太子は平城宮に留守として留まり、道鏡は称徳の棺に寄り添い、山陵に留まった。称徳の喪葬が土葬であったか、火葬であったかは明記されていない。荼毘を行っている間、道鏡が山陵に留まった可能性も否定できない。

父聖武の時は、通説では『続日本紀』に火葬との明記がないため、持統・文武・元明・元正と続く歴代天皇のような火葬ではなく、土葬になったとしている。しかし聖武の喪葬は「御葬の儀、仏に奉るが如し」とあり、火葬であった可能性も否定できない。仏陀が火葬されたことは間違いなく、『大《だい》般《はつ》涅《ね》槃《はん》経《ぎょう》後《ご》分《ぶん》』によれば、その方法は「転《てん》輪《りん》聖《じょう》王《おう》荼《だ》毘《び》方《ほう》法《ほう》」であったとされている。明確に出家し、諡号も贈られなかった聖武や称徳が火葬であった可能性を考える必要がある。

道鏡追放

葬送日から四日後になった二十一日に、白壁王は令旨を発して、道鏡が「窃かに」天位を久しく狙い続けてきたこと、この謀略が発覚したが、先聖である称徳の厚恩を考慮して、法による謀反の刑に入れるのではなく、造下野国薬師寺別当に任命して発遣するとした。

この道鏡謀反の発覚は坂上《さかのうえの》苅《かり》田《た》麻《ま》呂《ろ》の密告によっており、苅田麻呂はそのことによって二十三日に叙位されている。実際には永手らの指示があったと考えられる。この時点の天皇の軍事力は既に白壁皇太子に委譲されており、道鏡は軍事的な力を持ち得ず、彼やその親族が特に積極的に謀反を実行する力もまたその意思も持っていなかったと考えられる。称徳が病気になって西宮寝殿に籠ってからは、道鏡が看病禅師として直接関与している形跡がなく、ひたすら回復を待ち、ふたたび称徳の庇護のもと共同統治の継続を期待するほかに、彼らに展望はなかった。

前述したように皇太子令旨の「窃に舐粳《しこう》の心を挟みて、日を為すこと久《ひさ》し。陵土未だ乾かぬに、奸謀発覚《あらわ》れぬ」との表現に、今まで伏されていた舎利捏造や宇佐八幡事件を、この時点ですべて道鏡とその親族や阿曾麻呂の企みとして、責任を押し付けて説明する見解が提示されたことを表している。

その日のうちに佐伯今毛人、藤原楓麻呂を派遣して、道鏡を出発させている。実際には国ごとに順送りにする罪人のような扱いで下野国まで送られていった。同日に中臣習宜阿曾麻呂は多褹嶋守に左遷され、二十二日には道鏡弟清人とその男の広方・広田・広津は土佐に流罪となった。

道鏡は宝亀三年（七七二）四月六日に配流先で死去し、庶人扱いの葬送で葬られた。かつて法王として臣下から拝賀され、また高僧として遇されていた人物の空しい最期であった。

称徳の供養仏事と光仁即位

道鏡とその関係者の粛清が終わったあと、称徳の供養仏事は、二十三日の三七日は元興寺誦経、三十日の四七日は大安寺設斎、九月七日の五七日は薬師寺設斎、十四日の六七日は西大寺設斎、二十二日の七七日（四十九日）は山階寺設斎と粛々と行われた。さらにこの日は諸国でも各管内の僧尼を国分寺・国分尼寺に請じて行道・転経をさせている。

しかし翌日には、本来一年間の服喪とされていた期間を突然停止してしまった。白壁皇太子の即位を急ぐためであり、十月一日には大極殿で光仁天皇としての即位が行われ、宝亀と改元も行われ、名実ともに称徳の時代は終わった。治世は「天皇尤も仏道を崇《あが》めて、務めて刑獄を恤《めぐ》みたまふ。勝宝の際、政倹約に称《い》ふ。太師誅せられてより、道鏡 権《はかりごと》を擅にし、軽しく力役を興し、務めて伽藍を繕ふ。公私に彫喪して、国用足らず。政刑日に峻《さが》しくして、殺戮妄に加へき」と評された。

そして一挙に称徳期に追放されていた人々の名誉回復と、道鏡一族以外の関係者の粛清が開始された。また称徳・道鏡共同統治期の制度や政策の見直しが進んだ。例えば、宝亀元年（七七〇）十月二十八日に禁止されていた山林修行の再開が許可され、宝亀二年（七七二）正月四日に天平神護元年以来、僧尼度縁に用いられていた道鏡印を元来の治部省印に戻したことなどもその一つであった。

2　称徳の残したもの

王権と仏教

多くの陰惨な皇位継承をめぐる事件の中で、人々の皇位に対するむき出しの欲望、これを死守させるために仕組まれた多くの冤罪を体験し、その皇位が何のために守られるべきかを自問自答し続けた人生であった。元明や元正のような、もちろん十分な統治能力を発揮したとはいえ、即位の時点から、文武から託されていた首親王を男性天皇として即位させる課題を持つ、その意味では「中継ぎ」の女性天皇ではなかった。むしろ自らの王権像をもち新たな皇位継承者を選び継がせる課題を見つけ出そうとする、革新的な女性天皇となった。その中で常に保ち続けたのは、神仏習合を伴いつつも、仏の教え、すなわち正法をもって統治すること、「三宝之法永伝」の課題を継承することであった。それは父母から受け継いだ藤原氏所生の天智・天武合体草壁皇統の死守を乗り越え、「天」が授ける者であれば皇統以外でも可能とする皇位継承を模索するまでに至った。称徳自身はこの皇統を受け継いだからこそ、最後まで皇位を保ち続けることができたのではあるが、これは歴史上でも類まれな、万世一系を否定する王権像であった。

女性天皇であったことによる多くの制約を乗り越え、崇仏君主として到達した、孝謙・称徳なりの真摯な王権像であったが、この理想を現実化しようとする過程で、現実には理想とはかけ離れた生身の道鏡やその親族の限界、またなによりも「皇統」という分厚い壁を突き破ることができなかった。

称徳の次に即位した光仁天皇は、後に井上内親王と他戸親王を呪詛事件により廃后と廃太子し、渡来系氏族所生の山部《やまべ》親王（桓武）を皇太子とした。ただしさらに譲位し桓武が即位した時には、桓武の皇太子を桓武同母弟の早良《さわら》親王とした。早良親王は、皇太子となる前は出家して東大寺に所属し、神護景雲二年（七六八）に大安寺に移り、宝亀年間には親王禅師として尊敬を集めていた。このように聖徳太子の誓願に発する王権の寺である大安寺の僧であった早良親王を皇太子にしたことは、称徳と共通した、僧出身者が「三宝之法永伝」の課題を継承する皇位観が影響したためといえる。

しかし桓武天皇は平城京仏教勢力の影響を払拭するためもあって長岡遷都し、藤原種継《たねつぐ》事件を契機に、自らの皇子安殿親王に直系継承させるため、早良を皇太子から引きずり降ろし死に追いやった。このため僧出身者の皇位継承は実現しなかった。しかし早良の怨霊問題を契機に、桓武も仏教との関係を無視できず、新たな「仏教と王権」の関係を模索していったと考えられる。「崇仏天皇」として菩薩戒を受戒する例は、称徳以降は清和天皇までは途絶えるが、皇帝菩薩像・金輪聖王観は引き継がれ、新たに密教の灌頂《かんじょう》儀礼が注目されていくようになっていった。

そして桓武や安殿皇太子（後の平城天皇）は、高雄山寺法華経講にみられるように、聖徳太子慧思後身説への信仰を持った。また桓武の皇子も高僧の転生であるとする説が民間で流布していった。『日本霊異記』下巻三十九縁によれば、善珠《ぜんじゅ》禅師は遺言通り桓武天皇の皇子の大徳《だいとく》親王に転生したとする。また聖武・阿倍天皇の時代に伊予国神野《かみの》郡の石鎚山《いしづちさん》で浄行修行していた寂仙《じゃくせん》菩薩が臨終に「録文」を留め、死後二十八年を経て国王の子に生まれ変わると予言したという。その予言通りに、桓武の子として生まれ名は神野《かみの》親王と命名され、賀美能《かみの》（嵯峨）天皇となったとする。嵯峨天皇を聖の転生とする伝承は、『日本文徳天皇実録』嘉祥三年（八五〇）五月五日の橘嘉智子伝にみえる「故老《ころう》相伝《そうでん》」にも類似のものがみえ、石槌山周辺に成立した浄行菩薩僧の転生譚であったとされている。

聖僧が天子へ転生する譚は中国でも例がみえ、例えば『宋高僧伝』巻十八の唐京兆法秀《ほうしゅう》伝に玄宗皇帝が終南山《しゅうなんざん》の聖の転生であったとあり、中国からの影響関係も問題となる。しかしいずれにしてもこの三十九縁は弘仁十三年（八二二）までに追補された部分であるが、その頃に僧正となった高僧や民間の聖・菩薩僧が皇統に転生するという譚が流布していたことは、当時の仏教と王権のあり方に出家者の皇統転生が無視できないかたちで存在していたことを物語っているといえよう。

女性天皇の否定

称徳が皇統を超越しようとしてきわめて過激な王権像を引き出した原因は、称徳が女性天皇であったことに求められた。これによって以後女性天皇の存在そのものが長く忌避されていった。そして女性天皇をスキャンダルまみれに伝えることで、負の記憶として定着させていった。しかも皇位を狙ったのは道鏡の野心によるとし、女帝は道鏡との男女の関係におぼれた愚かな悪女という図式で描かれていった。

例えば『日本霊異記』下巻三十八縁では、天の下の国を挙げて「法師等を裙《も》着《は》きたりと軽侮《あなづ》れど、そが中に腰帯薦槌懸《こしおびこもづちさが》レルゾ。弥発《いやた》つ時々、畏《かしこ》き卿《きみ》や」、「我《わ》が黒みそひ股に宿《ね》給へ、人と成《な》るまで」などと歌われ、これを道鏡法師が「皇后（称徳）と同じ枕に交通《とつぎ》し、天の下の政を摂りし表答《ひょうとう》」とされたと記している。宮廷でも呪詛厭魅が横行し、民間でも巫覡による祟りの言説が流布するなど、多くの社会不安を引き起こしていたことは確かであったが、ただしこれが当時称徳たちを指して歌われたものか、或いは民間の謡歌《わざうた》を説話伝承に構成する上で当てはめたかは定かでない。しかし説話の中で、このように称徳は道鏡との関係を揶揄する卑猥な言説を浴びせられることになった。

また前述した「百川伝」に原型があるものの、建暦二年（一二一二）から建保三年（一二一五）の間に成立したとされる源顕兼編『古事談』には、称徳は広陰であったという俗説がみえる。さらに文保二年（一三一八）序がある天台僧光宗編『渓嵐拾葉集《けいらんしゅうようしゅう》』には、称徳は『涅槃経』の「女人業障偈《ごっしょうげ》」を虚偽として経典を焼いた仏罰で広陰となったとまで記された。「女人業障偈」とは「所有《しょう》三千界《さんぜんかい》、男子《なんし》諸煩悩《しょぼんのう》、合集《がっしゅう》為《い》一人《いちにん》、女人《にょにん》之《の》業障《ごっしょう》。女人《にょにん》地獄《じごく》使《し》、能断《のうだん》仏種子《ぶつしゅし》、外面《がいめん》如《にょ》菩薩《ぼさつ》、内心《ないしん》如《にょ》夜叉《やしゃ》」、すなわち三千世界のすべての男性の煩悩を集めたものが一人の女性の業障に相当し、女性は地獄の使で、男性が仏となる素質を断たせる、外面は菩薩のようでも、内面は夜叉のようなものとする偈である。

実際には『涅槃経』にない偈であるにもかかわらず、中世に女性の煩悩の深さを説く言説として創作され流布した。この否定的女性像を毅然と虚偽と否定した女性天皇が、逆に仏罰の対象とされていった。

そして称徳広陰説にはさらに道鏡巨根説も加わって流布していった。この女性天皇を否定的に揶揄する言説は、中国で唯一女性皇帝となった武則天を悪女として非難する言説と同じ構造を持った。道鏡巨根説は武則天が多くの「陽道壮偉（巨根）」の男を求めたとする説を下敷きにしたものであろう。

しかし十二世紀前半までに成立していた『扶桑略記』天平神護元年（七六五）条が引用する「西大寺記」に次のような伝承も存在する。

称徳天皇は西大寺を造営し、七尺の金銅四天王像を安置供養したが、その像の三躰は意の通りに完成したものの、一躰だけは七度鋳像しても失敗して完成しなかったという。そこで天皇は、もしこの功徳によって、永く「女身を異にし」、仏道を成すことができるのであれば、溶けた銅に手を入れて今度の鋳造の成功を願いたい、もし願いが叶わない時は、自分の手が焼け損じることを験としたいと誓願したという。しかし天皇の手は無傷のままで、天像も完成し、人々が感嘆したとする。

宝亀十一年（七八〇）の『西大寺資財流記帳』から、称徳が天平宝字八年（七六四）に金銅四王像の造立を誓願し、これを天平神護元年（七六五）に鋳造したことは確かである。しかしこの資財帳には残念ながら細かい造像の由来や縁起は残っていない。このためこの「西大寺記」所伝の成立時期は不明である。ただし鋳造時に称徳自らが実際に銅に手をいれたか否かは別として、本願天皇が成功を祈願して、何らかの誓願をした可能性は充分考えられる。なおこの所伝は天皇が女身であることを仏教から見放された存在として嘆き厭っているわけではない。むしろ積極的に天皇が現実の女身すなわち女性性を超越した出家者としての立場を全うすることによって、護国守護の仏像である四天王像の完成を成し遂げようと捨身をも厭わず誓願したことを示している。

これは道鏡との関係を揶揄され愛欲から超越できない悪女として描かれた称徳天皇像とは明らかに異なり、また「五障」の身として女身を卑下する観念もない。いわば「変成男子」を遂げた僧形の出家天皇としての天皇像となっている点が注目される。むしろ女性性を超越した出家者としての矜持を示した伝承となっているのである。古代の女性天皇が自らの意思で選びとろうとした仏教と王権の関係を伝えるものであった。

称徳の祈り

次の漢詩は、高野天皇（孝謙・称徳天皇）自作の「五言讃仏」である。九世紀に編まれた官撰漢詩集の『経国集』巻第十、詩九、梵門に残されている。

慧日照千界
慈雲覆万生
億縁成化徳
感心演法声

慧日《えにち》 千界《せんかい》を照らし
慈雲《じうん》 万生《ばんしょう》を覆う
億縁《おくえん》 化徳《かとく》を成し
感心《かんしん》 法声《ほうしょう》を演《の》ぶ

「仏の智慧は日の光のように、その感化を及ぼすあらゆる世界（三千世界）を照らし、仏の慈悲の恵みは雲のように、全ての生あるものを庇護されている。億万の縁《えにし》は仏の徳による感化を受け、心に感動して仏を讃嘆する信心の読経の声をあげている」。おおよそこのような釈読ができよう。

多くの経典や疏に散見する「慈雲」「千界」「万生」、また孝謙・称徳天皇が座右経典の一つとしていた『法華経』にもみえる「慧日」「法声」などの仏語も交えつつ、仏を讃えている。この詩が作成された時期は不明であるが、『経国集』編纂時の表記であるが「高野天皇」とされている点も含め、おそらく出家したまま再度天皇となっていた称徳天皇期の可能性が高い。この詩からも、彼女が異例の出家天皇として何を思い、何を成そうとしていたのかを理解するうえで、仏教との関係が切り離せないことが知られる。

称徳は、父聖武の理想とした盧舎那仏の華厳蔵世界や、祖母三千代や母光明子が願った阿弥陀浄土ではなく、弥勒菩薩の兜率天往生を願ったとされている。「崇仏天皇」とされた天智も弥勒信仰を持ったと伝えられ、天武も弥勒に譬えられた。また武則天は弥勒菩薩化身説を利用した。

『七大寺巡礼私記』西大寺には、大江親通が保延六年（一一四〇）に古老から聞いた次の話を載せている。天皇がもと兜率天往生を願い、兜率浄土を再現した堂を建立させていたが、造営がまだ終わらない前、二月頃に夢で兜率天衆（邪鬼）が四人きて七月に迎えにくるといった。天皇は驚き、没後も完成させるように大臣に命じたという。

実際に弥勒金堂ができたのは称徳の一周忌が宝亀二年（七七一）八月四日に西大寺で行われた後、

十月二十七日に兜率天堂の造営の功により、正六位上英保代作に外従五位下が授けられた頃であった。『西大寺資財流記帳』には、弥勒金堂には居高八尺・座高一丈の弥勒菩薩像、脇侍像二軀、菩薩像一〇軀、水精弥勒菩薩像一軀、音声菩薩像二二軀など多くの仏像が安置されたとある。しかしこれらの堂や仏像は既に失われ、現在の西大寺には残っていない。当初のものは、わずかに四王堂の増長天像が踏みつける邪鬼と洲浜座だけが伝えられている。

称徳は願いどおり、兜率天往生して、心静かに弥勒菩薩の傍らにいるのだろうか。

参考文献

主要参考史料

『吾妻鏡』新訂増補国史大系、吉川弘文館
『延喜式』上（神道大系、神道大系編纂会。虎尾俊哉編『延喜式』一、訳注日本史料、集英社、二〇〇〇年）
『延暦僧録』（新訂増補国史大系『日本高僧伝要文抄』。藏中しのぶ『「延暦僧録」注釈』大東文化大学東洋研究所、二〇〇八年）
『公卿補任』新訂増補国史大系、吉川弘文館
『経国集』（『群書類従』第八輯。日本古典全集。小島憲之『国風暗黒時代の文学』中下Ⅱ（弘仁・天長期の文学を中心として）塙書房、一九八六年）
『渓嵐拾葉集』（『大正新脩大蔵経』第七六巻、続諸宗部　第七）
『元亨釈書』新訂増補国史大系、吉川弘文館
『孝経』（栗原圭介『孝経』新釈漢文体系、明治書院、一九八〇年）
「皇太子御斎会奏文」法隆寺献納宝物（東京国立博物館、法隆寺宝物館保管）
『興福寺流記』（『大日本仏教全書』一二三、興福寺叢書第一。谷本啓「校訂『興福寺流記』」『鳳翔学叢』三、二〇〇七年）
『古事談』（川端善明・荒木浩　校注『古事談・続古事談』新日本古典文学大系、岩波書店、二〇〇五年）

『西大寺資財流記帳』(『寧楽遺文』。松田和晃『古代資財帳集成』すずさわ書店、二〇〇一年)
『西琳寺文永注記』(『大日本仏教全書』一一九、寺誌叢書第三)
『山家学生式』(安藤俊雄・薗田香融 校注『最澄』日本思想大系、岩波書店、一九七四年)
『七大寺巡礼私記』(『校刊美術史料 寺院編上』中央公論美術出版、一九七二年。奈良国立文化財研究所編、奈良国立文化財研究所史料、第二二冊、一九八二年)
『七大寺年表』(『大日本仏教全書』一一一、傳記叢書)
『続日本紀』一～五(青木和夫他校注、新日本古典文学大系、岩波書店、一九八九・一九九〇・一九九二・一九九五・一九九八年)
＊続日本紀の引用はすべて本書による。脚注、補注は示唆に富み、この史料を理解する上で不可欠のテキスト。
『新撰姓氏録』(佐伯有清編『新撰姓氏録の研究』本文篇、吉川弘文館、一九六二年)
＊佐伯有清編『新撰姓氏録の研究』考証篇一～六、吉川弘文館、一九八一・一九八二・一九八三年は、この史料を理解するうえで、不可欠な文献。
『宿曜占文抄』高山寺蔵(遠藤慶太「高山寺蔵『宿曜占文抄』の伝記史料」(『史料』二一八、二〇〇八年))
『政事要略』新訂増補国史大系、吉川弘文館
『僧綱補任』興福寺本(『大日本仏教全書』一二三、興福寺叢書一)
『大安寺伽藍縁起幷流記資財帳』(『寧楽遺文』中巻。松田和晃『古代資財帳集成』すずさわ書店、二〇〇一年)
『大神宮諸雑事記』(『群書類従』第一輯、『神宮文庫叢書』神宮文庫、一九八九年)
『大日本古文書』編年文書一～二十五、東京大学出版会
＊正倉院文書を中心とする二十五巻分は奈良時代の主要古文書を収録している。なおこのテキストは東京大学史料編纂所ホームページの「奈良時代古文書フルテキストデータベース」で検索と画像閲覧ができる。

『帝王編年記』新訂増補国史大系、吉川弘文館
『藤氏家伝』（『寧楽遺文』下巻。沖森卓也・佐藤信・矢嶋泉『藤氏家伝鎌足・貞慧・武智麻呂伝――注釈と研究』吉川弘文館、一九九九年）
『唐招提寺戒壇記』（『大日本仏教全書』一一八、寺誌叢書第二）
『東大寺要録』筒井英俊校訂、国書刊行会、一九七一年
『唐大和上東征伝』（『寧楽遺文』下巻）
『寧楽遺文』上・中・下巻、竹内理三編、東京堂出版
『日本紀略』新訂増補国史大系、吉川弘文館
『日本後紀』（黒板伸夫・森田悌編『日本後紀』訳注日本史料、集英社、二〇〇三年）
『日本書紀』上・下（坂本太郎他校注、日本古典文学大系、岩波書店、一九六五・一九六七年）
『日本文徳天皇実録』新訂増補国史大系、吉川弘文館
『日本霊異記』（中田祝夫　校注・訳、日本古典文学全集、小学館、一九七五年）
『年中行事秘抄』（『群書類従』第六輯。尊経閣善本影印集成『小野宮故実旧例・年中行事秘抄』八木書店、二〇一三年）
『八幡宇佐宮御託宣集』重松明久校注訓読、現代思想社、一九八六年
『扶桑略記』新訂増補国史大系、吉川弘文館
『仏国寺釈迦塔遺物』01『経典』、02『重修文書』、03『舎利器・供養品』、04『保存処理・分析』、国立中央博物館【韓国】、二〇〇九年。
『平安遺文』竹内理三編、東京堂出版
『本朝皇胤紹運録』（『群書類従』第五輯）

『法隆寺伽藍縁起幷流記資財帳』（『寧楽遺文』中巻。松田和晃『古代資財帳集成』すずさわ書店、二〇〇一年）
『法隆寺東院縁起資財帳』（『寧楽遺文』中巻。松田和晃『古代資財帳集成』すずさわ書店、二〇〇一年）
「法隆寺東院縁起」（『大日本仏教全書』一一七、寺誌叢書第一。『法隆寺史料集成』第一巻、ワコー美術出版、一九八三年）
『本朝月令』（『群書類従』第六輯。清水潔編『新校本朝月令』神道資料叢刊、皇學館大學神道研究所、二〇〇二年）
『萬葉集』四　小島憲之　他校注・訳、日本古典文学全集、小学館、一九七三年
『文選』（高橋忠彦『文選（賦篇）下』新釈漢文大系、明治書院、二〇〇一年）
『礼記』（竹内昭夫『礼記』中、新釈漢文大系、明治書院、一九七七年）
『律令』井上光貞他、日本思想大系、岩波書店、一九七七年
『令集解』新訂増補国史大系、吉川弘文館
『令義解』新訂増補国史大系、吉川弘文館
『類聚国史』新訂増補国史大系、吉川弘文館
奈良文化財研究所　木簡データベース
宮内庁正倉院　正倉院御物データベース

主要参考文献（閲覧の便宜を優先し、所収書の場合は初出等を省略）

赤川一博「西大寺造営試論——十一面堂創建時期の推定」（『四日市市立博物館紀要』一〇、二〇〇三年）
阿久沢武史「五節舞の由来——琴歌譜歌謡考」（『三田國文』一七、一九九二年）
浅野則子「透過する女性——万葉集における孝謙天皇」（『別府大学大学院紀要』六、二〇〇四年）

荒木敏夫『日本古代の皇太子——女帝と王権・国家』吉川弘文館、一九八五年
荒木敏夫『可能性としての女帝——十代八人の知られざる素顔』青木書店、一九九九年
荒木敏夫『日本の女性天皇』主婦と生活社、二〇〇三年
安藤信廣「北周趙王「道會寺碑文」について——聖武天皇『雑集』の示す仏教再興」（『中国文化』七一、二〇一三年）
飯田剛彦「聖語蔵経巻「神護景雲二年御願経」について」（『正倉院紀要』三四、二〇一二年）
飯沼賢司『八幡神とはなにか』角川書店、二〇〇四年
石坂佳美「孝謙・称徳朝における易名」（『文学研究論集』（明治大学大学院）二四、二〇〇五年）
伊藤聡『神道とは何か——神と仏の日本史』中央公論新社、二〇一二年
井上亘『日本古代の天皇と祭儀』吉川弘文館、一九九八年
猪股ときわ「神女降臨——五節を舞う内親王」（『歌の王と風流の宮——万葉の表現空間』森話社、二〇〇〇年）
猪股ときわ「聖なる言葉と〈エロス的言説〉——仏弟子天皇・称徳の宣命をめぐって」（『古代宮廷の知と遊戯——神話・物語・万葉集』森話社、二〇一〇年）
内田敦士「景雲一切経の写経・勘経事業と称徳・道鏡政権」（『続日本紀研究』三九九、二〇一二年）
大江篤「巫覡と厭魅事件」（『日本古代の神と霊』臨川書店、二〇〇七年）
大平聡「皇太子阿倍の写経発願」（『千葉史学』一〇、一九八七年）
大平聡「天平期の国家と王権」（『歴史学研究』五九九、一九八九年）
勝浦令子「正倉院文書にみえる天台教学書の存在形態」（薗田香融編『日本仏教の史的展開』塙書房、一九九九年）
勝浦令子「称徳天皇の「王権と仏教」——八世紀の「法王」観と聖徳太子信仰の特質」（『日本古代の僧尼と社

会』吉川弘文館、二〇〇〇年）
勝浦令子「孝謙・称徳天皇による『宝星陀羅尼経』受容の特質——正倉院文書にみえる王権の間写経の一考察」（『日本古代の僧尼と社会』吉川弘文館、二〇〇〇年）
勝浦令子「七・八世紀の仏教社会救済活動——悲田・施薬活動を中心に」（『史論』五四、二〇〇一年）
勝浦令子「聖武天皇出家攷——「三宝の奴と仕へ奉る天皇」と「太上天皇沙弥勝満」」（大隅和雄編『仏法の文化史』吉川弘文館、二〇〇三年）
勝浦令子「僧尼の公験について」（笹山晴生編『日本律令制の展開』吉川弘文館、二〇〇三年）
勝浦令子「孝謙・称徳天皇と仏教」（『国文学　解釈と鑑賞』六九—六、二〇〇四年）
勝浦令子「『金光明最勝王経』の舶載時期」（続日本紀研究会編『続日本紀の諸相』塙書房、二〇〇四年）
勝浦令子「東アジアの『無垢浄光大陀羅尼経』受容と百万塔」（速水侑編『奈良・平安仏教の展開』吉川弘文館、二〇〇六年）
勝浦令子「総論　女性と仏教」（『新アジア仏教史　11（日本1）日本仏教の礎』佼成出版社、二〇一〇年）
勝浦令子「八世紀における「崇仏」天皇の特質」（大橋一章・新川登亀男編『「仏教」文明の受容と君主権の構築——東アジアの中の日本』勉誠出版、二〇一二年）
加藤麻子「鈴印の保管・運用と皇権」（『史林』八四—六、二〇〇一年）
金子裕之「百萬塔」（『法隆寺の至宝——百萬塔・陀羅尼経』昭和資財帳5、小学館、一九九一年）
岸俊男『日本古代政治史研究』塙書房、一九六六年
岸俊男『藤原仲麻呂』吉川弘文館、一九六九年
北山茂夫『日本古代政治史の研究』岩波書店、一九五九年
北山茂夫『女帝と道鏡——天平末葉の政治と文化』中央公論社、一九六九年

木本好信『奈良朝政治と皇位継承』高科書店、一九九五年
木本好信『藤原仲麻呂』ミネルヴァ書房、二〇一一年
木本好信『奈良時代の政争と皇位継承』吉川弘文館、二〇一二年
倉本一宏『奈良朝の政変劇——皇親たちの悲劇』吉川弘文館、一九九八年
気賀澤保規『則天武后』白帝社、一九九五年
河内祥輔『古代政治史における天皇制の論理』吉川弘文館、一九八六年
小島憲之『国風暗黒時代の文学』中下Ⅱ（弘仁・天長期の文学を中心として）塙書房、一九八六年
小谷博泰「宣命の作者について——孝謙天皇・大伴家持」（『甲南大学紀要』二五、一九七六年）
近藤有宜『西大寺の創建と称徳天皇』勉誠出版、二〇一三年
斉藤孝「孝謙太上天皇勅願鏡について」（『史泉』一六・一七、一九五九年）
齋藤融「道祖王立太子についての一考察——聖武太上天皇の遺詔をめぐって」（虎尾俊哉編『律令国家の政務と儀礼』吉川弘文館、一九九五年）
鷺森浩幸「道鏡」（栄原永遠男編『古代の人物3　平城京の落日』清文堂出版、二〇〇五年）
佐藤宗諄「女帝と皇位継承法——女帝の終焉をめぐって」（女性史総合研究会編『日本女性史』第一巻原始・古代、東京大学出版会、一九八二年）
佐藤長門「称徳天皇の後継問題——宇佐八幡神託事件の深層をさぐる」（『日本古代王権の構造と展開』吉川弘文館、二〇〇九年）
上代文献を読む会「上代写経識語注釈（その十七）十誦律巻第十七（称徳天皇勅願一切経）」（『続日本紀研究』四〇一、二〇一二年）
白石ひろ子「毘沙門天像讃」（東京女子大学古代史研究会編『聖武天皇宸翰『雑集』「釈霊実集」研究』汲古書院、

二〇一〇年）
新川登亀男『日本古代文化史の構想――祖父殴打伝承を読む』名著刊行会、一九九四年
新川登亀男「皇太子誕生と写経事業」（『日本古代の対外交渉と仏教――アジアの中の政治文化』吉川弘文館、一九九九年）
鈴木靖民「高野天皇の称号について」（『国学院雑誌』七七―九、一九七六年）
須田春子「高野天皇」（『律令制女性史研究』千代田書房、一九七八年）
関晃「律令国家と天命思想」（関晃著作集第四巻『日本古代の国家と社会』吉川弘文館、一九九七年）
遠山美都男『天平の三姉妹――聖武皇女の矜持と悲劇』中央公論新社、二〇一〇年
外山軍治『則天武后――女性と権力』中央公論社、一九六六年
高取正男『神道の成立』平凡社、一九七九年
滝川政次郎「法王と法王宮職」（『律令諸制及び令外官の研究』法制史論叢　第4冊、角川書店、一九六七年）
瀧浪貞子「孝謙女帝の皇統意識」（『日本古代宮廷社会の研究』思文閣出版、一九九一年）
瀧浪貞子「藤原永手と藤原百川――称徳女帝の「遺宣」をめぐって」（『日本古代宮廷社会の研究』思文閣出版、一九九一年）
瀧浪貞子『最後の女帝　孝謙天皇』吉川弘文館、一九九八年
瀧浪貞子「孝謙・称徳天皇――「不改常典」に呪縛された女帝」（『東アジアの古代文化』一一九、二〇〇四年）
瀧浪貞子『女性天皇』集英社、二〇〇四年
瀧浪貞子『奈良朝の政変と道鏡』（敗者の日本史2）吉川弘文館、二〇一三年
田口卯吉「孝謙天皇」（『史海』八―九、一八九二年）
武田佐知子「大仏開眼会における孝謙天皇の礼冠について」（門脇禎二編『日本古代国家の展開』思文閣出版、

一九九五年）
武田佐知子『衣服で読み直す日本史——男装と王権』朝日新聞社、一九八八年
舘野和己『古代都市平城京の世界』山川出版社、二〇〇一年
舘野和己「西大寺・西隆寺の造営をめぐって」（佐藤信編『西大寺古絵図の世界』東京大学出版会、二〇〇五年）
田中純男「釈尊の葬儀と遺骨」（大正大学綜合佛教研究所仏教における生（いのち）研究会編『時空を超える生命』勉誠出版、二〇一三年）
田中貴子「『悪女』について——称徳天皇と「女人業障偈」」（『叙説（奈良女子大学）』一七、一九九〇年）
田中貴子「帝という名の〈悪女〉——称徳天皇と道鏡」（『「悪女」論』紀伊國屋書店、一九九二年）
谷本啓「道鏡の大臣禅師・太政大臣禅師・法王」（『ヒストリア』二一〇、二〇〇八年）
田村圓澄「法王考」（平安博物館研究部編『古代学叢論』角田文衞博士古稀記念事業会、一九八三年）
田村圓澄『古代日本の国家と仏教——東大寺創建の研究』吉川弘文館、一九九九年
田村吉永「称徳天皇高野陵考」（『史迹と美術』二四—八、一九五四年）
塚野重雄「不破内親王の直叙と天平十四年塩焼王配流事件」（『古代文化』三五ノ三・八、一九八三年）
辻尾榮一「由義宮・道鏡関係文献目録」（『続日本紀研究』二二六、一九八三年）
角田文衞「首皇子の立太子」（『律令国家の展開』塙書房、一九六五年）
坪田昭子「彌勒としての武則天——『大雲経疏』の考察」（『信大国語教育』五、一九九六年）
寺尾清美「天皇変成の物語り——称徳宣命第41詔より」（『古代文学』三五、一九九六年）
寺崎保広『長屋王』吉川弘文館、一九九九年
東京女子大学古代史研究会編『聖武天皇宸翰『雑集』「釈霊実集」研究』汲古書院、二〇一〇年
東野治之『鑑真』岩波書店、二〇〇九年

東野治之「法隆寺献納宝物　皇太子御斎会奏文の基礎的考察」(『大和古寺の研究』塙書房、二〇一一年)
直木孝次郎「称徳天皇・光明皇后と飽波宮」(史聚会編『奈良平安時代史の諸相』高科書店、一九九七年)
直木孝次郎「称徳天皇山陵の所在地」(『高麗美術館研究紀要』五、二〇〇六年)
直海玄哲「皇后から女帝へ――則天武后と変成男子の論理」(大隅和雄・西口順子編『信心と供養』シリーズ女性と仏教3、平凡社、一九八九年)
中川収『奈良朝政争史――天平文化の光と影』教育社、一九七九年
中川収『奈良朝政治史の研究』高科書店、一九九一年
中川久仁子「孝謙・称徳天皇――その人と役割」(『平安京遷都期政治史のなかの天皇と貴族』雄山閣、二〇一四年)
中川尚子「古代の芸能と天皇――「宮廷芸能」の成立をめぐって」(『日本史研究』四四七、一九九九年)
中西康裕「道鏡事件」(『続日本紀と奈良朝の政変』吉川弘文館、二〇〇二年)
中野渡俊治「孝謙太上天皇と「皇帝」尊号」(『日本歴史』六四九、二〇〇二年)
中林隆之「古代王権と悔過法要」(『日本古代国家の仏教編成』塙書房、二〇〇七年)
成清弘和「女帝小考――孝謙・称徳女帝をめぐって」(『日本古代の王位継承と親族』岩田書院、一九九九年)
成清弘和『女帝の古代史』講談社、二〇〇五年
西野悠紀子「巫蠱事件と女官――神護景雲三年の縣犬養姉女事件を手がかりに」(服藤早苗他編『ケガレの文化史――物語・ジェンダー・儀礼』森話社、二〇〇五年)
西本昌弘「孝謙・称徳天皇の西宮と宝幢遺構」(続日本紀研究会編『続日本紀の諸相』塙書房、二〇〇四年)
新田町義尚「「五節の舞姫」起源説話のエロス的原像（その1）」(『神戸市立工業高等専門学校研究紀要』三八(1)、一九九九年)

仁藤敦史『古代王権と官僚制』臨川書店、二〇〇〇年
仁藤敦史『女帝の世紀――皇位継承と政争』角川書店、二〇〇六年
日本印刷学会西部支部百万塔陀羅尼研究班編『百万塔陀羅尼の研究』八木書店、一九八七年
丹羽明弘「『続日本紀』歌謡論――阿倍内親王の五節舞を中心に」（『奈良大学大学院研究年報』一、一九九六年）
根本誠二『天平期の僧侶と天皇――僧道鏡試論』岩田書院、二〇〇三年
野村忠夫『後宮の女官』歴史新書11、教育社、一九七八年
パイチャゼ・スヴェトラナ「八世紀における皇位継承の思想――とくに孝謙・称徳天皇にみる」（『史流』四〇、二〇〇一年）
橋本義則「西大寺古図と「称徳天皇御山荘」」（『平安宮成立史の研究』塙書房、一九九五年）
橋本義則『古代宮都の内裏構造』吉川弘文館、二〇一一年
長谷部将司「宇佐八幡神託事件「物語」の構築過程」（『日本史研究』四八三、二〇〇二年）
早川庄八「律令国家・王朝国家における天皇」（『日本の社会史』3、「権威と支配」岩波書店、一九八七年）
早川庄八「古代の天皇」（『歴史研究の新しい波　日本における歴史学の発達と現状Ⅶ』山川出版社、一九八九年）
林陸朗『光明皇后』吉川弘文館、一九六一年
林陸朗「奈良朝後期宮廷の暗雲――県犬養家の姉妹を中心として」（『上代政治社会の研究』吉川弘文館、一九六九年）
春名宏昭「太上天皇制の成立」（『史学雑誌』九九―二、一九九〇年）
平子鐸嶺『百萬小塔肆攷』私家版、一九〇八年（国立国会図書館所蔵デジタルコレクション）
平田政彦「称徳朝飽浪宮の所在地に関する考察――斑鳩町上宮遺跡の発掘調査から」（『歴史研究』三三、一九九九

六年）
平野邦雄『和気清麻呂』吉川弘文館、一九六四年
服藤早苗「五節舞姫の成立と変容」（『平安王朝社会のジェンダー――家・王権・性愛』校倉書房、二〇〇五年）
藤井由紀子「「皇太子御斎会奏文」の史料性――法隆寺東院をめぐる縁起史料の再検討」（佐伯有清編『日本古代史研究と史料』青史出版、二〇〇五年）
古市晃「孝謙・称徳天皇――孤高の女帝」（栄原永遠男編『古代の人物3　平城京の落日』清文堂出版、二〇〇五年）
保立道久「『竹取物語』と王権神話――五節舞姫の幻想」（『物語の中世――神話・説話・民話の歴史学』東京大学出版会、一九九八年）
堀裕「八世紀の図讖と皇位継承――孝謙・称徳天皇を中心に」（永井隆之他編『カミと王の呪縛』日本中世のNATION3、岩田書院、二〇一三年）
堀池春峰『南都仏教史の研究　上』東大寺篇、法蔵館、一九八〇年
堀池春峰『南都仏教史の研究　下』諸寺篇、法蔵館、一九八二年
堀江潔「奈良時代における皇嗣と皇太子制」（『日本歴史』六〇九、一九九九年）
本郷真紹「律令国家仏教の成立と展開」（『律令国家仏教の研究』法蔵館、二〇〇五年）
本郷真紹「国家仏教と宮廷仏教――宮廷女性の役割」（『律令国家仏教の研究』法蔵館、二〇〇五年）
前川明久「道鏡と吉祥天悔過」（『日本古代政治の展開』法政大学出版局、一九九一年）
松尾光「淳仁天皇の后をめぐって」（『白鳳天平時代の研究』笠間書院、二〇〇四年）
松尾光「孝謙女帝と淳仁天皇」（『古代豪族と社会』笠間書院、二〇〇五年）
水谷千秋『女帝と譲位の古代史』文藝春秋、二〇〇三年

水野柳太郎「国家大事について」（続日本紀研究会編『続日本紀の諸相』塙書房、二〇〇四年）
宮田俊彦『吉備真備』吉川弘文館、一九六一年
森公章『長屋王家木簡の基礎的研究』吉川弘文館、二〇〇〇年
森公章『奈良貴族の時代史——長屋王家木簡と北宮王家』講談社、二〇〇九年
八重樫直比古「義浄訳『金光明最勝王経』「王法正論品」覚書」（『ノートルダム清心女子大学紀要』文化学編、十一—一（通巻二一号）、一九八七年）
八重樫直比古「宣命における『天』と『諸聖』」（源了圓他編『国家と宗教——日本思想史論集』思文閣出版、一九九二年）
八重樫直比古「『金光明最勝王経』と道鏡事件」（石毛忠編『伝統と革新』ぺりかん社、二〇〇四年）
柳宏吉「高野天皇の称号」（『日本歴史』三三三、一九七六年）
山口博「安積親王の死」（『史聚』三九・四〇合併号、二〇〇七年）
山下有美「五月一日経『創出』の史的意義」（『正倉院文書研究』六、一九九九年）
山本幸男「法華寺と内裏——孝謙太上天皇の居所をめぐって」（『日本歴史』六二一、二〇〇〇年）
山本幸男「孝謙太上天皇と道鏡——正倉院文書からみた政柄分担宣言期の仏事行為」（『続日本紀研究』三五二、二〇〇四年）
横田健一『道鏡』吉川弘文館、一九五九年
横田健一『白鳳天平の世界』創元社、一九七三年
義江明子『県犬養橘三千代』吉川弘文館、二〇〇九年
義江明子『古代王権論——神話・歴史感覚・ジェンダー』岩波書店、二〇一一年
吉川真司「東大寺の古層——東大寺丸山西遺跡考」（『南都仏教』七八、二〇〇〇年）

吉川真司『聖武天皇と仏都平城京』天皇の歴史2、講談社、二〇一一年
吉川敏子『律令貴族成立史の研究』塙書房、二〇〇六年
吉田一彦「御斎会の研究」（『日本古代社会と仏教』吉川弘文館、一九九五年）
吉田靖雄「道鏡の学問について」（阿部猛編『日本社会における王権と封建』東京堂出版、一九九七年）
若井敏明「宇佐八幡宮神託事件と称徳天皇」（速水侑編『奈良・平安仏教の展開』吉川弘文館、二〇〇六年）
和田軍一「正倉院蔵　礼服礼冠目録断簡考」（『日本歴史』二七九、一九七一年）
渡辺晃宏「造東大寺司の誕生」（『続日本紀研究』二四八、一九八七年）
渡辺晃宏「平城宮中枢部の構造――その変遷と史的位置」（義江彰夫編『古代中世の政治と権力』吉川弘文館、二〇〇六年）
渡部育子『元明天皇・元正天皇』ミネルヴァ書房、二〇一〇年

あとがき

評伝を書くとしたら、真っ先に書いてみたいと思った人物が孝謙・称徳天皇であった。孝謙・称徳天皇について、特別な興味を持つようになったのは、初めて孝謙・称徳天皇の「仏教と王権」に関する論文を書いた一九九七年頃に遡る。

しかしそれ以前は、女性天皇や皇后など、評伝に取り上げられるような支配層の女性にそれほどの興味はなく、むしろ社会的な地位を持たなかった一般の女性たちに興味を持って研究をしてきた。例えば奈良時代の行基の宗教活動に参加していった畿内の女性たち、地域の寺の写経勧進活動に参加した女性たちの思いを掬い取ること、また平安時代に剃髪または尼削ぎの姿で晩年を過ごした既婚女性たちの信心のありように寄り添うことに喜びを見出していた。

ただし一般の女性たちの史料は少なく、これら在俗の尼を理解するために、比較対象となる寺院や宮廷の尼たちを知る必要から、支配層の女性について詳しく検討するようになった。また古代の尼たちの活動を東アジアの中で比較する過程で、光明子や孝謙・称徳天皇、また側近の宮廷女性や尼たちの仏教信仰の特徴を知ることになった。そしてその中から「女性と仏教」の視点や方法が、従来の奈良時代政治史を再検討する糸口となることを確信するようになった。その要の一つとなるのが、孝謙・称徳天皇の「仏教と王権」の問題、例えば称徳が道鏡に与えた「法王」の意味、草壁皇統意識を超越し「三宝之法永伝」を課題とする出家者の皇位継承を構想した意味、称徳が自ら髪を切り袈裟を着けた僧形の天皇となった意味を突き詰めることであると考えるようになっていた。

評伝の執筆依頼を受けた時、あえて自分から孝謙・称徳天皇を書かせていただくお願いをした。孝謙・称徳天皇は、古代の天皇の中でもきわめて珍しいほどに、宣命《せんみょう》を数多く残している。宣命は編纂史書である『続日本紀』のなかでも、いわば飛び切りの生の史料といえる。孝謙・称徳の思い、口癖や息使いまでも、そのままに伝える宣命から、唯一男性の身位である皇太子を経た女性天皇としての、孝謙・称徳の自負と苦悩を酌み取ることができるのではないか。

しかしいわば奈良時代政治史の主要事件の大半をカバーする必要がある孝謙・称徳天皇をまとめていく難しさを、検討を繰り返すなかで実感させられた。関連する研究を積み重ねながらも、さらにそれを「評伝」として書き上げるうえでも大きな壁に何度もぶつかった。叙述のスタイルをどのようにし、またどのように評価するのか。最終的には、孝謙・称徳天皇という一人の人間が、何歳の時、何を経験し、何を学び、どう変化したのか、その一生をきめ細かく寄り添って追体験していくことにした。叙述するうえで、参考文献に示したもの以外にも、多くの先行研究に導かれたが、読みやすさを追求するため、本文には先行研究の明記を省略することにした。この決定を下すうえで随分悩んだ。

孝謙・称徳天皇は、父方では持統・元明・元正、母方では三千代・光明子という傑出した能力を持った女性たち全て、また父方・母方いずれからも不比等の血を受けていた。このことを考えると、卓越した政治的資質を備えていたことは間違いない。しかも父聖武を含め、これらの人々はしばしば体調を崩し、その平癒祈願の大赦などが行われていたのに比べ、最晩年の何カ月を除き、大赦を必要とするような重篤な体調不良になった形跡がなく、比較的健康に恵まれた人だった。この政治的資質と健康の二つを持ち合わせた女性が、女性として生まれたことによって受けた困難に対し、時には粛々と指示を出して乗り越え、時には感情を爆発させて謀反人たちを処罰し、時には逡巡して神仏の声を聴くために瞑想した。その姿には、想像を絶する気力を感じさせられたと同時に、権力を持つがゆえに味わう孤独さを感じさせられた。

よく学生から好きな歴史上の人物は誰かと質問される。孝謙・称徳天皇は、私にとって必ずしも「好きな人物」ではないが、私の研究者人生の中で、きわめて大きな影響を与えてくれた「大事な存在」であることは確かである。

最後になったが、十年以上の長い時間、執筆を辛抱強く待ってくださり、出版にご尽力くださったミネルヴァ書房編集部の田引勝二氏に、心より感謝申し上げたい。

二〇一四年八月四日

勝浦令子

孝謙・称徳天皇略年譜

和暦	西暦	齢	関係事項	一般事項
霊亀元	七一五		1・1父首皇太子初めて拝朝する。9・2元明天皇譲位、元正天皇即位、霊亀改元。	
二	七一六		父首皇太子と母光明子の婚姻。	
養老元	七一七		11・17養老改元。この年、異母姉井上女王誕生。	9・11～29元正美濃養老行幸。
二	七一八	1	この年、阿倍女王誕生。	2・7～3・3元正美濃醴泉行幸。この年、養老律令の選定。
三	七一九	2	6・10父首皇太子初めて朝政を聴く。	
四	七二〇	3	8・3外祖父不比等没。	5・21日本書紀の奏上。
五	七二一	4	5・19外祖母県犬養三千代入道。12・7元明太上天皇没。	
六	七二二	5		11・7女医博士を置く。
七	七二三	6	10・11左京白亀献上。	4・17三世一身法制定。
神亀元	七二四	7	2・4元正譲位、父聖武天皇即位、神亀改元。阿倍内親王となる。	

二	七二五	8	10・10父聖武、初めての難波行幸。	
三	七二六	9		7・18元正病気平癒の大赦。
四	七二七	10	閏9・29弟某王誕生。11・2弟某王立太子。11・21光明子封一〇〇〇戸賜与。	光明子家写経事業。
五	七二八	11	9・13弟皇太子没。この年、異母弟安積親王誕生。	10・20義淵没。
天平元	七二九	12	2・10長屋王謀反の密告。2・12長屋王・吉備内親王没。8・5天平改元。8・10母光明子立后。9・28皇后宮職設置。	3・4武智麻呂大納言。8・9石川石足没。
二	七三〇	13	1・16皇后宮踏歌節会。4・17皇后宮職施薬院設置。4・28母光明子と共に興福寺五重塔の起工式に参加。	
三	七三一	14	8・11藤原四子体制の成立。9・8父聖武『雑集』書写了。	8・7行基集団の高齢者出家許可。
四	七三二	15	1・1父聖武朝賀儀に初めて冕服を着る。	
五	七三三	16	1・11外祖母県犬養橘三千代没。5・26母光明子病気平癒祈願の大赦。	4・3天平度遣唐使出発。
六	七三四	17		4・7大地震。
七	七三五	18	7月阿倍内親王写経初見、最勝王経書写。12・20阿倍内親王、上宮王院法華経講料施入。この年、天然痘流行。	3・10天平度遣唐大使帰朝。吉備真備・玄昉帰国。9・30新田部親王没。11・14舎人親王没。
八	七三六	19	2・22上宮王院聖徳太子供養法華経講。この年、阿	5・18道璿・菩提僊那来日。11

九	七三七	20	倍内親王最勝王経書写。2・14聖武藤原南夫人・北夫人に正三位、橘古那可智・県犬養広刀自に従三位叙位。9・28橘諸兄体制の成立。12・27聖武母宮子と対面。この年、天然痘流行。	・11諸兄橘氏継承。4・17房前没。7・13麻呂没。7・25武智麻呂没。8・1橘佐為没。8・5宇合没。
一〇	七三八	21	1・13阿倍内親王立太子。	
一一	七三九	22	2・26光明子病気平癒祈願の大赦賑給。	
一二	七四〇	23	2・7〜13聖武難波（河内智識寺）行幸。9・3藤原広嗣の乱。10・29聖武東国行幸開始。	11・1藤原広嗣没。12・15恭仁京遷都。
一三	七四一	24	7・3吉備真備東宮学士任命。	2・14国分寺尼寺建立詔。3・24宇佐八幡宮報賽。
一四	七四二	25	10・17塩焼王配流。	
一五	七四三	26	5・5阿倍皇太子五節の舞を舞う。この年、阿倍皇太子最勝王経書写。	5・27墾田永年私財法。10・15大仏発願の詔。
一六	七四四	27	閏1・13安積親王没。2・24聖武紫香宮行幸。この年、阿倍皇太子最勝王経書写。	2・26難波京遷都
一七	七四五	28	9・19聖武難波宮で一時危篤。孫王招集。	5・11平城還都。11・2玄昉左遷。
一八	七四六	29		6・18玄昉没。
一九	七四七	30		9・29東大寺大仏鋳造開始。

二〇	七四八	31	4・21元正太上天皇没。6・27所謂「百部最勝王経」書写開始。	6・4聖武藤原南夫人没。
天平感宝元 天平勝宝元	七四九	32	4・1聖武三宝の奴と称す。4・14天平感宝改元。閏5・20聖武太上天皇沙弥勝満と称す。5・23薬師寺宮遷御。7・2聖武譲位、孝謙即位する（宣命14詔）。天平勝宝改元。8・10紫微中台設置。10・9孝謙智識寺行幸。11・20南薬園宮で大嘗祭。12・27東大寺行幸（宣命15詔）	2・2行基没。12・27宇佐八幡大神禰宜尼東大寺拝礼。
二	七五〇	33	4・4孝謙自ら薬師経行道懺悔。大赦。5・8一代一度仁王会か。	1・10吉備真備筑前守へ左降。
三	七五一	34	1・14孝謙東大寺行幸。10・23聖武病気平癒祈願の新薬師寺法会。	11・7吉備真備入唐副使任命。
四	七五二	35	閏3月天平勝宝度遣唐使難波出発（歌四二六四・四二六五）。4・9大仏開眼供養会。夕に田村邸行幸（歌四二六八）。	閏3・22新羅王子来日。6・22新羅王子ら大安寺・東大寺礼仏。
五	七五三	36	4・15光明子病気平癒祈願の大赦。	3・30巨勢奈氏麻呂没。
六	七五四	37	4月孝謙、鑑真から菩薩戒を受ける。7・13光明子病気平癒祈願の大赦。7・19宮子没。	11・24行信・大神多麻呂厭魅。
七	七五五	38	10・21聖武病気平癒祈願の大赦。	
八	七五六	39	2・24～4・14孝謙・聖武難波（河内智識寺）行幸。	2・2橘諸兄致仕。

天平宝字元	七五七	40	5・2聖武没。道祖王立太子。3・29道祖王廃太子。4・4大炊王立太子。7・2～27橘奈良麻呂の変・処分・褒賞（宣命16・17・18・19・20・21・22詔）。8・18天平宝字改元。	2・6橘諸兄没。7・4道祖王没。
二	七五八	41	8・1孝謙譲位（宣命23詔）。淳仁即位（宣命24詔）。宝字称徳孝謙皇帝の尊号を奉呈される。	
三	七五九	42	6・16舎人親王を崇道尽敬皇帝に追尊（宣命25詔）。	12・2授刀衛設置。
四	七六〇	43	1・4恵美押勝大師任命（宣命26詔）。6・7母光明子没。	1・29聖武藤原北夫人没。
五	七六一	44	6・7母光明子一周忌。10・13保良宮行幸（道鏡看病禅師となる）。	
六	七六二	45	5・23淳仁と対立、法華寺に入る。出家。6・3賞罰・国家大事掌握を宣言（宣命27詔）。	10・14県犬養広刀自没。
七	七六三	46	9・4道鏡少僧都任命。	5・6鑑真没。
八	七六四	47	9・11～18恵美押勝の乱。9・20道鏡大臣禅師任命（宣命28詔）。10・9淳仁廃位し淡路配流（宣命29詔）、船・池田親王配流（宣命30詔）。称徳重祚。10・14皇太子を保留する（宣命31詔）。	9・18藤原仲麻呂没。氷上塩焼没。
天平神護元	七六五	48	1・7天平神護改元（宣命32詔）。3・5淳仁擁立警戒（宣命33詔）。8・1和気王謀反事件（宣命	3・5寺院以外の墾田開発禁止。9・8神功開宝鋳造。この年、

			34・35詔）。10・13紀伊行幸開始。10・15檀山陵拝礼。10・18玉津嶋着。10・23淳仁没。10・25紀伊国出発。10・29弓削行宮着。閏10・2道鏡を太政大臣禅師とする（宣命36詔）。閏10・8平城宮還御。11・23大嘗祭豊明節会（宣命37詔）。神仏習合の正統性を主張する（宣命38詔）。藤原氏へ酒賜与（宣命39詔）。	西大寺創建。
二	七六六	49	1・8藤原永手右大臣任命（宣命40詔）。4・29聖武皇子私称者遠流す。6月隅寺毘沙門天像前に舎利出現。10・20法華寺舎利法会、道鏡を法王とする（宣命41詔）。円興法臣、基真法参議任命。12・12西大寺行幸。	9・23五畿内七道巡察使任命。
神護景雲元	七六七	50	1・8諸国国分寺吉祥天悔過。2・4東大寺行幸。2・10大学行幸釈奠。2・8山階寺行幸。3・2元興寺行幸。3・3西大寺法院行幸。3・9大安寺行幸。3・14薬師寺行幸。3・20法王宮職設置。4・26法隆寺、飽浪宮行幸。7・1内竪省設置。8・16慶雲により神護景雲改元（宣命42詔）。9・2西大寺島院行幸。	10・15陸奥伊治城完成。この年、御斎会開始。西隆寺創建。
二	七六八	51	2・18弓削清人大納言任命。9・4祥瑞出現につい	2・28筑前怡土城完成。

			ての勅。12・4法参議基真を追放。	
三	七六九	52	1・3西宮前殿で道鏡、拝賀を受け自ら壽詞を告ぐ。1・7法王宮行幸。5・25不破内親王・氷上志計志麻呂の謀反。5・29謀反人を処罪する（宣命43詔）。9・25宇佐八幡神託事件、和気広虫・清麻呂を配流する（宣命44詔）。10・1元正・聖武御命を回顧し、皇位を願うことを諌める（宣命45詔）。10・5飽浪宮行幸。10・17由義宮到着。10・19龍華寺市開催。10・30由義宮を西京とする。11・9平城宮還御。11・28新嘗豊明節会（宣命46詔）。	2・17陸奥桃生城・伊治城移住者募集。
宝亀元	七七〇	53	2・23西大寺東塔心礎破却。2・27由義宮行幸。3・28歌垣。4・6平城宮還御。4・26百万塔諸寺分置。8・4称徳崩御する。白壁王立太子。8・9山陵造営開始。8・17喪葬。8・21道鏡下野薬師寺別当左遷。10・1光仁（白壁王）即位。	10・9文室浄三没。10・29山林修行禁止の解除。
二	七七一		1・23他戸親王立太子。8・4称徳一周忌。	1・4道鏡印廃止。2・22藤原永手没。
三	七七二		3・2井上内親王廃后。5・27他戸廃太子。4・6道鏡没。	10・14墾田開発禁止の解除。

人名索引

あ 行

県犬養東人　7
県犬養姉女（犬部姉女）　258-261
県犬養五百依　27
県犬養内麻呂　259
県犬養橘三千代　2, 7, 8, 14, 20, 27, 29, 34, 40, 41, 49, 50, 160, 244, 319
県犬養広刀自　8, 10, 28, 58, 175
県犬養唐　8
安積親王　8, 28, 29, 31, 39, 40, 58, 59, 90, 100, 110
朝来賀須夜　63
安宿媛　→光明子
安宿王　31, 32, 141-143
安宿倍真人（安宿首真人）　53, 54
阿刀酒主　176
安倍大刀自　31
阿倍石井（安倍御母）　14, 15, 64, 98
阿倍内麻呂　15
阿倍小殿境　14
阿倍仲麻呂　64, 130
阿倍御主人　15
阿倍虫麻呂　75
安倍弥夫人　259, 261
阿保代作　217, 320
荒木道麻呂　217
有間皇子　18, 90
粟田道麻呂　190
粟田諸姉　140, 162
粟国造若子（板野命婦）　243
安定（尼）　97
安禄山　222
伊吉益麻呂　223
池田王　103, 139
池原永守　216
石川王　75, 103
石川石足　68
石川大刀自（石川夫人）　30, 31
石川垣（恒）守　110
石川嫗（娼）子　34, 68
石川年足　68, 69, 114, 133
石川刀子娘　5
石川豊成　307
石川豊人　307
石川永年　190
石川広成　5
石川広世　→高円広世
石川連子（牟羅志）　68
石津王　138
伊勢老人　216
伊勢諸人　304
石上奥継（息嗣）　203
石上乙麻呂　202
石上志斐弖　202
石上麻呂　11, 202
石上宅嗣　177, 203, 216, 305
市辺押磐皇子　87
市原王　178
伊刀王　304
因八麻中村　168
犬部姉女　→県犬養姉女
井上内親王　8, 10, 14, 24, 29, 175, 193, 260, 261, 306, 314
伊部王　63
伊予来目連小楯　87

石（磐）田女王　258, 259, 261
石村石楯　182
有智子内親王　66
慧持　79
慧忍　79
慧範　210
円興　167, 209, 245, 251–253, 296
延証（尼）　246
延信（尼）　80, 98
延福　123
王辰爾　117, 299
王新福　223
淡海三船　136, 274, 275
大炊王　→淳仁天皇
大市王　→文室大市
大江親通　319
大神田（多）麻呂　120, 132, 133, 283, 284
大神社女　120, 132, 283
大津大浦　180, 190
大津皇子　3
大伴伯麻呂　216
大伴古慈悲　2, 136
大伴古麻呂　121, 130, 135, 141, 143
大伴子虫　30
大伴人益　234
大伴村上　234, 235
大伴家持　101, 177, 255, 275
大中臣清麻呂　199, 276
大中臣宿麻呂　304
大野東人　73, 75
大野真本　182
大宅兼麻呂　63
億計王　87
弘計王　87
刑部勝麻呂　238, 241
他戸王　261, 306, 314
牡鹿嶋足　181
忍坂女王　258, 259, 261
忍海部女王　32
越智広江　63
小野東人　104, 143
小野妹子　238, 274
小野牛養　30, 38
小野老　58
小野田守　154
首親王　→聖武天皇

か　行

戒明　274
戒融　223
花影　118
鉤取王　13, 30
笠麻呂　11, 20
膳大丘　229
膳夫王　13, 30
葛木王　13, 30
葛木戸主　240–242
金刺舎人麻自　149
上毛野宿奈麻呂　31
上道斐太都　143, 190
賀茂子虫　33
賀茂角足　142–144
賀茂比売　51
辛島与曾売　284
河内女王　259
河内三立麻呂　295
川原蔵人凡　116
鑑真　130–132, 171, 265, 272, 275, 306
韓朝彩　223
桓武天皇（山部王）　72, 126, 193, 261, 314, 315
義淵　166
義浄　52
紀女王　32
基真　205, 208, 209, 245, 251, 252

紀飯麻呂　75, 133
紀伊保　179
紀男人　63, 74
紀竈門娘　5
紀清人　63
紀広庭　295
紀船守　181
紀益麻呂　189
紀益女　189, 190
紀麻路　74, 75
吉備内親王　13, 30, 31, 35
吉備真備（下道真備）　51, 63-68, 75, 79, 88-90, 93, 121, 130, 131, 141, 178, 181, 182, 202, 224, 256, 262, 291, 297, 300, 304, 306
吉備由利　217, 218, 300, 302, 306
黄文王　31, 32, 103, 104, 135, 141-144
行基　45, 46, 78, 100, 102, 109, 110
慶俊　117, 159, 271, 274
教勝（尼）　32
行信　53-56, 132, 133
行聖　167
敬明　274
草壁皇子（日並知皇子，岡宮御宇天皇）　1, 3, 4, 19, 20, 56, 191, 192, 262
日下部老　63
日下部子麻呂　181
百済王敬福　194, 230
栗須王　103
桑田王　30
慶子内親王　42
賢璟　131
玄奘　205
元正天皇（氷高内親王）　4, 6, 8, 11-13, 17, 20, 21, 23-25, 34, 35, 45-47, 52, 57, 65, 71, 76, 80, 83, 85-87, 89, 93, 101, 105, 106, 112, 152, 162, 286, 287, 313
堅蔵　60
玄宗（唐）　44, 61, 78, 130, 140, 152, 223, 229, 315
玄昉　6, 51, 61, 64, 75, 104, 105
元明天皇（阿閇内親王）　1, 3-8, 12-14, 17, 19-21, 23, 24, 36, 162, 313
光覚　117
皇極天皇　→斉明天皇
孔宣父（孔子）　229
高宗（唐）　95, 222
孝仁　133
光仁天皇（白壁王）　9, 72, 103, 126, 175, 202, 261, 294, 305, 306, 311, 312, 314
光武帝（後漢）　12
光明子（安宿媛）　1-3, 6-10, 12, 13, 20-22, 24-27, 29, 32, 35, 36, 38-41, 43-47, 49, 51-55, 57-59, 61, 65, 75, 76, 79, 96-99, 105, 108, 113-117, 119, 121, 124, 126, 131-135, 140, 142, 143, 146-152, 156-161, 163, 170, 182, 192, 203, 205, 212, 238, 244, 262, 286, 319
甲許母　22
後嵯峨天皇　127
高志内親王　42
巨勢堺麻呂　137, 142
巨勢宿奈麻呂　30
巨勢奈弖麻呂　67, 74
高麗福信（肖奈福信）　68, 114, 121, 122, 208, 307
金才伯　223
金泰廉　129

さ　行

最澄　79, 89
斉明天皇（皇極天皇）　1, 4, 56
佐伯伊多智　181, 182
佐伯今毛人　177, 178, 216, 312
佐伯老　304
佐伯助　188

佐伯常人　75
佐伯全成　103, 104, 111, 119, 135, 141, 143
佐伯三野　182
嵯峨天皇（賀美能〈神野〉親王）　14, 124, 126, 315
酒波長歳　178
坂上苅田麻呂　181, 311
酒人女王　306
佐々貴山君　128
楽浪河内　63
佐太味村　307
佐味宮守　134
早良親王　72, 193, 314
塩焼王（氷上塩焼）　75, 81, 82, 103, 136, 139, 142, 143, 145, 175, 176, 182, 183, 258, 259
塩屋吉麻呂　63
塩屋鯯魚　90
志貴皇子（施基王子）　103, 261, 274
慈訓　117, 135, 177, 221, 222
史思明　222
思託　263, 272, 296
持統天皇　1-4, 47, 56, 91, 162, 227, 263
寂仙　315
釈霊実　47
粛宗（唐）　223
淳仁天皇（大炊王）　103, 140, 141, 148, 151-157, 160-165, 169, 170, 174, 175, 178, 181, 185-189, 191, 193, 194, 266
襄王　91
証演（尼）　246
定海（尼）　221
勝暁　34
鄭玄　65
浄三　→文室浄三
昌子内親王　42
聖徳太子（厩戸皇子）　53-57, 60, 62, 132, 153, 207, 212, 213, 262, 272-274, 293, 315
肖奈福信　→高麗福信
聖武天皇（首親王）　1, 2, 4-10, 12-21, 23-28, 34, 35, 39, 40, 42, 45-50, 56-58, 61, 62, 64, 69, 71, 74-77, 81-83, 85-90, 98-113, 118-120, 123, 124, 126, 127, 129, 131-139, 141, 142, 149, 151, 154-156, 158, 169, 173, 186, 198, 200-202, 205, 213, 232, 255, 262-267, 283, 286, 287, 296, 311, 313, 319
舒明天皇（田村皇子）　1, 55, 56
白壁王　→光仁天皇
審祥　100
推古天皇　4, 55-57, 191, 212, 213, 263
鈴鹿王　31, 59, 71, 73, 74, 216, 309
清少納言　239
清寧天皇　87
薛懐義　164, 165
選子内親王　42
善珠　315
宋玉　91
宋璟　44
蘇我馬子　238
衣通姫　86

た　行

太宗（唐）　222
代宗（広平王）（唐）　223
泰澄　304
大徳親王　315
太平公主　164, 165
高丘比良麻呂　180, 208
高賀茂萱草　253
高賀茂清浜　253
高賀茂田守　252, 253
高賀茂諸雄　253, 296
高円広世（石川広世）　5, 296

高安伊可麻呂　295
高市親王（高市皇子）　13, 309
竹乙女　14, 16, 257
多治比県守　17, 59
多治比池守　27, 30, 32
多治比犢養　104, 143
丹比乙女　260, 261
多治比国人　104
多治比広足　11, 51
多治比三宅麻呂　21
橘嘉智子　144
橘古那可智（橘夫人）　8, 58, 59
橘佐為（佐為王）　8, 57-59, 61, 63
橘奈良麻呂　16, 103, 104, 111, 119, 135, 141-146, 148, 149, 154, 174, 175, 182, 184, 201, 234, 300
橘部越麻呂　216
橘諸兄（葛城王）　8, 16, 57, 59, 64, 74, 83, 101, 103, 134, 138, 143, 146
智周　110
智努王　→文室浄三
中宗（唐）　78, 210
趙王（北周）　213
天智天皇　1, 4, 56, 85, 263, 264
天武天皇（大海人皇子）　1, 2, 47, 56, 84, 85, 88-93, 263, 264, 319
道鏡　161-163, 165-167, 169, 171, 176-180, 184, 185, 190, 192, 194, 195, 199, 203, 205-210, 212, 215, 222, 226, 230, 231, 234, 245, 249-256, 270, 272-277, 280-282, 284, 285, 290, 291, 293-297, 301, 306, 311-314, 316-318
道慈　53, 56, 60, 271
道昭　117
道宣　205
道璿　57, 67, 79, 110, 271, 275
答本忠節　143
道栄　33, 34
舎人親王　6, 17, 20, 30, 32, 35, 51, 103, 139, 155-157, 189
豊野出雲　216, 309
刀利宣令　63

な　行

長親王　6, 103
中臣伊加麻呂　178
中臣葛野飯麻呂　304
中臣清麻呂　→大中臣清麻呂
中臣習宜阿曾麻呂　250, 281, 282, 312
中臣名代　57
中臣宮処東人　30
長屋王　13, 20, 24, 27, 29-32, 193
奈良王　103
南岳慧思　47, 271, 272, 274
新田部親王　6, 17, 30, 51, 81, 103, 135, 136, 145
錦部河内売　259
忍基　131
仁徳天皇　36
漆部君足　30
野見宿禰　115

は　行

土師百村　63
土師和麻呂　193
馬続　66
秦智麻呂　231
馬融　66
班固　66
斑昭　66
班彪　66
日置浄足　176
氷上塩焼　→塩焼王
氷上川継　261, 262
氷上志計志麻呂　258, 259, 261
飛驒国造高市麻呂　216

葛井根道　176, 178
葛井道依　208, 295
普照　130
藤原朝獦　179, 182
藤原家依　307
藤原五百重娘　34, 81, 135
藤原魚名　307
藤原宇合　30, 33, 34, 49, 59, 68, 75, 294, 295
藤原雄田麻呂（百川）　234, 294, 295, 299, 301, 302, 305
藤原乙麻呂　120
藤原乙縄　143, 144
藤原宇比良古（袁比良）　157, 158, 160, 164
藤原楓麻呂　307, 312
藤原鎌足　2, 18
藤原辛加知　181
藤原清河（河清）　121, 122, 130, 155, 229
藤原訓儒麻呂　181
藤原蔵下麻呂　182, 305
藤原是公　72
藤原縄麻呂　305
藤原種継　72
藤原旅子　295
藤原多比能　2, 103
藤原継縄　304
藤原綱手　75, 76
藤原豊成　15, 59, 71, 73, 74, 135, 139, 142–144, 150, 175, 184, 201
藤原長娥子　31, 103
藤原永手　143, 202, 256, 298, 300, 304, 306, 311
藤原仲麻呂（恵美押勝）　15, 20, 74, 75, 101, 114, 116, 119, 121, 127, 128, 135, 136, 138–143, 147, 149, 150, 152–155, 157, 158, 160–162, 164, 174–184, 186, 187, 189, 192, 193, 216, 266, 274, 283
藤原広嗣　75, 76, 105, 121
藤原房前　11, 20, 33, 34, 49, 50, 53, 54, 58, 59, 61, 68, 158, 160, 201
藤原不比等　2, 4, 7, 8, 13, 18–20, 34, 36, 86, 141, 160, 205
藤原法壱　262
藤原真楯　202
藤原真光　182
藤原麻呂　11, 33, 34, 49, 59
藤原御楯（八束）　101, 179
藤原宮子　2, 5, 6, 8, 24, 38, 51, 61, 105, 132, 158, 221, 238
藤原武智麻呂　8, 15, 17, 30, 32, 34, 49, 50, 58, 59, 61, 62, 160, 161, 200
藤原諸姉　295, 302
藤原刷雄　182
藤原良継（宿奈麻呂）　177, 178, 295, 305–307, 311
武則天（則天武后）　44, 78, 95, 96, 144, 153, 163–165, 172, 222, 317, 319
武帝（梁）　108, 111
道祖王　81, 103, 113, 135–140, 142–144, 156, 164, 183, 187, 266, 287
船王　103, 139, 140
船大魚　63
不破内親王　8, 24, 81, 82, 136, 145, 175, 257, 258, 260–262
文室大市　103, 305–307
文室浄三（珎努）（智努王）　28, 103, 139, 159, 179, 224, 305, 306
文室長谷　259
平城天皇（安殿親王）　14, 126, 314, 315
某王（基王）　9, 25, 28, 35, 39, 156
法戒（尼）　245
法均　→和気広虫
法蔵　110
法栄　135, 169
法力（尼）　246

星川五百村　167
菩提僊那　57, 123, 124, 152
穂積親王　6, 21
穂積老　21, 74

ま　行

円方女王　32
茨田親王　42
茨田牧麻呂　115, 116
茨田枚野　115
茨田弓束女　115, 116
万福　118
三方王　193
御方大野　69
三嶋王　103
路豊永（長）　166, 280
御名部皇女　13
美努王　8
御原王　103
明一　274
明基（尼）　279, 286
無（牟）漏女王　8, 50
本居宣長　92
物部磯浪　181
物部得麻呂　238
物部広成　182
物部守屋　274
守部王　103
文武天皇（珂瑠〈軽〉皇子）　1, 3-6, 18-20, 23, 47, 56

や　行

矢代女王　9
康子内親王　42
保子内親王　42
矢田部老　181
山口田主　63
山口果安　80
山背王（藤原弟貞）　31, 32, 142
山田白金（銀）　16
山田（三井）日女嶋（比売嶋，姫嶋，山田御母）　14, 15, 146
山田三方　16, 63
山上憶良　63, 92
山部王　→桓武天皇
山村王　174, 181, 185
弓削東女　295
弓削牛養　196
弓削男広　177
弓削薩摩　275
弓削（御浄）秋麻呂　250, 295
弓削（御浄）乙美努久売　250, 295
弓削（御浄）浄人（清人）　249-251, 282, 294, 305, 312
弓削（御浄）塩麻呂　250, 295
弓削（御浄）等能治　250
弓削（御浄）広方　234, 250, 294, 312
弓削（御浄）広田　312
弓削（御浄）広津　294, 312
弓削（御浄）美努久売　295
弓削（御浄）美夜治　250
湯原王　103
栄叡　130, 272

ら・わ　行

隆尊　123
良弁　100, 135, 165, 166, 168, 169
若江王　231
和気王　180, 185, 189, 190
和気清麻呂　243, 278-286
和気仲世　277
和気広虫（法均）　241-245, 278-281, 283, 284, 286
和気真綱　277
和帝（後漢）　66
王仁　117, 209

《著者紹介》

勝浦令子（かつうら・のりこ）

1951年　生まれ。

1981年　東京大学大学院人文科学研究科博士課程単位取得退学。

高知女子大学助教授などを経て，

現　在　東京女子大学現代教養学部教授。専攻は日本古代史。博士（文学）東京大学。

著　書　『女の信心――妻が出家した時代』平凡社選書，1995年〈第11回女性史青山なを賞受賞〉。

『日本古代の僧尼と社会』吉川弘文館，2000年。

『古代・中世の女性と仏教』山川出版社，2003年。

共　著　『日本史の中の女性と仏教』法藏館，1999年。

『列島の古代史　第７巻　信仰と世界観』岩波書店，2006年，ほか。

ミネルヴァ日本評伝選

孝謙《こうけん》・称徳天皇《しょうとくてんのう》

――出家しても政を行ふに豈障らず――

2014年10月10日　初版第１刷発行　　〈検印省略〉

2015年５月10日　初版第２刷発行

定価はカバーに
表示しています

著　者　勝　浦　令　子

発行者　杉　田　啓　三

印刷者　江　戸　宏　介

発行所　株式会社　ミネルヴァ書房

607-8494 京都市山科区日ノ岡堤谷町１

電話代表（075）581-5191

振替口座 01020-0-8076

共同印刷工業・新生製本

ISBN978-4-623-07181-4

Printed in Japan

刊行のことば

歴史を動かすものは人間であり、興趣に富んだ人間の動きを通じて、世の移り変わりを考えるのは、歴史に接する醍醐味である。

しかし過去の歴史学を顧みるとき、人間不在という批判さえ見られたように、歴史における人間のすがたが、必ずしも十分に描かれてきたとはいえない。二十一世紀を迎えた今、歴史の中の人物像を蘇生させようとの要請はいよいよ強く、またそのための条件もしだいに熟してきている。

この「ミネルヴァ日本評伝選」は、正確な史実に基づいて書かれるのはいうまでもないが、単に経歴の羅列にとどまらず、歴史を動かしてきたすぐれた個性をいきいきとよみがえらせたいと考える。そのためには、対象とした人物とじっくりと対話し、ときにはきびしく対決していくことも必要になるだろう。

今日の歴史学が直面している困難の一つに、研究の過度の細分化、瑣末化が挙げられる。それは緻密さを求めるが故に陥った弊害といえるが、その結果として、歴史の大きな見通しが失われ、歴史学を通しての社会への働きかけの途が閉ざされ、人々の歴史への関心を弱める危険性がある。今こそ歴史が何のためにあるのかという、基本的な課題に応える必要があろう。評伝という興味ある方法を通じて、解決の手がかりを見出せないだろうかというのも、この企画の一つのねらいである。

狭義の歴史学の研究者だけでなく、多くの分野ですぐれた業績をあげている著者たちを迎えて、従来見られなかった規模の大きな人物史の叢書として、「ミネルヴァ日本評伝選」の刊行を開始したい。

平成十五年（二〇〇三）九月

ミネルヴァ書房

ミネルヴァ日本評伝選

企画推薦
梅原猛
ドナルド・キーン
佐伯彰一
角田文衞

監修委員
上横手雅敬
芳賀徹

編集委員
石川九楊
伊藤之雄
猪木武徳
今谷明
今橋映子
熊倉功夫
佐伯順子
坂本多加雄
武田佐知子
竹西寛子
西口順子
兵藤裕己
御厨貴

上代

*俾弥呼　古田武彦
日本武尊　西宮秀紀
仁徳天皇　若井敏明
雄略天皇　吉村武彦
*蘇我氏四代　遠山美都男
推古天皇　義江明子
聖徳太子　仁藤敦史
斉明天皇　武田佐知子
小野妹子・毛人　大橋信弥
*額田王　梶川信行
弘文天皇　遠山美都男
天武天皇　新川登亀男
持統天皇　丸山裕美子
阿倍比羅夫　熊田亮介
*藤原四子　木本好信
柿本人麿　古橋信孝
*元明天皇・元正天皇　渡部育子
聖武天皇　本郷真紹
光明皇后　寺崎保広
*孝謙・称徳天皇　勝浦令子
藤原不比等　荒木敏夫
橘諸兄・奈良麻呂　遠山美都男
吉備真備　今津勝紀
*藤原仲麻呂　木本好信
道鏡　吉川真司
*藤原種継　木本好信
大伴家持　和田萃
*行基　吉田靖雄

平安

*桓武天皇　井上満郎
嵯峨天皇　西別府元日
宇多天皇　古藤真平
醍醐天皇　石上英一
村上天皇　京樂真帆子
花山天皇　上島享
*三条天皇　倉本一宏
藤原薬子　中野渡俊治
小野小町　錦仁
藤原良房・基経　瀧浪貞子
菅原道真　竹居明男
*紀貫之　神田龍身
源高明　所功
*安倍晴明　斎藤英喜
藤原実資　橋本義則
*藤原道長　朧谷寿
藤原伊周・隆家　倉本一宏
藤原定子　山本淳子
紫式部　竹西寛子
和泉式部　ツベタナ・クリステワ
大江匡房　小峯和明
*阿弖流為　樋口知志
坂上田村麻呂　熊谷公男
*源満仲・頼光　元木泰雄
平将門　西山良平
藤原純友　寺内浩
空海　頼富本宏
最澄　吉田一彦
円珍　岡野浩二
*空也　石井義長
奝然　上川通夫
*源信　小原仁
慶滋保胤　吉原浩人
*後白河天皇　美川圭
式子内親王　奥野陽子
建礼門院　生形貴重
藤原秀衡　入間田宣夫
平時子・時忠　元木泰雄
平維盛　根井浄
守覚法親王　阿部泰郎
藤原隆信・信実　山本陽子

鎌倉

源頼朝　川合康
*源義経　近藤好和
源実朝　神田龍身
九条兼実　加納重文
九条道家　上横手雅敬
北条時政　野口実
熊谷直実　佐伯真一
*北条政子　関幸彦
北条義時　岡田清一
曾我十郎・五郎　杉橋隆夫
北条時頼　山本隆志
北条時宗　近藤成一
安達泰盛　山陰加春夫
平頼綱　細川重男
竹崎季長　堀本一繁
西行　光田和伸
藤原定家　赤瀬信吾
*京極為兼　今谷明
*兼好　島内裕子
重源　横内裕人
*運慶　根立研介
快慶　井上一稔

法然　今堀太逸
慈円　大隅和雄
明恵　西山　厚
親鸞　末木文美士
恵信尼・覚信尼　西口順子
覚如　今井雅晴
*道元　船岡　誠
叡尊　細川涼一
*忍性　松尾剛次
*日蓮　佐藤弘夫
一遍　蒲池勢至
*宗峰妙超　竹貫元勝

南北朝・室町

後醍醐天皇　上横手雅敬
護良親王　新井孝重
*赤松氏五代　渡邊大門
*北畠親房　岡野友彦
楠正成　兵藤裕己
*新田義貞　山本隆志
*光厳天皇　深津睦夫
足利尊氏　市沢　哲
佐々木道誉　下坂　守
円観・文観　田中貴子
足利義詮　早島大祐
足利義満　川嶋將生
足利義持　吉田賢司
足利義教　横井　清
大内義弘　平瀬直樹
伏見宮貞成親王　松薗　斉
*山名宗全　山本隆志
細川勝元・政元　古野　貢
日野富子　脇田晴子
世阿弥　西野春雄
雪舟等楊　河合正朝
宗祇　鶴崎裕雄
*満済　森　茂暁
一休宗純　原田正俊
蓮如　岡村喜史

戦国・織豊

北条早雲　家永遵嗣
*毛利元就　岸田裕之
毛利輝元　光成準治
*今川義元　小和田哲男
*武田信玄　笹本正治
*武田勝頼　笹本正治
*真田氏三代　笹本正治
*三好長慶　天野忠幸
*宇喜多直家・秀家　渡邊大門
*上杉謙信　矢田俊文
島津義久・義弘　福島金治
長宗我部元親・盛親　平井上総
吉田兼倶　西山　克
山科言継　松薗　斉
*雪村周継　赤澤英二
正親町天皇・後陽成天皇　神田裕理
織田信長　三鬼清一郎
豊臣秀吉　藤井讓治
*北政所おね　田端泰子
*淀殿　福田千鶴
前田利家　東四柳史明
*黒田如水　小和田哲男
*蒲生氏郷　藤田達生
*細川ガラシャ　田端泰子
伊達政宗　伊藤喜良
*支倉常長　田中英道
*長谷川等伯　宮島新一
顕如　神田千里
教如　安藤　弥

江戸

徳川家康　笠谷和比古
*徳川家光　野村　玄
徳川吉宗　横田冬彦
*後水尾天皇　久保貴子
光格天皇　藤田　覚
崇伝　杣田善雄
春日局　福田千鶴
宮本武蔵　渡邊大門
*池田光政　倉地克直
保科正之　八木清治
シャクシャイン　岩崎奈緒子
*田沼意次　藤田　覚
*二宮尊徳　小林惟司
末次平蔵　岡美穂子
*高田屋嘉兵衛　生田美智子
*林羅山　鈴木健一
吉野太夫　渡辺憲司
中江藤樹　辻本雅史
*山崎闇斎　澤井啓一
山鹿素行　前田　勉
*北村季吟　島内景二
伊藤仁斎　澤井啓一
貝原益軒　辻本雅史
松尾芭蕉　楠元六男
*ケンペル　B・M・ボダルト＝ベイリー
新井白石　大川　真
荻生徂徠　柴田　純
*雨森芳洲　上田正昭
石田梅岩　高野秀晴
前野良沢　松田　清
平賀源内　石上　敏
本居宣長　田尻祐一郎
杉田玄白　吉田　忠
木村蒹葭堂　有坂道子
*大田南畝　沓掛良彦
菅江真澄　赤坂憲雄
*鶴屋南北　諏訪春雄
良寛　阿部龍一
*山東京伝　佐藤至子
*滝沢馬琴　高田　衛
平田篤胤　山下久夫
シーボルト　宮坂正英
本阿弥光悦　岡　佳子
小堀遠州　中村利則
狩野探幽・山雪　山下善也
尾形光琳・乾山　河野元昭
*二代目市川團十郎　田口章子
与謝蕪村　佐々木丞平
伊藤若冲　狩野博幸
鈴木春信　小林　忠
円山応挙　佐々木正子
*佐竹曙山　成瀬不二雄
葛飾北斎　岸　文和
酒井抱一　玉蟲敏子
孝明天皇　青山忠正
*和宮　辻ミチ子
徳川慶喜　大庭邦彦
島津斉彬　原口　泉

*古賀謹一郎　小野寺龍太
永井尚志　高村直助
*栗本鋤雲　小野寺龍太
西郷隆盛　家近良樹
*塚本明毅　塚本　学
*月　性　海原　徹
*吉田松陰　海原　徹
*高杉晋作　海原　徹
久坂玄瑞　一坂太郎
ペリー　遠藤泰生
ハリス　福岡万里子
オールコック　佐野真由子
アーネスト・サトウ　奈良岡聰智
緒方洪庵　米田該典
冷泉為恭　中部義隆

近代

*明治天皇　伊藤之雄
*大正天皇　F・R・ディキンソン
*昭憲皇太后・貞明皇后　小田部雄次
大久保利通　三谷太一郎
山県有朋　鳥海　靖
木戸孝允　落合弘樹

井上　馨　伊藤之雄
*松方正義　室山義正
北垣国道　小林丈広
板垣退助　小川原正道
長与専斎　笠原英彦
大隈重信　五百旗頭薫
伊藤博文　坂本一登
井上　毅　大石　眞
*井上　勝　老川慶喜
*桂　太郎　小林道彦
渡辺洪基　瀧井一博
*乃木希典　佐々木英昭
*児玉源太郎　小林道彦
*高宗・閔妃　木村　幹
山本権兵衛　室山義正
*金子堅太郎　松村正義
高橋是清　鈴木俊夫
小村寿太郎　簑原俊洋
*犬養　毅　小林惟司
*加藤高明　櫻井良樹
加藤友三郎・寛治　麻田貞雄
牧野伸顕　小宮一夫
田中義一　黒沢文貴
内田康哉　高橋勝浩
石井菊次郎　廣部　泉
平沼騏一郎　堀田慎一郎

鈴木貫太郎　小堀桂一郎
宇垣一成　北岡伸一
*宮崎滔天　榎本泰子
*浜口雄幸　川田　稔
幣原喜重郎　西田敏宏
関　一　玉井金五
水野広徳　片山慶隆
広田弘毅　井上寿一
安重根　上垣外憲一
*グルー　廣部　泉
*永田鉄山　森　靖夫
東條英機　牛村　圭
今村　均　前田雅之
蔣介石　劉　岸偉
石原莞爾　山室信一
木戸幸一　波多野澄雄
*岩崎弥太郎　武田晴人
伊藤忠兵衛　末永國紀
五代友厚　田付茉莉子
大倉喜八郎　村上勝彦
*安田善次郎　由井常彦
渋沢栄一　武田晴人
益田　孝　鈴木邦夫
山辺丈夫　宮本又郎
武藤山治　阿部武司・桑原哲也
西原亀三　森川正則
小林一三　橋爪紳也

大倉恒吉　石川健次郎
大原孫三郎　猪木武徳
*河竹黙阿弥　今尾哲也
イザベラ・バード　加納孝代
*林　忠正　木々康子
*森　鷗外　小堀桂一郎
*二葉亭四迷　ヨコタ村上孝之
夏目漱石　佐々木英昭
徳冨蘆花　半勝英明
巌谷小波　千葉信胤
樋口一葉　佐伯順子
*島崎藤村　十川信介
泉　鏡花　東郷克美
上田　敏　小林　茂
*有島武郎　亀井俊介
永井荷風　川本三郎
北原白秋　平石典子
菊池　寛　山本芳明
*宮沢賢治　千葉一幹
正岡子規　夏石番矢
高浜虚子　坪内稔典
与謝野晶子　佐伯順子
*種田山頭火　村上　護
*斎藤茂吉　品田悦一
*高村光太郎　湯原かの子

萩原朔太郎　エリス俊子
*原阿佐緒　秋山佐和子
*狩野芳崖・高橋由一　古田　亮
*小堀鞆音　小堀桂一郎
竹内栖鳳　北澤憲昭
黒田清輝　高階秀爾
中村不折　石川九楊
横山大観　高階秀爾
*橋本関雪　西原大輔
小出楢重　芳賀　徹
土田麦僊　天野一夫
岸田劉生　北澤憲昭
*山田耕筰　後藤暢子
松旭斎天勝　川添　裕
中山みき　鎌田東二
佐田介石　谷川　穣
*ニコライ　中村健之介
出口なお・王仁三郎　川村邦光
島地黙雷　阪本是丸
*新島　襄　太田雄三
木下広次　冨岡　勝
海老名弾正　西田　毅
嘉納治五郎　クリストファー・スピルマン
柏木義円　片野真佐子
津田梅子　田中智子

*澤柳政太郎 新田義之
河口慧海 高山龍三
山室軍平 室田保夫
大谷光瑞 白須淨眞
*久米邦武 髙田誠二
フェノロサ 伊藤 豊
三宅雪嶺 長妻三佐雄
*岡倉天心 木下長宏
志賀重昂 中野目徹
徳富蘇峰 杉原志啓
竹越與三郎 西田 毅
内藤湖南・桑原隲蔵 礪波 護
岩村 透 今橋映子
*西田幾多郎 大橋良介
*金沢庄三郎 石川遼子
柳田国男 鶴見太郎
厨川白村 張 競
天野貞祐 貝塚茂樹
大川周明 山内昌之
西田直二郎 林 淳
折口信夫 斎藤英喜
辰野 隆 金沢公子
シュタイン 瀧井一博
*西 周 清水多吉
*福澤諭吉 平山 洋
福地桜痴 山田俊治
田口卯吉 鈴木栄樹
*陸 羯南 松田宏一郎

黒岩涙香 奥 武則
長谷川如是閑 織田健志
*吉野作造 田澤晴子
山川 均 米原 謙
*岩波茂雄 十重田裕一
*北 一輝 岡本幸治
*穂積重遠 大村敦志
中野正剛 吉田則昭
満川亀太郎 福家崇洋
*北里柴三郎 福田眞人
高峰譲吉 木村昌人
田辺朔郎 秋元せき
*南方熊楠 飯倉照平
寺田寅彦 金森 修
石原 純 金子 務
*辰野金吾 河上眞理・清水重敦
*七代目小川治兵衛 尼崎博正
ブルーノ・タウト 北村昌史

現代

昭和天皇 御厨 貴
高松宮宣仁親王 後藤致人
*李方子 小田部雄次
吉田 茂 中西 寛

マッカーサー 柴山 太
石橋湛山 増田 弘
重光 葵 武田知己
市川房枝 村井良太
*池田勇人 藤井信幸
高野 実 篠田 徹
和田博雄 庄司俊作
朴正熙 木村 幹
竹下 登 真渕 勝
*松永安左エ門 橘川武郎
鮎川義介 井口治夫
*出光佐三 橘川武郎
松下幸之助 米倉誠一郎
渋沢敬三 井上 潤
*本田宗一郎 伊丹敬之
井深 大 武田 徹
*佐治敬三 小玉 武
幸田家の人々 金井景子
*正宗白鳥 大嶋 仁
大佛次郎 福島行一
*川端康成 大久保喬樹
*薩摩治郎八 小林 茂
松本清張 杉原志啓
安部公房 鳥羽耕史
*三島由紀夫 島内景二

井上ひさし 成田龍一
R・H・ブライス 菅原克也
柳 宗悦 熊倉功夫
バーナード・リーチ 鈴木禎宏
イサム・ノグチ 酒井忠康
川端龍子 岡部昌幸
藤田嗣治 林 洋子
*井上有一 海上雅臣
*手塚治虫 竹内オサム
古賀政男 藍川由美
*吉田 正 金子 勇
武満 徹 船山 隆
*八代目坂東三津五郎 田口章子
*力道山 岡村正史
*西田天香 宮田昌明
安倍能成 中根隆行
サンソム夫妻 平川祐弘・牧野陽子
和辻哲郎 小坂国継
矢代幸雄 稲賀繁美
石田幹之助 岡本さえ
*平泉 澄 若井敏明
安岡正篤 片山杜秀
島田謹二 小林信行

田中美知太郎 川久保剛
前嶋信次 杉田英明
唐木順三 澤村修治
保田與重郎 谷崎昭男
*福田恆存 川久保剛
井筒俊彦 安藤礼二
小泉信三 都倉武之
*瀧川幸辰 伊藤孝夫
矢内原忠雄 等松春夫
*フランク・ロイド・ライト 大久保美春
大宅壮一 有馬 学
今西錦司 山極寿一

*は既刊
二〇一五年四月現在